VERSUS Vahlen

ZUR HÖLLE MIT PURPOSE

Wie moralisches Marketing Unternehmen und Politik in die Irre führt – und warum Kreativität die Rettung ist

NICK ASBURY

Versus · Zürich Vahlen · München

Englische Originalausgabe
Nick Asbury: The Road to Hell. How purposeful business leads to bad marketing and a worse world – And how human creativity is the way out.
The Choir Press, Gloucester 2024
Übersetzung und Lektorat: Dr. Dagmar Bruss, Hamburg

Bibliografische Information der Deutschen Nationalbibliothek
Die Deutsche Nationalbibliothek verzeichnet diese Publikation in der Deutschen Nationalbibliografie; detaillierte bibliografische Daten sind im Internet über http://dnb.dnb.de abrufbar.

Versus Verlag AG, Zürich · www.versus.ch
Neptunstraße 20, CH-8032 Zürich, info@versus.ch
Verlag Franz Vahlen GmbH, München · www.vahlen.de
Wilhelmstraße 9, DE-80801 München, info@vahlen.de

Umschlaggestaltung: Simone Leitenberger
Satz und Herstellung: Versus Verlag AG · Zürich
Druck: Westermann Druck Zwickau GmbH · Zwickau
Printed in Germany

ISBN Versus 978-3-03909-361-8
ISBN Vahlen 978-3-8006-7922-5

Für Dad,
der immer einen Purpose vor Augen hatte

Inhalt

Vorwort

Anfang 2010: Der Cursor blinkte auf meinem Bildschirm, während ich über ein einzelnes Wort in diesem Text grübelte, den ich da gerade vor mir hatte.

Ich bin Werbetexter und unterstütze Marken dabei, ihre Botschaft sprachlich kreativ zu verpacken und Ideen zu kommunizieren. In diesem Fall arbeitete ich für eine Branding-Agentur, deren Kundin eine der vier weltweit größten Unternehmensberatungen war.

Bei dem Dokument handelte es sich um einen Pitch, den die Unternehmensberatung vorbereitete. Es war eine Story, mit der sie um Aufträge von Firmenkunden aus aller Welt werben wollte. Für meine Kundin war es ein dicker Fisch, und meine Aufgabe bestand darin, den Text zu überarbeiten und ihm mehr Leben einzuhauchen.

Bis jetzt gefiel er mir. Der Pitch erzählte eine Geschichte darüber, wie Big Business seit der Finanzkrise von 2007–2008 in Ungnade gefallen war, als Lehman Brothers untergingen und die Weltwirtschaft um 2 Billionen US-Dollar geschrumpft war. Der Pitch machte keinen Hehl aus den Fehlern der großen Konzerne und räumte ein, dass der Ruf globaler Unternehmen auf einem gefährlichen Tiefststand war. Die Herausforderung bestand nun darin, den Ruf der multinationalen Konzerne wiederherzustellen, indem man die Menschen an das Gute erinnerte, das sie für die Gesellschaft bewirkten: Unternehmen beschäftigen Menschen. Sie sind innovativ, schaffen Wohlstand und zahlen Steuern. Manchmal unterhält ein einziges Unternehmen eine ganze Gemeinde oder eine ganze Stadt.

Und die Haftungsbeschränkung von Unternehmen ist eine clevere Erfindung, die Innovationen ermöglicht – mit allen positiven Folgen, die damit einhergehen.

Von der Stoßrichtung her fand ich den Text gut. Er schien mir auf ein ehrliches Eingeständnis des Versagens von Unternehmen und Regulierungsbehörden hinauszulaufen. Gleichzeitig schien er in der Lage, extremen kapitalismuskritischen Reaktionen in der Öffentlichkeit den Wind aus den Segeln zu nehmen. Wir müssen die Menschen daran erinnern, wie nützlich die Wirtschaft ist, hieß es in dem Pitch. Wir müssen sie daran erinnern, dass die Wirtschaft einen positiven Beitrag für die Gesellschaft leisten kann, hieß es weiter. Wir müssen die Menschen daran erinnern, welchen *Sinn* – *purpose* – Unternehmen haben …

Wir alle neigen dazu, uns die Dinge im Nachhinein zurechtzulegen. Trotzdem erinnere ich mich deutlich an den Moment, als ich über das Wort «purpose» gestolpert bin.

Bis hierher bestach die Präsentation durch eine gewisse Bodenhaftung: Die Menschen an die Vorteile von Unternehmen zu erinnern, war glaubwürdig und überzeugend. Aber zu sagen, darin bestehe der *Sinn und Zweck,* der *Purpose,* der unternehmerischen Tätigkeit? Das schien etwas vollkommen anderes zu sein.

Man kann sagen, dass Unternehmen einen nützlichen Beitrag für die Gesellschaft leisten können. Etwas anderes ist es jedoch zu behaupten, dass dies der tiefere Sinn, der *Purpose,* sei. Dass dieser es sei, der die Manager jeden Morgen dazu bewegt, aufzustehen, und überhaupt der entscheidende Antrieb hinter all den großen Entscheidungen in der Vorstandsetage wie den kleinen am Arbeitsplatz sei. Der Text begann mit dem Eingeständnis der Selbstüberschätzung, die zur Krise von 2008 geführt hatte. Hier kam nun eine ganz andere Art von Hybris ins Spiel: eine moralische Behauptung über die grundlegende Motivation von Unternehmen.

Der Cursor blinkte neben dem P-Wort und ich blinzelte. Als ich den weiteren Text überflog, stellte ich fest, dass Purpose *das* zentrale Thema war und der rote Faden der gesamten Story. Das Ganze umzuschreiben wäre aufwendig gewesen und sicher nicht im Sinne des Kunden.

Ich hatte Rechnungen zu bezahlen und andere Aufgaben zu erledigen. Ich wünschte immer noch, ich hätte damals die Löschtaste gedrückt.

Vorwort zur deutschen Ausgabe

Seit dem Erscheinen der ersten Auflage dieses Buches im Sommer 2024 hat die Purpose-Debatte einen anderen Ton angenommen. Der Ausdruck «Post-Purpose», vor Kurzem noch ein leises Raunen, ist alltäglich geworden. Selbst dort, wo sich die Ansichten nicht geändert haben, entsteht der Eindruck, die Debatte sei in eine andere Phase übergegangen. Der «Vibe Shift» ist real.

Wenn es einen bestimmten Tag gibt, an dem sich der Vibe verschoben hat, dann war es der Morgen des 6. November 2024, als Donald Trump das Comeback vollendete, das so unwahrscheinlich schien, als am 6. Januar 2021 Demonstrierende das Kapitol stürmten. Es war zwar alles andere als ein Erdrutschsieg, doch es haftete ihm etwas Entschiedenes an, das aus vielen der Erzählungen der Vorjahre die Luft entweichen ließ. Je genauer die Wahlmuster analysiert wurden, desto düsterer sah es aus.

Nur wenige Monate vor der Wahl hatte die weltweit größte PR-Agentur die Purpose-Botschaft weiter gepusht. Laut Edelmans Trust Barometer 2024 war Politik für Marken kein optionales Extra mehr: «Die Forschung ist eindeutig: Die Grenze zwischen Marken und der Gesellschaft, in der sie agieren, hat sich aufgelöst», hieß es einleitend. «Heute drücken Konsumentinnen und Konsumenten ihre Politik – und ihre Macht – durch Markenentscheidungen aus.» Den Erhebungen zufolge stimmten 84 Prozent der Gen-Z-Befragten der Aussage zu: «Ich muss Werte mit einer Marke teilen, um sie zu kaufen.» All dies wurde genutzt, um die Direktive zu untermauern, Unternehmen sollten die Purpose-Agenda annehmen oder sie würden von der Bildfläche verschwinden. Wer nicht Partei ergriff, dessen Schweigen werde als «Komplizenschaft statt Neutralität» gewertet, berichtete *Adweek* über die Edelman-Ergebnisse.

Am Morgen des 6. November kam die Nachricht, dass Gen Z bei Weitem nicht so sehr von Purpose erfüllt war, wie es die PR suggeriert hatte. Laut dem Center for Information and Research on Civic Learning and Engagement stimmten 56 Prozent der männlichen Wähler zwischen 18 und 29 für Trump, ebenso 41 Prozent der Frauen derselben Altersgruppe – nach den 33 Prozent im Jahr 2020. «Der Gen-Z-Traum der Demokraten ist gerade gestorben», titelte *Newsweek* am Tag nach der Wahl. Ähnliches ließ sich über den Purpose-Traum sagen, den Edelman und viele andere propagiert hatten.

Weitere Wahlanalysen verstärkten das Gefühl, dass die Realität sich weigerte, mit dem Purpose-Narrativ zu kooperieren, welches Identität als maßgeblichen Bestimmungsfaktor politischer Ansichten setzte. In einer Verkehrung aller bisherigen Annahmen zeigte sich, dass sich Wählerinnen und Wähler unter 44 seit 2016 um neun Prozentpunkte in Richtung Trump bewegt hatten, während sich die über 65-Jährigen um sieben Prozentpunkte von ihm entfernten. Bei Geschlecht und Ethnie zeigte sich: Jede Gruppe außer Weißen bewegte sich in Richtung Trump; zugleich schnitt Kamala Harris bei weißen Frauen besser ab als Hillary Clinton, bei schwarzen, hispanischen und asiatischen Frauen jedoch schlechter – und insgesamt bei Frauen schlechter als jede demokratische Kandidatin und jeder Kandidat seit Kerry 2004.

Im gesamten westlichen Raum spielten sich ähnliche Muster ab, vom Aufstieg von Reform in UK bis zur AfD in Deutschland, wobei die jüngeren Generationen zu den am stärksten desillusionierten zählen. Vor diesem Hintergrund wird auch die Rolle von Wirtschaft und Werbung neu bewertet. In den Purpose-Jahren galt der multinationale Konzern als Verbündeter progressiver Anliegen. Nun stellten sich dieselben Wirtschaftsführer hinter Trump, und die Linke entdeckte ihre Sorge über die Einflussnahme von Unternehmensgeld auf den politischen Prozess wieder – sichtbar diesmal in der Allianz von Trump und Musk.

In der Folge äußerten sich Marketing-Kommentatorinnen und -Kommentatoren deutlicher kritisch gegenüber Purpose. In Großbritannien brachte Sarah Carter von adam&eveDDB halb im Ernst die Idee einer «Purpose-Untersuchung» ins Spiel, um zu prüfen, wie so viele Marken so lange auf einen Irrweg geraten konnten. Auf den ansonsten progressiven Seiten des *Guardian* fragte Eugene Healey, ob «das ‹woke› Rebranding am Ende der radikalen Rechten geholfen» habe. Wie viele andere schreibt auch er inzwischen im Präteritum über die Purpose-Ära: «Die Brand-Purpose-Ära war in vielerlei Hinsicht der Versuch von Marketerinnen und Marketern, ihre Rollen so zu versöhnen, dass sie das Gefühl hatten, positive Veränderungen zu bewirken, während sie zugleich das Unternehmensspiel mitspielten. Stattdessen hat sie sich zu einer weiteren abschreckenden Geschichte über die Fähigkeit des Kapitalismus gemausert, seine Kritiken zu absorbieren und so zu verpacken, dass sie sich gut im Supermarktregal machen.»

Diese Ausgabe des Buches erscheint in einer Welt im Wandel. Ich bleibe zuversichtlich, dass eine Post-Purpose-Welt keine Post-Ethik-Welt sein wird, sondern vielmehr ein wichtiger Schritt hin zu größerer moralischer Klarheit. Wie ich nach der Wahl auf meinem Substack schrieb: «Ich hoffe, es wird Anzeichen dafür geben, dass Marken Unternehmensethik ernster und sich selbst weniger ernst nehmen. Ich hoffe auf Hinweise, dass Unternehmen ihren begrenzten Platz in der Gesellschaft annehmen und diese Rolle wirksam spielen. Um Ratschläge zu wiederholen, zu deren Erteilung ich nur bedingt berufen bin: Hört euren Kundinnen und Kunden ohne

Urteil zu, respektiert die Autonomie eurer Mitarbeitenden, entwickelt Marken mit Kreativität und kognitiver Empathie, baut das Gemeinsame aus und sorgt für wirtschaftliches Wachstum, von dem alle Bevölkerungsgruppen profitieren – die jüngeren Generationen mehr als alle anderen.»

Es ist mir eine Ehre, dass Prof. Dr. Oliver Errichiello dieser Ausgabe ein so pointiertes Vorwort beigesteuert hat. Er war in einer Zeit, in der diese Rolle nicht leicht war, ein informierter und beharrlicher Kommentator dieser Thematik. Ich hoffe, die Leserinnen und Leser werden seiner Arbeit weiterhin aufmerksam folgen. Dankbar bin ich auch Joscha Barisch vom Versus Verlag, der geholfen hat, diese Ideen einer größeren Leserschaft zugänglich zu machen. Seit ich dieses Buch geschrieben habe, habe ich viele nachdenkliche Rückmeldungen erhalten, darunter Innenansichten von Leserinnen und Lesern, die die Purpose-Ära miterlebt und als verstandszermürbend empfunden haben. Für weitere Perspektiven bin ich immer offen – kommen Sie gern auf mich zu.

Nick Asbury, Mai 2025

Vorwort von Oliver Errichiello

«Kauf Dich gut» ist eine lukrative Lüge. Warum dies so ist, zeigt Ihnen dieses Buch.

Es war ein strahlender Sommertag vor einigen Jahren, als mein damals 75-jähriger Vater vom Balkon in die Wohnung ging und mit dem Prospekt seines Lieblings-Lebensmitteldiscounters in der Hand zurückkehrte. Der Duft von frischem Espresso lag in der Luft, zwei Croissants warteten auf uns. Mit seinem Zeigefinger deutete er auf eine regenbogenfarbene Ecke der Titelseite und fragte mich mit dem verschmitzten Lächeln und Akzent eines Mannes, der sein Heimatland Italien mit 19 Jahren verlassen hatte und nun seit einer Ewigkeit in Deutschland lebte: «Sag mal, wer ist eigentlich dieser Santo Christoforo?»

Seine Frage hing in der Luft, während wir, wie so oft, begannen zu diskutieren: über Veränderungen, Erwartungen, Irritationen und vermeintliche Missionen. Der Espresso wurde kalt, mein Vater blickte mit einer Mischung aus Verwirrung und Melancholie auf die Vergangenheit, und ich blieb mit dem Gefühl zurück, dass in diesem Moment etwas Größeres zum Ausdruck kam als das, was in diesem Supermarktprospekt nun seinen profanen Niederschlag fand. Die Frage nach «Santo Christoforo» sollte mich noch für Jahre beschäftigen. Denn wie war der bunte Aufruf zur «Christopher-Street»-Parade zwischen Rinderhack, Haushaltsreiniger und Auberginen «im Mega-Superangebot» auf die Titelseite eines Lebensmittelhändlers gelangt? Wer hatte wem nahegelegt, dass dies der richtige Platz für eine gesellschaftliche Botschaft sei? Und vor allem: Was versprach sich der Lebensmittelhändler davon?

In den Monaten danach beobachtete ich eine regelrechte Transformation der Werbelandschaft: Plötzlich zierten immer mehr Anzeigen, Plakatwände und Banner wohlmeinende Aufrufe zu Toleranz und Umweltschutz, gegen toxische Männlichkeit – überhaupt viel «Anti» und Abkürzungen in allerlei Variationen. Nein, ich war weder böswillig noch in dieser Hinsicht politisch speziell geprägt, die Ziele schienen mir allesamt edel und vernünftig. Doch mich beschäftigte eine einfache Frage: Wann und warum hatten Marken begonnen, sich zu gerieren, als hätten sie eine gesellschaftliche Verantwortung, die weit über ihre eigentliche Kernkompetenz hinausging?

Erleben wir gerade, wie kommerzielle Akteure die ethische Deutungshoheit von demokratischen Institutionen übernehmen? Aber warum ist dann niemand alarmiert?

Den zwischenzeitlichen Endpunkt dieser Suche markiert heute dieses Vorwort, denn es war Nick Asbury, dessen Artikel in britischen Werbermagazinen aus dem austauschbaren Einerlei herausstachen. Seine Texte bildeten einen wohltuenden Kontrast zu den selbstreferenziellen Branchenweisheiten, den ausgelutschten Buzzwords und Mantras des «Consumer vult» der deutschsprachigen Fachmedien. Asbury schrieb mit feiner Feder und argumentativem Florett: einer, der selbst Teil dieser merkwürdigen Klasse aus Kreativen und Strategen war, deren Geist er mit dem sprechenden Begriff «Adland» zusammenfasste. Er stellte unbequeme Fragen zu den missionslastigen Weltrettungsallüren wohlbekannter Marken. Und das bereits in einer Zeit, in der die gesamte Branche damit beschäftigt war, sich ob ihrer «Annahme gesellschaftlicher Verantwortung» in tranceähnlicher Euphorie zu suhlen. Und sich derartig begeistert selbst auf die Schultern zu klopfen, dass einem schon vom Zusehen der Rücken schmerzte. So mancher Werber oder Marketingmanager betrat die Agentur morgens bereits mit einem veritablen Heiligenschein.

Die Verwandlung von Konsum in vermeintliche Weltrettung ist vielleicht der massengängigste Etikettenschwindel unserer Zeit. Gerade wenn man bereits einige Jahrzehnte auf diesem Planeten verbracht hat, ist diese Entwicklung doch einigermaßen irritierend. Schließlich prognostizierte um die Jahrtausendwende das erfolgreichste Markenbuch der Welt das Ende der Markenhörigkeit. Jeder, der mit Gameboy, Walkman und CD aufwuchs, kennt dieses Buch so sicher wie die Form einer Toblerone: «No Logo» von Naomi Klein verkaufte sich über eine Million Mal in zahlreichen Sprachen. Doch entgegen Kleins vernunfttrunkenem Aufruf sind Marken heute nicht nur immer noch präsent, sondern wichtiger als jemals zuvor. Allerdings rufen sie nicht mehr zum simplen «Just do it» auf, sondern dazu, die Welt zu einem besseren Ort zu machen. Die Eiscreme von Ben & Jerry's, an den Lebensmittelmulti Unilever verkauft, proklamiert «Together We Can Change the Whirled» für eine neue vegane Eissorte, während sie nebenbei frisch gegen «Systematic Racism», «Police Violence» und «White Supremacy» kämpft.

Damit sind wir mittendrin in der Entwicklung des Lifestyles einer Epoche, die sich ihrer Absolution in Werbung ver- und durch sie absichert. Die die Vorstellung von einer guten Welt so schwungvoll kommerzialisiert hat, wie es nicht einmal einem Disney-Park gelingen könnte. Ein Supermarkt wird zum Vorkämpfer für Toleranz, eine Mayonnaise setzt sich für Gleichberechtigung ein und ein Autohersteller für Artenschutz. Vor drei Jahrzehnten wären diese Beispiele mit einem Lächeln als alberner Werber-Humbug abgetan worden. Heute sind sie seriöser Anspruch und zukunftsgewandte Strategie, die sich im Corporate-Sprech als «gesellschaftliche Verantwortung» in den Verlautbarungen vieler CEOs, Mission-Statements und Pressegesprächen etabliert hat.

Eben diese Entwicklung zeichnet Nick Asbury in seinem Buch *The Road to Hell* in unterschiedlichen Facetten nach und erklärt gewissenhaft, sachkundig und nicht nur richtig, sondern auch ohne Scheuklappen, was zu diesem Selbstverständnis geführt hat. Ein Selbstverständnis, das nicht auf einer maliziösen und geschickten Manipulation beruht, sondern, eigentlich viel schlimmer: von «Adland» tatsächlich geglaubt wird. Nichts ist so verführerisch wie das Trugbild, das man sich baut, um eigene Widersprüche konstruktiv zu überspielen.

Wie Saulus zum Paulus wurde, so verklärten sich die Marktschreier und Zeugsandreher von gestern zu den selbsternannten Ethik-Propheten von heute. Dieselben Verkaufstechniken, nur jetzt im sakralen Gewand ethischer Erlösungsversprechen. Der Wolf trägt heute keinen Schafspelz mehr, sondern ein mutmaßlich mit chinesischer Baumwolle[1] produziertes Boss-T-Shirt («For a Bold and Better Future») und darüber einen farblich passenden Jutebeutel von Viva con Agua.

Wie sind wir in die Ära des ethischen Größenwahns geraten,
in der Nudelhersteller und Sportschuhproduzenten uns den Weg
in eine bessere Zukunft weisen wollen?

Der CEO der Mars-Gruppe bezeichnete die Bekämpfung des Klimawandels als «moralische Verpflichtung», während sein Konzern weiterhin Millionen Plastikverpackungen produziert. Amazon setzt sich für Diversität ein, während es seine Mitarbeiter in Lagerhallen überwacht und unter prekären Bedingungen arbeiten lässt. Die Diskrepanz zwischen Heilversprechen und Realität könnte hier nicht größer sein.

Wie ist es möglich, dass sich eine ganze Branche derartig etwas vormacht und wirklich glaubt, sie würde Gutes tun, obwohl die eigentliche Transformation meist nur auf einer werblichen Oberfläche stattfindet? Die Antwort hat vielleicht etwas mit verlorener gedanklicher Tiefe zu tun. Ich denke zurück an die Grandseigneurs der deutschsprachigen Werbe- und Markenbranche der 1990er- und 2000er-Jahre: Menschen wie Klaus Brandmeyer, Vilim Vasata, Alexander Deichsel, Peter Zernisch oder Wolfgang K. A. Disch. Sie dachten auf Grundlagen, die umfassender waren als der letzte «Life-Hack» oder der neueste austauschbare Selbstoptimierungsratgeber. Sie lasen Philosophie, Psychologie, Geschichte, Soziologie. Sie lasen in Büchern, nicht nur in Dashboards und Social-Media-Feeds. Sie verstanden, dass Werbung ein Kulturphänomen ist, das sich vornehmlich soziologisch und psychologisch ergründen lässt.

Nick Asbury steht in dieser Tradition. Als Praktiker mit tiefer theoretischer Sachkenntnis und einer Gestaltsensorik, die im schnelllebigen Werbegeschäft durch KI und datengetriebene Kampagnen immer mehr verloren geht, ist er ein Werber alter Schule. Das klingt altmodisch, ist aber genau das, was der Branche heute fehlt. Werber lesen nicht mehr: Sie scannen, skimmen, scrollen. Komplexes Denken wird durch Algorithmen, Best Practices und die Frage nach dem «perfekten Prompt» ersetzt. Kein Wunder, dass die entscheidenden Fragen unserer Zeit zu vereinfachten Marketingbotschaften verkommen und die Doppelbödigkeit eines fröhlichen Markenaktivismus noch nicht einmal diskutiert, geschweige denn verstanden wird.

Die Kommerzialisierung von Ethik höhlt unser Wertefundament aus.

Das große Verdienst von Asbury ist, dass er mit seinem Buch eine deskriptive, neutrale und analytische Sicht auf dieses Phänomen einnimmt. Er vermeidet dabei geschickt die Fallstricke politischer Vereinnahmung. Zu oft wird die Kritik am werblichen Missionsaktivismus von politischen Richtungen instrumentalisiert, die sich inhaltlich gegen Regenbogenflaggen oder Geschlechterneutralität positionieren wollen. Doch darum geht es nicht. Es geht um viel größere Fragen! Es geht um die Rettung von Haltung an sich. Es geht um die Bewahrung der Authentizität ethischer Überzeugungen, die nicht monetarisiert werden sollten. Oder wenn, dann offen und transparent und nicht unter dem Vorschub einer selbstlosen Haltung. Denn Unternehmen wollen Geld verdienen. Sie wollen Profite erwirtschaften. Und das ist vollkommen legitim. Damit werden Löhne gezahlt und Steuern aufgebracht. Äußerst ehrenwerte Handlungen. Sowohl in den Unternehmen, aber auch in der sogenannten Kreativbranche sollte Schluss sein mit dem absurden «Profitshaming», das Unternehmen dazu zwingt, ihre wirtschaftlichen Interessen hinter einer Fassade ethischer Überlegenheit zu verstecken. Diese Ehrlichkeit wäre der erste Schritt zu einer glaubwürdigeren Kommunikation.

Doch manchmal entlarven sich die Protagonisten selbst: Vor einiger Zeit titelte das bedeutendste deutsche Fachmagazin für Werbung: «Verkaufen Haltungsmarken mehr?» Damit wurde deutlich, worum es Adland wirklich geht: um die Kommerzialisierung einer Haltung. Es mag schmerzen, aber selbst den ikonischen Säulenheiligen des Haltungsmarketings ist nicht zu trauen: Die gefeierte Marke Patagonia publizierte dereinst eine Anzeige mit der Aussage «Don't buy this jacket», um sich gegen Überkonsum zu positionieren. Das Resultat bewirkte das Gegenteil: Kaum eine Kampagne führte zu mehr Verkäufen. Das mag nicht intendiert gewesen sein, doch vor dem Hintergrund des Ergebnisses schaltete Patagonia Jahre später eine ähnliche Anzeige – im Bewusstsein, dass auch diese zur Steigerung der Verkäufe beitragen würde. Anti-Marketing entpuppte sich als Turbo-Marketing.

Warum erlauben wir Marken (die weder demokratisch legitimiert noch rechenschaftspflichtig sind), die ethischen Leitplanken unserer Gesellschaft zu setzen?

Viele der großen Konzerne, die sich als menschenfreundliche Instanzen inszeniert haben, stellten ihre vermeintliche «Haltung» schnell wieder ein, sobald sie bemerkten, dass diese keine nennenswerten Profite brachte oder politischer Druck andere Prioritäten vorgab. Man beachte nur die globale «Justierung» der gesellschaftlichen Ziele von Meta, Alphabet, McDonald's, Unilever oder Procter & Gamble nach dem Wahlsieg von Donald Trump. Sinnhaftigkeit war eben nie Selbstzweck, sondern stets Instrument, also ein Überzeugungshebel, um mehr zu verkaufen. Es ging im Kern nie um eine bessere Welt, sondern eben um Marketing.

Die ehemaligen ethischen Vorreiter haben ihre Transformationsagenda mit der Veränderung des Zeitgeistes längst «repositioniert». Als 2023 Unilever-CEO Hein Schumacher erklärte, die Debatte um Sinnhaftigkeit und Nachhaltigkeit habe «mehr Schatten als Licht gebracht», war dies das Eingeständnis der Vergänglichkeit eines Hypes, der kaum mehr als ein Jahrzehnt überdauerte. Während in Großbritannien und den USA diese unbequeme Wahrheit seit einigen Jahren leise, aber dennoch wahrnehmbar kritisch diskutiert wird und Nick Asbury eine der ersten kritischen Stimmen war, tut man sich in den deutschsprachigen Ländern äußerst schwer, die Bigotterie des Sinn-Marketings anzuerkennen. Man trennt sich ungern von seiner Heldenrolle, in der man etwas zu beiläufig in einer angesagten Bar in Berlin, Zürich, Wien, München,

Köln oder Düsseldorf beim Aperol erzählen konnte: «Übrigens, ich rette jetzt Wale.»

Um das Phänomen der «guten Marken» in seiner kollektiven Tiefendynamik zu verstehen, lohnt es sich, einen Blick auf die tieferen soziologischen Strukturen zu werfen. Der deutsche Soziologe Andreas Reckwitz hat in seinem Buch «Die Gesellschaft der Singularitäten» 2017 einen wertvollen analytischen Rahmen geschaffen. Reckwitz beschreibt den fundamentalen Wandel spätmoderner Gesellschaften von einer industriellen Logik der Standardisierung hin zu einer kulturellen Logik der Singularisierung, das heißt einer Aufwertung des Besonderen, Einzigartigen, Authentischen. An dieser Schnittstelle operieren die vermeintlich ethischen Marken: Sie produzieren standardisierte Massenware (industrielle Logik), laden diese aber mit vermeintlich einzigartigen ethischen Zuordnungen auf (kulturelle Logik).

Die Purpose Economy versucht sich als Antwort auf die existenzielle Leere, die entsteht, wenn etablierte Sinnsysteme versagen.

Der Kauf einer Limonade wird durch die Anreicherung mit sozialen und ökologischen Zuschreibungen zu einer singulären Kulturpraxis aufgewertet. Das Produkt ist nicht mehr nur ein Erfrischungsgetränk, sondern ein Statement, eine Handlung, ein Akt der Weltverbesserung, den ich über meinen Einkaufskorb und ein gut sichtbares Etikett zur Schau stelle. «Ich kaufe, also rette ich!»

Wir kaufen nicht mehr Produkte, wir kaufen Bedeutung. Diese Erkenntnis ist alt, uralt. Selbstverständlich haben wir schon immer mehr als bloße Produkte konsumiert: Status, Zugehörigkeit, Identität. Der Luxuswagen signalisierte Erfolg, die Sportmarke Dynamik, das Designer-Label Geschmack. Das war zwar oberflächlich, aber zumindest ehrlich in seiner Eitelkeit. Das zutiefst Perfide an der heutigen Entwicklung ist jedoch, dass wir nicht mehr nur schnöde Werte wie Luxus, Prestige oder Coolness erwerben, sondern nun auch das vermeintlich «Gute» selbst zur Ware geworden ist. Die «sinnhafte Werbung» unserer Tage ist die perfekte Antwort auf die existenzielle Leere, die entsteht, wenn traditionelle Sinn- und Bedeutungssysteme wie Politik, Religion oder Gemeinschaft an Verbindlichkeit und Kraft verlieren. Statt konkreter Sinnstiftung durch Handeln bietet uns die Marketingmaschinerie die bequeme Illusion, durch Konsum Bedeutung zu erzeugen. Der Kauf einer Regenjacke wird zum Akt des Klimaschutzes umgedeutet, das Frühstücksmüsli zur Rettung der Biodiversität. Wir umgehen die fundamentalen Fragen unserer Existenz mit einem einfachen Swipe der Kreditkarte.

Die massenhafte moralische Verbrämung des Konsums verschärft die ökologische Krise, indem sie das gute Gewissen zum Gimmick macht – und damit politisch wirksame Grundsatzdiskussionen verhindert.

Was wir derzeit erleben, ist eine gefährliche Verwischung der Grenzen zwischen Profitorientierung und Gemeinwohlorientierung. Gewinnorientierte Unternehmen gerieren sich als gemeinnützige Organisationen, ohne die entsprechende Legitimation, Kontrolle oder Transparenz zu bieten. Die Werbebranche feiert diese Entwicklung euphorisch und verkündet stolz, dass Menschen Marken mittlerweile mehr vertrauen als politischen Institutionen. Als sei dies ein Triumph. Dabei ist es eine fundamentale Bedrohung unserer demokratischen Ordnung. Denn niemand wählt CEOs, und ihre zum Teil immense Macht, Öffentlichkeiten kommunikativ zu beeinflussen, erwächst nicht aus demokratischen Prozessen.

Adland bejubelt zwar die inhaltlich progressiven Haltungen gut situierter und kosmopolitischer Milieus und freut sich über ihre

Verbreitung. Was geschieht aber, wenn konträre, traditionelle Haltungen, die sich im Rahmen des gesetzlich Erlaubten bewegen, von Unternehmen verbreitet werden? Traditionelle Familienentwürfe, Rollenverständnisse oder religiöse Vorstellungen? Bejubeln wir diese Haltungen dann ebenso als Ausdruck «gesellschaftlicher Verantwortung»? Sinn-Marketing setzt sich vorgeblich auch für «die Freiheit» ein; eine Meinungsmaschine allerdings, die nur mehr *eine* Haltung akzeptabel erscheinen lässt, ist eben nicht freiheitlich, sondern wird zur Gefahr für den gesellschaftlichen Diskurs. Demokratie lebt durch das Aushandeln von Haltungen – und zwar grundsätzlich im Plural.

Dieser Vertrauenstransfer von demokratisch legitimierten Instanzen hin zu privaten, profitorientierten Konzernen ist daher kein Grund zum Jubeln, sondern Anlass zu höchster Besorgnis. Denn was passiert, wenn die politische Agenda nicht mehr von gewählten Volksvertretern bestimmt wird, sondern von Großunternehmen und ihren Marketing-Abteilungen?

In einer Welt, in der die Macht des Konsums die Macht der Demokratie zu überschatten droht, müssen wir uns fragen: Wollen wir in einer Gesellschaft leben, in der Unternehmen die ethischen Leitplanken setzen? Wo die vermeintliche ethische Position eines Konsumenten an seinem Kaufverhalten abgelesen wird? Wo ethisches Handeln zur Marketingstrategie verkommen ist?

Vielleicht geht es auch kleiner und konkreter: Ein Unternehmen, das ordentlich wirtschaftet, seine Mitarbeiter und Lieferanten anständig bezahlt, seine Produkte solide herstellt und, welch revolutionärer Gedanke, seine Steuern dort entrichtet, wo es seine Gewinne erwirtschaftet, leistet bereits einen enormen gesellschaftlichen Beitrag. Das bringt zwar keine Werbepreise und keine Respektsbekundungen am Boulevard de la Croisette in Cannes zum jährlichen Stelldichein und der Verleihung der globalen Kreativpreise der Werbebranche, ist aber ungemein konkret und wirkungsvoller als jede hochtrabende Purpose-Kampagne. Die ehrliche Erfüllung dieser Grundverantwortung wäre in vielen Fällen bereits ein gewaltiger Fortschritt.

Vielleicht sollten wir uns damit abfinden, dass echte Veränderung Ehrlichkeit und massiven Verzicht erfordert.

Nick Asburys Buch hat gutgetan. In einer Branche, in der kritisches Denken oft dem kollektiven Enthusiasmus für den neuesten ethischen Verkaufstrick geopfert wird, fühlte man sich mit skeptischen Fragen wie ein Häretiker auf dem Branchenkongress. «Wie kannst du gegen Toleranz/Diversität/Umweltschutz sein?» lautete der empörte Vorwurf, wenn man es wagte, die kommerzielle Vereinnahmung dieser Werte zu hinterfragen. Dabei müsste man die Instrumentalisierung dieser Haltungen ablehnen, wollte man sie wirklich entfalten und stärken. Die intellektuelle Einsamkeit in Marketingabteilungen, Agenturen und auf Branchentreffs war bisweilen erdrückend ... bis Nick Asburys wohltuend nüchterne Analyse endlich das aussprach, was viele ahnten, aber niemand zu sagen wagte.

Nicht nur für die Marketingbranche, sondern für uns alle als Bürgerinnen und Konsumenten ist dieses Buch eine längst überfällige intellektuelle Besinnung. Denn die Hölle, von der Asbury spricht, ist gepflastert mit ausgemusterten klimaneutralen Sneakers, Packungen biodiverser Frühstücksflocken und purpose-getränkten Kaffeebechern, allesamt gekauft mit dem besten Gewissen der Welt, während der Planet brennt und die Demokratie bröckelt.

Und was verstört daran am meisten? Wir applaudieren uns frenetisch selbst, während wir auf diesem Weg voranstapfen. Wir brüsten uns mit unseren ethisch korrekten Einkaufsentscheidungen, debattieren ernsthaft über die gesellschaftliche Verantwortung von Mayonnaise und sind empört, wenn ein Unternehmen es wagt, einfach nur sein Produkt zu verkaufen, ohne den Anstand zu haben, sich auch zumindest ein bisschen zur Weltrettung zu verpflichten. Die ethische Aufladung des Konsums ist zur perfekten Ablenkung geworden. Wie praktisch für alle Beteiligten: Die Unternehmen verkaufen mehr, wir konsumieren mit besserem Gewissen, und niemand muss sich wirklich ändern. Und so betrachten wir den Aufruf zu «Santo Christoforo» zufrieden neben der Teewurst im Prospekt und merken nicht einmal, dass wir selbst zu Figuren in einer grotesken Komödie geworden sind, in der das Publikum und die Schauspieler längst nicht mehr zu unterscheiden sind.

Dass Asbury für seine Analyse auf das Evangelium zurückgreift: «Gebt dem Kaiser, was des Kaisers ist, und Gott, was Gottes ist», ist in dieser stets zukunftsgewandten Branche geradezu ein Affront. Während um ihn herum die Marketingwelt von Purpose-getriebenen Wachstumsstrategien und ethischen Transformationsprozessen schwärmt, erinnert er uns an eine zeitlose Weisheit: Unternehmen sollten ihre Aufgabe in der Gesellschaft nicht umdeuten. Diese klare Grenzziehung ist nicht reaktionär, sondern befreiend, und zwar für Unternehmen und für die Sozialität gleichermaßen. Denn wenn jeder seine eigentliche Rolle erfüllt, brauchen wir keine ethischen Überhöhungen und Feigenblätter und keine werblichen Weltrettungsfantasien mehr. Dann können wir wieder ehrlich miteinander sein: als Unternehmen, als Kundschaften und als Bürger. Und uns auch politisch wieder mit der gebotenen Ernsthaftigkeit den Dingen zuwenden, die wirklich unserer Aufmerksamkeit bedürfen. Auch wenn – und gerade weil – wir nicht immer einer Meinung sind.

Prof. Dr. Oliver Errichiello

Einleitung

8. Oktober 2008. Großbritannien steht kurz vor dem «Zusammenbruch von Recht und Ordnung», wie der Labour-Finanzminister Alistair Darling später sagen wird. Der Vorstandsvorsitzende der Royal Bank of Scotland Group ist zurückgetreten, und die Regierung ist mit 50 Milliarden Pfund öffentlicher Gelder eingesprungen, um den Bankensektor zu retten.

25. Juli 2023. Der Chef der britischen Privatbank Coutts, die zur NatWest Group gehört und früher als Royal Bank of Scotland Group bekannt war, ist zurückgetreten. Vorausgegangen war dem eine Auseinandersetzung darüber, dass die Bank dem Leader der Brexit-Partei Nigel Farage ihren Service verweigert hatte. Die Entscheidung erfolgte, nachdem ein interner Bericht aufgedeckt hatte, dass Farage nicht mehr mit den «Werten» der Bank im Einklang stehe. Die Bank befindet sich nach wie vor zu fast 40 Prozent im Besitz des britischen Steuerzahlers.

* * *

10. November 2010. 50 000 Studenten demonstrieren auf dem Parliament Square in London gegen die von der Koalition aus Konservativen und Liberaldemokraten beschlossene Verdreifachung der Studiengebühren. In ihrem Wahlkampf hatten die Liberaldemokraten versprochen, sich einer solchen Erhöhung zu widersetzen. Ihr Parteichef Nick Clegg wird sich später für die 180-Grad-Wende entschuldigen, die ein Jahrzehnt der Sparpolitik einläuten sollte.

14. März 2022. Die ehemalige Strategieverantwortliche für die Wahlkampagne der Liberaldemokraten von 2010, die zwischen 2010 und 2015 Direktorin für politische Strategie war, tritt eine neu geschaffene Stellung an der University of the Arts London an. Ihre Aufgabe ist es, eine aufstrebende Generation politisch bewusster Studierender anzuleiten, die Kunst als eine Form von Aktivismus ansehen. Ihre Positionsbezeichnung lautet: Chief Social Purpose Officer.[2]

* * *

17. September 2011. Die Wall Street wimmelt vor Demonstranten, die ihrer Wut über die soziale Ungleichheit, die Gier der Konzerne und den Einfluss von Geld auf die Politik Luft machen. Die Herausgeber des konsumkritischen Magazins *Adbusters* hatten den Protest entfacht, dem sie mit dem Bild einer Tänzerin auf dem Rücken der ikonischen Bullenskulptur Ausdruck verleihen.

8. März 2017. Die Demonstranten sind von der Wall Street verschwunden. An ihrer Stelle befindet sich nun die Bronzestatue eines Mädchens, das einen Bullen bezwingt. «Fearless Girl» ist ein Projekt der Werbeagentur McCann und der Vermögensverwaltung State Street. Letztere wird später von zwei Seiten verklagt: Ihre weiblichen Angestellten werfen ihr systematische Gehaltsdiskriminierung vor, während die Bildhauerin die Einschränkung ihrer künstlerischen Freiheit geltend macht. Die Idee wird von der globalen Werbeindustrie bejubelt und zählt zu den am häufigsten ausgezeichneten Kampagnen in der Geschichte des Lions Festival in Cannes, der renommiertesten Veranstaltung der Werbebranche.

* * *

Dieses Buch handelt von dem, was in der Zwischenzeit geschehen ist. Es handelt von einem einzigen Wort: Purpose.

Einigen Lesern ist die besondere Bedeutung, die das Wort in den 2010er-Jahren in der Marketing- und Businesswelt angenommen hat, wahrscheinlich nicht bewusst. Vielleicht ist Ihnen aufgefallen, dass der Ton der Werbung in dieser Zeit ernsthafter geworden ist: mehr Weltrettung, weniger einprägsame Jingles. Vielleicht haben Sie auch bemerkt, dass sich Führungskräfte aus der Wirtschaft zunehmend zu sozialen Themen äußern. Wenn Sie in Großbritannien leben, erinnern Sie sich vielleicht an einen Kulturkampf, bei dem die konservative Ministerin Kemi Badenoch die politische Haltung von Ben & Jerry's kritisierte. Sollten Sie in den USA leben, fallen Ihnen womöglich die «Battle of Bud Light» oder die Katz-und-Maus-Spiele zwischen DeSantis und der Disney Corporation ein. Aber egal, wo auf der Welt Sie sich befinden: Sehr wahrscheinlich haben Sie den Aufstieg von Billionen-Dollar-Konzernen, sich medienwirksam inszenierenden Oligarchen und eine immer größer werdende Wohlstandskluft bemerkt.

Anderen Lesern wird die Debatte aus der Marketing- und Geschäftswelt bekannt sein, und vielleicht sind sie sie schon leid. Diese Leser werden wissen, dass es eine komplizierte Diskussion um das Wort «Purpose» gab, bei der es um die soziale Rolle von Unternehmen und deren Auswirkungen auf ihr Marketing ging. Manche mögen zu dem Schluss gelangt sein, dass es bei «Purpose» nur auf Nuancen ankommt: Klar, es gibt immer Heuchler und Scharlatane, die nur so tun, als handelten sie im Sinne eines guten Zwecks, während ihre dubiosen Machenschaften im Verborgenen ablaufen. Aber das sollte uns nicht vom Eigentlichen abbringen: dass Purpose gut ist, wenn wirklich danach gehandelt wird. Und schlecht, wenn nur so getan wird, als ob. Punkt. Ende.

Ein solches Buch wäre schnell geschrieben, und viele haben es bereits getan. *Dieses* Buch zu schreiben ist schwieriger, und niemand hat es bisher so geschrieben, wie ich es vorhabe. Ich will zeigen, dass Purpose – selbst oder gerade dann, wenn man ihn aufrichtig verfolgt – eine in Bezug auf Marketing, Unternehmen und Geschäftsmoral denkbar untaugliche Kategorie ist.

Der Schlüssel zu meinem Argument findet sich im Titel dieses Buchs und ist an ein englisches Sprichwort angelehnt: «The road to hell is paved with good intentions» (Originaltitel: «The Road to Hell») oder, auf Deutsch: «Der Weg zur Hölle ist gepflastert mit guten Vorsätzen». Mein Argument lautet, dass Purpose – bei allen guten Absichten, die dahinterstehen mögen – ein von Grund auf fehlgeleitetes Konzept ist, das zu schlechtem Marketing und noch schlechteren Auswirkungen auf die Gesellschaft führt.

Meine Argumentation ist wie folgt aufgebaut: Zunächst werde ich erklären, was Purpose ist, woher er kommt und wie er zu schlechtem Marketing und negativen Folgen für die ganze Welt führt. Dann werde ich für eine Alternative plädieren, die auf einer Kombination aus Kreativität und kognitiver Empathie beruht – und darauf, den Menschen mehr Wertschätzung entgegenzubringen als Marken oder Unternehmen.

Dies alles ist überaus wichtig, denn selbst wenn wir die Debatte um Purpose leid sind, sollten wir nicht aus dem Blick verlieren, worum es bei all dem geht: nämlich um die Rolle, die Unternehmen für die Gesellschaft spielen, und die politischen und ethischen Auswirkungen, die das Handeln von Unternehmen und Marketingspezialisten Tag für Tag auf unser Leben hat.

Seit mehr als zehn Jahren vernebelt Purpose unseren Verstand in diesen Fragen. So sehr, dass inzwischen Dinge geschehen sind, die für die Occupy-Wall-Street-Bewegung von 2011, die studentischen Demonstrierenden von 2010 und die Öffentlichkeit, die 2008 dabei zusehen musste, wie 50 Milliarden Pfund ihrer Ersparnisse sich in Luft auflösten, unvorstellbar erschienen gewesen wären.

Aber beginnen wir mit ein paar Definitionen.

1.
Was ist Purpose?

Wir sind nicht hier, weil wir frei sind. Wir sind hier, weil wir nicht frei sind; wir können dem Zweck nicht entrinnen; wir können die Bestimmung *(purpose)* nicht verleugnen, denn wie wir beide wissen, ohne Bestimmung würden wir nicht existieren. Es ist die Bestimmung, die uns erschaffen hat. Bestimmung, die uns verbindet. Bestimmung, die uns motiviert, die uns führt, die uns antreibt. Es ist Bestimmung, die uns definiert. Bestimmung, die uns verbindet.

– Agent Smith in *Matrix Reloaded,*
kurz bevor die geklonten Agenten Smith
den verwirrten Neo angreifen

Wenn es um Purpose geht, sind Definitionen mehr als bloßes Vorgeplänkel. Durch sie kommt man ziemlich schnell zum Kern der Debatte.

Einige Leserinnen werden sich über die ganze Fragestellung wundern und fragen: Was ist denn falsch an Purpose? Ist Purpose nicht eine gute Sache und notwendig? Insbesondere die Art von moralischem Purpose, der unserem Leben eine Bedeutung gibt? Ist es nicht wichtig, darüber nachzudenken, ob unsere Existenz einen Sinn hat? Sind dies nicht Fragen, über die sich Philosophen seit Jahrhunderten den Kopf zerbrechen?

Ja – auf diese Fragen werden wir zurückkommen. «Purpose» – in der deutschen Bedeutung von Sinn, Zweck – ist ein umfassendes, sinnvolles Konzept. Das Wort ist alt und war lange da, bevor es von der Geschäfts- und Marketingwelt vereinnahmt wurde. Und es wird auch noch existieren, wenn es dort wieder aus der Mode gekommen ist.

Zunächst möchte ich daher die besondere Bedeutung erläutern, die das Wort Purpose im Laufe der beiden vergangenen Jahrzehnte angenommen hat. Dabei ist es wichtig, dass ich mich an jene Definition halte, die auch die einflussreichsten Vertreter der Pro-Purpose-Debatte verwenden – sonst würden wir unweigerlich aneinander vorbeireden. Die Verfechter des Purpose-Konzepts werden mir hoffentlich bei dieser Definition zustimmen.

Die fünf Säulen des Purpose

Bezogen auf den Kontext von Business und Marketing schlage ich folgende, von fünf Säulen getragene Definition vor:

1. Purpose ist nicht gleich Profit

«Purpose ist der Grund für die Existenz eines Unternehmens, der über das Geldverdienen hinausgeht.»

Jim Stengel, Autor von *Grow: How Ideals Power Growth and Profit at the World's Greatest Companies* (2011)

«Jene Marken werden in den nächsten Jahren einen Aufschwung erleben, die einen Purpose verfolgen, der über den reinen Profit hinausgeht.»

Richard Branson, Gründer der Virgin Group (2014)

Auf der Pro-Purpose-Seite wird Purpose als ein von reinem Profitstreben unterschiedenes Ziel definiert. Dabei geht man davon aus, dass es möglich ist, beide Ziele miteinander in Einklang zu bringen – zwischen ihnen besteht ein gewisses Spannungsverhältnis, das es aufzulösen gilt. Folgt man dem Mantra der Purpose-Bewegung, sollen Unternehmen erfolgreich sein, indem sie Gutes tun. Der erste Teil – das Erfolgreich-Sein – entspricht dem Profit, der zweite Teil – Gutes-Tun – zielt auf die positiven sozialen Auswirkungen des ersten. Die Frage ist nun, wie sich diese beiden Ziele zueinander verhalten.

An dieser Stelle ist es sinnvoll, zwischen dem vor 2008 in der englischen Alltagssprache verwendeten, kleingeschriebenen «purpose» und dem spezifischen, großgeschriebenen «Purpose» zu unterscheiden, das es ersetzt hat. Vor 2008 bestand der *purpose,* der Zweck, eines Unternehmens darin, einen Gewinn zu erzielen. Oder, genauer gesagt, bestand der Zweck beziehungsweise *purpose* eines Unternehmens darin, durch den Verkauf von Produkten Gewinn zu machen. Und ja, es ist gut möglich, dass diese Produkte den Menschen, die sie benötigen, das Leben leichter machen – es wäre sonst wohl schwer, sie zu verkaufen. Aber um das Unternehmen zu steuern, genügt es, sich auf den Gewinn zu konzentrieren. Solange sich die Produkte verkaufen, ist alles gut.

Hinter dem großgeschriebenen *Purpose* dagegen steckt mehr. Es bedeutet, dass ein Unternehmen einen tieferen Grund für seine Existenz haben muss: etwas, das über den Verkauf von Produkten mit der Absicht, Gewinn zu erzielen, hinausgeht – welche auch immer diese Produkte sein mögen. Diese besondere Bedeutungsfacette hat *purpose* um das Jahr 2008 angenommen: die Vorstellung eines nach außen gerichteten Zwecks, der über rein profitorientierte Aktivitäten hinausgeht und darauf abzielt, die Welt besser zu machen.

2. Bei Purpose geht es um das Warum

> «Die Leute kaufen nicht, was du tust, sondern warum du es tust.»
>
> Simon Sinek, Autor von *Start With Why* (2009)

> «Der Purpose oder das Warum einer Organisation ist der eigentliche Grund, aus dem ein Unternehmen als Unternehmen handelt.»
>
> Sara Roberts, Executive Director im Beratungsgeschäft, Ernst & Young (2017)

In diesem Zusammenhang wird Purpose oft mit der Frage nach dem Warum verknüpft. Natürlich sprechen Unternehmen oft über das, *was* sie verkaufen, darüber, *wann* man es benötigt und *wie* es einem das Leben erleichtern könnte, *wo* es herkommt oder *wo* es verkauft wird, *wer* es herstellt und für *wen* es bestimmt ist.

Folgt man den Befürwortern des Purpose-Gedankens, geht die Frage nach dem *Warum* tiefer. Es geht dabei um eine fundamentale Motivation, die das eigene Tun antreibt. Wie Simon Sinek es 2009 in seinem einflussreichen TED-Talk ausgedrückt hat, ergeben sich das Wie und das Was immer aus dem Warum, das zuerst da war. Das Markenzeichen von Apple bestünde darin, so Sinek, «unkonventionell zu denken und den Status quo bei allem, was das Unternehmen tut, infrage zu stellen [warum]. Sie tun dies, indem sie wunderschön designte Produkte herstellen, deren Gebrauch Spaß macht und die man gerne besitzt [wie].» Sinek schließt mit einem nonchalanten Achselzucken: «Sie verkaufen nur zufällig Computer [was].»

Wir werden darauf zurückkommen.

3. Purpose ist moralisch und sozial aufgeladen

«Die Gesellschaft verlangt heute von öffentlichen wie privaten Unternehmen, dass sie einem gemeinnützigen Zweck *[social purpose]* dienen.»

Larry Fink, CEO, BlackRock (2018)

«Jede Marke muss, um einem Purpose zu dienen, für ein höheres Ideal eintreten und sich selbst in den Dienst der Menschen und der Welt stellen. Per definitionem erzeugt also jede Purpose-getriebene Marke einen Mehrwert für die Gesellschaft.»

Jim Stengel

Das Besondere an dem Purpose-Konzept ist, dass es moralisch und sozial aufgeladen ist. Wenn das Warum eines Unternehmens nur darin besteht, Produkte herzustellen, macht es keinen Sinn, überhaupt von einem Purpose zu sprechen – man kann einfach bei dem konventionellen Wort «Profit» bleiben. Purpose geht darüber hinaus. Wenn das Konzept von so mächtigen Akteuren wie Larry Fink, dem CEO von BlackRock, verwendet wird, wenn es als Bezeichnung für erst vor Kurzem eingeführte Kategorien bei globalen Werbeawards auftaucht oder wenn es Gegenstand von Zeitungsartikeln und hitzigen Debatten über die Rolle von Unternehmen in der Gesellschaft ist, dann ist Purpose gleichbedeutend mit der Idee eines «social purpose» beziehungsweise eines «gesellschaftlichen Zwecks». Jim Stengel, dem Autor von *Grow* (2011), zufolge geht es bei Purpose um «hehre Ideale», die einen «sozialen und gesellschaftlichen Nutzen» haben.

Dies hat das Wort «Purpose» in einem neuen und anderen Licht erscheinen lassen, seit es in den Jahren nach 2008 an Relevanz gewonnen hat. Ohne diese moralische und soziale Bedeutungsebene würde sich Purpose nicht von all den Missionen, Strategien, Vorhaben und Markenideen unterscheiden, über die Unternehmen bereits seit Jahrzehnten sprechen.

4. Purpose ist mehr als reines Marketing

> «Mir widerstrebt der Gedanke, dass Unternehmen Purpose als Marketingkniff verwenden oder um sich am Markt zu positionieren. Das ist absolut unauthentisch, und man merkt meist schnell, wenn sie nur so tun, als ob. Um es mit den Worten von Lady Gaga zu sagen: Ich glaube, die wirklich authentischen Unternehmen sind schon ‹so auf die Welt gekommen›. Sie sind aus dem Wunsch heraus entstanden, sich, neben dem Gewinnstreben, für das Gute in der Welt einzusetzen.»
>
> Sara Roberts, Ernst & Young[3]

> «Es reicht nicht, darüber zu reden. Es kommt darauf an, dass Marken konkrete Maßnahmen ergreifen und zeigen, dass sie sich engagieren, um etwas zu verändern.»
>
> Alan Jope, CEO von Unilever 2019–2023

Dieser Punkt taucht in jedem Pro-Purpose-Argument auf: Es funktioniert nur, wenn es *authentisch* ist. Der Purpose muss bis an die Grundfesten eines Unternehmens reichen. Es ist nicht einfach eine Wohlfühlstory, die man erzählt, damit die Marke trendy oder wertig erscheint. Es darf auch kein oberflächliches «Purpose-Washing» sein, nur dazu angetan, das eigene Image aufzupolieren. Es muss aus einer grundlegenden und nachweislichen Verpflichtung auf eine gute Sache erwachsen: Es ist eine Geschäftsidee, keine Branding-Strategie.

Diesem Part der Definition schließe ich mich an. Dadurch wird Purpose als Konzept so konsequent: Es ist nicht einfach eine Marketingmarotte, sondern eine Art, wie Unternehmen ihren Platz auf dieser Welt definieren und die ethische Verantwortung verstehen, die sich daraus ergibt.

5. Purpose ist der Grund für die Existenz

> «Purpose ist nicht einfach ein Slogan oder eine Marketingkampagne; es ist der eigentliche Grund für die Existenz eines Unternehmens.»
>
> Larry Fink, CEO, BlackRock

> «In einer vom EY Beacon Institute und den Harvard Business Review Analytic Services durchgeführten Studie sagten 90 Prozent aller Führungskräfte, ihr Unternehmen erkenne inzwischen die Bedeutung ‹eines sinnstiftenden Grundes für das eigene Bestehen an, der inspiriert und eine Organisation zum Handeln aufrüttelt … und einen Nutzen für die Gesellschaft mit sich bringt›.»
>
> Valerie Keller and Caroline Webb, Harvard Business Review 2017

Schließlich wird Purpose oft als «Grund für die Existenz» eines Unternehmens angeführt und damit als Antwort auf die Frage: Wozu sind wir da?

So hat es Larry Fink 2019 in einem einflussreichen Brief definiert. Der Brief ist Teil einer Reihe jährlich erscheinender offener

Briefe, die an die Vorstände multinationaler Unternehmen gerichtet sind. Diese steuern die Marken, welche wiederum die Agenturen auswählen, die die Werbekampagnen konzipieren. Es ist nicht weiter verwunderlich, dass diese CEOs auf einen der weltweit größten Vermögensverwalter hören, der bis zu 10 Billionen US-Dollar kontrolliert: Gelder, die durch Aktiengesellschaften fließen und deren Entscheidungen beeinflussen. Wenn Larry Fink sagt, dass Unternehmen jetzt einen tieferen Grund für ihre Existenz brauchen, dann liegt es im Eigeninteresse der CEOs, sich dieser Sicht anzuschließen.

* * *

Ich hoffe, wir sind uns weitgehend einig über diese Definition: Unter Purpose versteht man ein soziales Ziel, das sich vom Profitstreben unterscheidet. Bei Purpose geht es um das «Warum» eines Unternehmens; er hat eine moralische und soziale Dimension, die ihn vom konventionellen Verständnis des Begriffs abhebt; es handelt sich um ein tiefgreifendes Konzept, das das Geschäftsmodell als Ganzes betrifft, und nicht nur das Marketing; und es bestimmt den fundamentalen Grund für die Existenz eines Unternehmens.

Gegen dieses Verständnis von «Purpose» werde ich in diesem Buch argumentieren – und ich werde das ganze Buch dafür brauchen. Zunächst möchte ich aber auf diesen letzten Punkt «Grund für die Existenz» näher eingehen. Im Englischen haben wir einen feststehenden Begriff, der den Grund für die Existenz einer Organisation als Antwort auf die Frage «*Wofür* ist die Organisation da?» oder, englisch, «What is the organisation *for*?» definiert. Und ab dem Zeitpunkt ihrer Gründung wird eine Organisation entweder als *For-Profit-* beziehungsweise gewinnorientiertes Unternehmen oder als *Not-for-Profit-* beziehungsweise gemeinnützige Organisation definiert.

Einiges steht und fällt mit dieser Definition. Als Gesellschaft haben wir dieser Unterscheidung stets Bedeutung beigemessen: Wir erheben unterschiedliche Steuersätze und stellen unterschiedliche Erwartungen an beide. Von gemeinnützigen Organisationen erwarten wir, dass sie sich für soziale Belange einsetzen, weil das der Existenzberechtigung dieser Organisationen entspricht. Tatsächlich fühlen wir uns dabei wohl, weil wir wissen, dass sie per Definition *nicht* des Profits wegen handeln.

Theoretisch könnte ein gewinnorientiertes Unternehmen öffentliche Spenden entgegennehmen, um damit Geld an hungernde Kinder zu verteilen. Durch Effizienzvorteile könnte es sogar einen größeren Nutzen pro Geldeinheit erzielen und das übrige Geld als Dividende an die Aktionäre ausschütten. Solange der Nutzen für das Projekt größer ist als derjenige, den gemeinnützige Organisationen zu erzielen in der Lage wären, könnte es uns eigentlich gleichgültig sein. Ist es aber nicht. Es kommt uns schlicht und einfach nicht richtig vor, wenn Unternehmen mit bestimmten Aktivitäten Profite machen, selbst wenn sie dabei hungernde Kinder maximal effizient unterstützen. Stattdessen übertragen wir solche Aufgaben gemeinnützigen Organisationen, wohl wissend, dass das gesamte Geld nach Deckung der Kosten für den guten Zweck aufgewandt wird.

Üblicherweise gestehen wir gewinnorientierten Unternehmen nicht dieselbe Autorität zu, wenn es darum geht, bei sozialen Problemen zu intervenieren. Sie sind Unternehmen mit beschränkter Haftung, was sich teils auch auf die Reichweite ihres gesellschaftlichen Auftrags und ihrer Wirkmacht bezieht. Als Gesellschaft haben wir uns darauf geeinigt, den Inhabern von Unternehmen das seltene und befreiende Privileg einer Haftungsbeschränkung einzuräumen – unter der Bedingung, dass sie ihre Aktivitäten auf ihr Kerngeschäft beschränken.

Dieser gesellschaftliche Beschluss wird durch einen unternehmensbezogenen Purpose infrage gestellt. Er kommt als nobler Versuch daher, Verantwortung zu übernehmen und Probleme außerhalb des üblichen geschäftlichen Bereichs anzugehen. Man kann darin aber ebenso einen koordinierten Versuch sehen, in Gebiete vorzudringen, die jenseits des Zuständigkeitsbereichs von Unternehmen mit beschränkter Haftung liegen – zumal diese in einem Umfeld kompromittierender Marktkräfte operieren müssen.

Wir werden dieses Argument später noch genauer unter die Lupe nehmen. Zunächst möchte ich Ihnen noch eine andere Definition von Purpose vorstellen: eine, die man im Wörterbuch nachschlagen kann.

Zwei Arten von Purpose

Googelt man das Wort, erscheinen zwei unterschiedliche Definitionen, die wie das gesamte Englischwörterbuch von Google durch Oxford Languages zur Verfügung gestellt werden. Wir können also davon ausgehen, dass dies die gebräuchlichsten Definitionen sind.

1. *the reason for which something is done or created or for which something exists. «the* ***purpose*** *of the meeting is to appoint a trustee»*
   Dt.: der Grund, warum etwas gemacht oder hergestellt wird oder aus dem etwas existiert. «Der **Zweck/Purpose** des Meetings ist es, einen Treuhänder zu ernennen.»

Mit angegeben wird eine Liste bedeutungsähnlicher Wörter. Da ich einen Vergleich der Synonyme sehr aufschlussreich finde, gebe ich die Liste vollständig wieder: *motive* (Motiv), *motivation* (Motivation), *grounds* (Gründe), *cause* (Ursache), *impetus* (Anstoß), *occasion* (Gelegenheit), *reason* (Grund), *point* (Pointe), *basis* (Grundlage), *justification* (Rechtfertigung), *intention* (Absicht), *aim* (Ziel), *object* (Ziel,

Zweck), *objective* (Ziel), goal (Ziel), *end* (Ziel, Zweck), *plan* (Vorhaben), *scheme* (Vorhaben), *target* (Ziel), *ambition* (Bestreben), *aspiration* (Streben), *desire* (Begehren), *wish* (Wunsch), *hope* (Hoffnung), *advantage* (Vorteil), *benefit* (Nutzen), *good* (Gutes, Nutzen), *use* (Nutzen), *usefulness* (Nützlichkeit), *value* (Wert), *merit* (Verdienst), *worth* (Wert), *gain* (Gewinn), *profit* (Profit), *avail* (Gewinn), *result, outcome* (Ergebnis, Resultat), *effect* (Auswirkung), *mileage, percentage, behoof* (Nutzen, Behuf), *boot, function* (Funktion), *role* (Aufgabe, Funktion), *raison d'être* (Grund für die Existenz, Raison d'Être).

2. *a person's sense of resolve or determination. «there was a new* ***sense of purpose*** *in her step as she set off»*
Dt.: die Entschlossenheit oder Zielstrebigkeit einer Person. «Ihr Schritt zeugte von einer neuen **Art der Entschlossenheit**, als sie sich auf den Weg machte.»

Hier mit den Synonymwörtern: *determination* (Bestimmung, Entschlossenheit), *resoluteness* (Bestimmtheit), *resolution* (Entschlusskraft), *resolve* (Entschlossenheit), *firmness (of purpose)* (Entschiedenheit), *steadfastness* (Standhaftigkeit), *backbone* (Charakterstärke, Willenskraft), *drive* (Antrieb), *push* (Tatkraft), *thrust* (Schubkraft), *enthusiasm* (Enthusiasmus), *ambition* (Ziel, Ehrgeiz), *initiative* (Initiative, Entschlusskraft), *enterprise* (Vorhaben, Unternehmung), *motivation* (Motivation), *single-mindedness* (Zielstrebigkeit), *commitment* (Engagement, Einsatz), *conviction* (Überzeugung), *dedication* (Hingabe), *get-up-and-go* (Elan).

Offensichtlich fällt die erste Definition mit Larry Finks «Grund für die Existenz» zusammen. Und tatsächlich endet die beigefügte Synonym-Aufzählung mit «raison d'être» – wie es ein französischer Larry Fink vermutlich ausdrücken würde. Auch das Wort «profit» ist darin enthalten – als wollte Oxford Languages uns damit einen Hinweis geben.

Die zweite Bedeutung gibt dagegen Aufschluss darüber, warum das Wort Purpose in den letzten Jahren einen solchen Aufschwung erlebt hat. Während es überwiegend in der ersten Bedeutung von «Grund für die Existenz» verwendet wird, verfügt es zugleich über einen starken, positiv besetzten Unterton von Überzeugung, Entschiedenheit, Standhaftigkeit und Entschlusskraft. Selbst für diejenigen, die für sich in Anspruch nehmen, das Wort eher in einem pragmatischen, betriebswirtschaftlichen Sinn zu gebrauchen, behält *«purpose»* diesen moralischen Unterton. *«Purpose»* ist ein stolzes Wort: eines, das tiefschürfender und nobler klingt als *«proposition»* (Vorhaben, Absicht), *«target»* oder *«goal»* (Ziel). Und zweifellos benutzen viele Purpose-Befürworter das Wort zumindest teilweise in diesem zweiten Sinn – sie wollen damit eine Einstellung und eine Geisteshaltung ausdrücken. Folgt man dieser Lesart, ist *«purpose»* nicht notwendig eine kategorische Behauptung über den Grund für die Existenz eines Unternehmens. Es ist eher so etwas wie eine Absichtserklärung: der unbedingte Vorsatz, Gutes zu tun.

Diese Bedeutungsnuance wird immer wieder im Buch auftauchen. Aber zunächst sollten wir zwei Dinge festhalten. Erstens: Wenn es darum geht, eine große Anzahl an Menschen in komplexen Systemen wie Unternehmen und Märkten zu organisieren, sind Anreize wichtiger als Absichten. Man kann noch so viele gute Absichten haben – Absichten allein werden nichts an den zahllosen Mikroanreizen ändern, die die auf jeder Ebene des Systems getroffenen Entscheidungen beeinflussen. Es kann sogar sein, dass die festen Absichten einen blind machen für die subtileren Anreize, die das eigene Handeln bestimmen. Daher: Der Weg zur Hölle ist mit guten Vorsätzen – *purposes* in jenem zweiten Wortsinn – gepflastert.

Und dann stellt sich noch eine philosophische Frage, und zwar, ob ein Unternehmen überhaupt einen *purpose* in jenem zweiten

Sinn einer Geisteshaltung haben kann. Letztlich ist ein Unternehmen ein juristisches Konstrukt, das weder so etwas wie ein Bewusstsein besitzt noch über eine eigene Form der Entschlossenheit verfügt. Nur Menschen können über einen *purpose* in diesem Sinn verfügen.

Besonders gegen Ende des Buches wird deutlich werden, dass dies ein ganz wesentlicher Punkt ist. Denn auch wenn ich einem unternehmerischen Purpose gegenüber skeptisch eingestellt bin, so bin ich doch nicht gegen die Vorstellung von einem menschlichen Purpose. Wenn überhaupt, dann sehe ich ihn als notwendiges Gegengewicht zur inneren Logik der Konzerne an.

Nun haben wir den Begriff definiert, der uns meiner Meinung nach in Teufels Küche bringen wird. Aber wo zur Hölle kommt er ursprünglich her und wie konnte er zu dem werden, was er heute ist?

2.
Woher kommt der Purpose?

Der Mensch denkt, Gott lenkt.

– Jiddisches Sprichwort

Und jetzt ein wenig Geschichtsunterricht. Es wird ein flotter Ritt durch die Jahrhunderte, aber dieser Ausflug ist wichtig, weil jeder Abschnitt einen Teil der gegenwärtigen Situation verständlicher werden lässt. Im Grunde handelt es sich beim Thema Purpose um die Neuausrichtung einer Diskussion, die so alt ist wie die Wirtschaft selbst.

Und die ist ziemlich alt.

Von Japan nach Jerusalem

Die 578 gegründete japanische Baufirma Kongō Gumi gilt als das älteste noch bestehende Unternehmen. Es ist nicht überliefert, ob die Firma ein inspirierendes Purpose-Statement hatte oder eine Werbekampagne mit der Kendall Jenner der frühen Asuka-Periode in der Hauptrolle. Was man aber weiß, ist, dass die Firma maßgeblich an der Planung, dem Bau und der Sanierung von Schreinen und Tempeln beteiligt war. Man könnte also sagen, dass es schon damals eine gewisse Verbindung zwischen Unternehmen und sozialem Engagement gegeben hat.

Nachdem die Firma über 40 Generationen im Besitz der Familie gewesen war, musste Kongō Gumi 2006 unglücklicherweise Konkurs anmelden – und verpasste damit knapp das Purpose-Zeitalter. Sie wurde von der Takamatsu Construction Group aufgekauft, auf deren Website folgendes «Management Credo» zu lesen ist: «Wir betreiben das Baugeschäft als eine kooperative Tätigkeit, die von entscheidender Bedeutung für die Gesellschaft ist.» Sogar eine offizielle Raison d'Être gibt es: «Wir werden das Management aller Konzernunternehmen in angemessener Weise leiten, um das Wachstum unseres Konzerns zu fördern und einen Beitrag für die Gesellschaft zu leisten.»

Der Purpose-Gedanke scheint also tief in der Geschichte verwurzelt zu sein. Aber Tausch und Handel reichen noch weiter zurück.

Ein früher Vordenker der Wirtschaftsethik fand sein Ende, nachdem er in einem der Tempel von Jerusalem wenig zimperlich den florierenden Handel mit Tauben, Rindern und Schafen gestört hatte. Als Occupy-Wall-Street-Demonstrant seiner Zeit bastelte er sich aus Schnüren eine Peitsche, trieb die Geldwechsler aus dem Tempel und «sprach zu denen, die Tauben verkauften: Tragt das weg und macht nicht meines Vaters Haus zum Kaufhaus!» (Johannes 2,16)

Eine Woche später hing Jesus am Kreuz. Manche Wissenschaftler sind der Meinung, der Vorfall im Tempel sei der Kipppunkt gewesen, getreu dem Motto: Verbreite ruhig deine Botschaft, aber leg dich nie mit dem Markt an!

Trotz alledem kann man Jesus nicht unbedingt einen Proto-Antikapitalisten nennen. Die meisten Deutungen stimmen darin überein, dass es ihm nicht um den Handel an sich ging, sondern um den Ort und die Achtung vor getrennten Sphären: So wie der Markt dem Handel gehört, sollte der Tempel dem Gottesdienst vorbehalten sein.

Eine ähnliche Unterscheidung hatte Jesus zuvor bei einer Begegnung mit den Pharisäern und den Anhängern von Herodes getroffen. Sie hatten ihn spontan einem Kreuzverhör unterzogen und versucht, ihn hereinzulegen, um ihm die Mitwirkung an einem Aufstand in die Schuhe schieben zu können. Sollten die Juden die vom römischen Kaiser erhobenen Steuern zahlen, oder wäre das ihrem Gott gegenüber Ketzerei? Davon überzeugt, Jesus würde einen Aufstand gegen die Besteuerung unterstützen und die Konsequenzen in Kauf nehmen, waren die Fragesteller verwirrt, als er sie zunächst Heuchler nannte und dann um eine römische Münze bat. Nachdem er den Kopf und die Inschrift betrachtet hatte, fragte er, wen sie darstellte. «Den Kaiser», lautete die Antwort. «Dann gebt dem Kaiser, was des Kaisers ist, und Gott, was Gottes ist», sagte Jesus. Heute würde man sagen: Mit seiner schlagfertigen Antwort hatte er die Fragenden sauber abgefrühstückt – und die ließen ihn daraufhin lieber in Ruhe.

Ich erinnere mich an beide Geschichten, die ich zu einer Zeit hörte, als ich mich noch jeden Sonntag zur Kirche schleppte. (Ich bin Katholik und stamme aus dem Nordwesten Englands. Auch wenn ich nicht mehr praktiziere, bin ich froh, in verschiedener Hinsicht nach wie vor davon geprägt zu sein.) Abgesehen von dem Wutausbruch im Tempel sind mir die Klarheit von Jesu Argumentation und die Achtung vor unterschiedlichen Bereichen menschlichen Handelns gut in Erinnerung geblieben. In seiner Antwort an die liegt eine herausfordernde Schlagfertigkeit, die weder Rebellion noch Zustimmung ist, sondern eine Mischung aus beiden. Sie erlaubt es, verschiedene Autoritäten innerhalb ihrer eigenen Bereiche zu respektieren – über diese Grenzen hinaus jedoch eben nicht mehr.

Später im Buch werde ich auf diese Geschichten wieder zurückkommen – und zwar im Zusammenhang mit einem Großkonzern, der sich Purpose besonders dick auf die Fahne gepinselt hat. Zu dessen Produkten gehört auch Dove.

Gott und Profit

Religion wird in der Wirtschaftsgeschichte des Westens auch weiterhin eine Rolle spielen. Mit Francesco Datini, auch als Kaufmann von Prato bekannt, lassen sich ihre Spuren bis ins 14. Jahrhundert zurückverfolgen. Über seine Handelsaktivitäten sind detaillierte Aufzeichnungen erhalten, aus denen hervorgeht, dass er ein Pionier der doppelten Buchführung war. Am Anfang jedes Hauptbuchs stand das Motto: «Im Namen Gottes und des Profits» – ein Zeichen dafür, dass es zwischen Purpose und Profit von Anfang an ein spannungsvolles Verhältnis gab. Wegen seines Reichtums von Schuldgefühlen geplagt, vermachte Datini sein Vermögen später einer sozialen Stiftung. Er steht damit in einer langen Tradition von Geschäftsleuten, die ein Leben lang rücksichtslos Reichtümer anhäuften, bevor sie sich philanthropisch betätigten, um ihr Karma auszugleichen. Jahrhunderte später sollten John Rockefeller, Henry Ford, Andrew Carnegie und Bill Gates etwas ganz Ähnliches tun.

Nach einigen Interpretationen der freien Marktwirtschaft ist diese Sicht auf Unternehmen als einer indirekten Kraft für das Gute vollkommen rational und realitätsnah: Konzentrieren Sie sich auf das Kerngeschäft, schaffen Sie Wohlstand und nutzen Sie, wenn Sie möchten, Ihre Position, um groß angelegte philanthropische Projekte umzusetzen. Aber selbst ohne philanthropische Neigung wird Ihr Unternehmen zumindest Wohlstand für die Mitarbeitenden schaffen, was gut für sie und ihre Familien ist. Außerdem zahlen Sie einen angemessenen Anteil an Steuern in die öffentlichen Kassen ein und tragen dazu bei, ganze Gemeinden und Städte zu unterhalten – oder sogar von Grund auf neu aufzubauen, wie etwa im Fall von William Lever und Port Sunlight, Titus Salt und der nach ihm benannten Ortschaft Saltaire oder der Familie Cadbury und Bourneville. All dies geschieht durch den Verkauf von Produkten, die das Leben der Menschen in ihrem Alltag verbessern, seien es Seifen oder Softdrinks. Was könnte dagegensprechen? Nach dem Credo von Adam Smith, Ökonom und Philosoph der schottischen Aufklärung des 18. Jahrhunderts, ist dies ein genialer Kniff der menschlichen Natur: «Unser Abendessen haben wir nicht dem Wohlwollen des Metzgers, des Bierbrauers oder des Bäckers zu verdanken, sondern ihrem Eigeninteresse.»

Nach dieser Lesart ist der Markt ein cleveres System für dezentrale Entscheidungsfindung, welches das Gemeinwohl hervorbringt. Anstatt Preise basierend auf Vorhersagen von Angebot und Nachfrage zentral festzulegen, werden diese Entscheidungen auf Milliarden von Individuen heruntergebrochen, die sie untereinander aushandeln. Ein radikaler Verfechter des freien Marktes würde argumentieren, dass das alles ist, was man braucht: Man muss bloß zurücklehnen und darauf vertrauen, dass der Markt die für alle Beteiligten beste Lösung generiert. Um noch einmal Adam Smith zu bemühen: Die «unsichtbare Hand» des Marktes ist Anreiz genug, um Einzelpersonen, die alle in ihrem eigenen Interesse handeln, dazu zu bringen, positive Ergebnisse für das Gemeinwohl hervorzubringen.

Die meisten sind sich darin einig, dass es nicht ganz so einfach ist. Ein freier Markt ist ein Widerspruch in sich, da alle Märkte Regeln brauchen. Es ist Aufgabe der Regierung und der Gesellschaft, die Grenzen festzulegen, innerhalb derer der Markt operiert, und die externen Effekte zu berücksichtigen, die der Markt unberücksichtigt lässt – das offensichtlichste Beispiel dafür ist der Klimawandel. Solange dieses Gleichgewicht jedoch gewahrt bleibt, beschränkt sich die Wirtschaft idealerweise darauf, innerhalb der gesetzten Spielregeln nach Erfolg zu streben – anstatt es sich selbst zur Aufgabe zu machen, die Gesellschaft zu gestalten, welche eigentlich die Wirtschaft gestalten sollte.

Selbst der eher linksgerichtete Interventionist John Maynard Keynes erkannte die Funktionsweise der unsichtbaren Hand überwiegend an, betonte jedoch die Unvermeidbarkeit staatlicher Eingriffe, wenn Märkte versagen. Seiner Meinung nach musste diese Intervention von außen und nicht von innen kommen – und sie durfte nicht den guten Absichten von Unternehmern überlassen werden. In seinem Essay «Economic Possibilities for our Grandchildren» von 1930 argumentierte Keynes, dass es eines fernen Tages vielleicht so weit sein könnte, dass Unternehmen primär für das «Gute» eintreten, dass aber in der Zwischenzeit idealistische (wir würden heute sagen «am Purpose orientierte») Führungskräfte eine

Gefahr für diesen Fortschritt seien. «Habgier, Wucher und Vorsicht müssen noch eine Weile unsere Götter bleiben», warnte er. Für Keynes war der Weg zum Himmel mit schlechten Absichten gepflastert. Gier war für ihn nicht unbedingt gut, aber nützlich.

Proto-Purpose

Nicht alle Wirtschaftsführer sehen das so. Es gibt eine lange Tradition von «Proto-Purpose», die mindestens bis ins frühe 19. Jahrhundert zurückreicht. Sie geht von dem Grundsatz aus, dass die Wirtschaft viel mehr sein kann als eine indirekte Triebkraft des Gemeinwohls.

Robert Owen war einer der frühen Reformer, der bei New Lanark Mills in Schottland von der Aufklärung beeinflusste Arbeitsbedingungen einführte. Dazu gehörten kürzere Arbeitszeiten, großzügige Gesundheitsvorsorge und die Abschaffung der Kinderarbeit. Die Welt war erstaunt über seine Fähigkeit, die Erwirtschaftung von Gewinnen mit so großmütigen Taten zu verbinden, und eine Zeit lang muss Owen geglaubt haben, er habe ein neues Modell des Kapitalismus geschaffen, das sich weltweit durchsetzen würde. Doch die ganze Zeit über wurde Owen von Kritikern sowohl von rechts (es handele sich um eine gefährliche Unterminierung des Marktes) als auch von links (Marx und Engels bezeichneten ihn als bürgerlichen Kapitalisten, der seine Arbeiter in einem paternalistischen Gefängnis halte) angegriffen. Später verließ Owen der Mut, und er verlor sein Ziel zunehmend aus den Augen. Er wanderte nach Indiana aus und gründete dort eine utopische Gemeinschaft, die scheiterte, bevor er nach England zurückkehrte. New Lanark Mills geriet in Schwierigkeiten, und Owens Leben endete als Misserfolg. Doch auf diesen Trümmern keimte die Genossenschaftsbewegung auf, die bis heute fortbesteht. Owens Lebensgeschichte lässt sich also, wie die der meisten Menschen, nicht in einem Satz zusammenfassen.

Ähnlich erging es William Lever. Er ist der Gründer von Lever Bros, dem Unternehmen, aus dem später Unilever werden sollte. Lever wuchs in der smoggeschwängerten Industriestadt Bolton auf und wurde zum ersten Seifenmagnaten der Welt, der aus einer Ära Kapital schlug, in der Sauberkeit von der viktorianischen Mittelschicht zunehmend geschätzt wurde. Er glaubte schon früh an Massenmarketing, Markenverpackungen und Werbejingles, baute ein florierendes Unternehmen auf und investierte in eine neue Stadt, Port Sunlight, um Arbeiter am Ufer des Mersey anzusiedeln. Lever war ein erklärter Frischluftfanatiker, was so weit ging, dass er und seine Frau bei jedem Wetter in einem Zimmer unter freiem Himmel nächtigten. Diese Angewohnheit war vermutlich auch die Ursache für den frühen Tod seiner Frau: Sie starb an einer Lungenentzündung.

Levers zunehmend autokratischer Führungsstil brachte ihn schließlich in Schwierigkeiten. Er wurde in Skandale um Preisabsprachen verwickelt und investierte in zwei Inseln der Äußeren Hebriden. Dort versuchte er, ein industrielles Utopia für die 30000 Einwohner aufzubauen, was jedoch misslang. Sein angeschlagenes Unternehmen wurde durch den Börsencrash von 1929 in die Knie gezwungen und es formierten sich sogar wachsende Ressentiments gegen Port Sunlight, wie ein Gewerkschaftsführer kommentierte: «Kein Mensch von unabhängigem Geist kann die Atmosphäre von Port Sunlight lange ertragen … Das Gewinnbeteiligungsprogramm versklavt und entwürdigt die Arbeiter nicht nur, sondern macht sie auch unterwürfig und kriecherisch.» Wie seine Frau vor ihm starb auch Lever an einer Lungenentzündung. Sein Unternehmen fusionierte später mit der niederländischen Firma Margarine Unie.

Die Geschichten von Owen und Lever und vielen anderen werden in James O'Tooles Buch *The Enlightened Capitalists* erzählt, das die Laufbahn von Unternehmern behandelt, die sich einem Purpose ante literam verschrieben. Darunter finden sich weiterhin John Spedan Lewis (der beeindruckende Gründer von John Lewis Partnership), Levi Strauss (ein bayerisch-jüdischer Pionier des amerikanischen Traums), Michael Marks (der russisch-jüdische Gründer von Marks and Spencer, der später als St. Michael heiliggesprochen wurde) und Milton Hershey (Schokoladenfabrikant und Philanthrop, der dem Massenmarketing skeptisch gegenüberstand), bis hin zu Pionieren der heutigen Zeit wie Anita Roddick (Gründerin von Body Shop) und Yvon Chouinard (der Gründer von Patagonia, auf den wir noch zurückkommen werden).

Der Untertitel von O'Tooles Buch lautet *Cautionary Tales of Business Pioneers Who Tried to Do Well by Doing Good* – lehrreiche Geschichten von Pionieren der Unternehmensgeschichte, die versuchten, durch gute Taten erfolgreich zu sein. Es ist bezeichnend, dass es sich dabei um «cautionary tales» (abschreckende/mahnende Geschichten) handelt. O'Toole schreibt aus der Perspektive eines aufrichtigen Gläubigen an eine bessere Form des Kapitalismus, der jedoch mit der Zeit reumütig akzeptieren muss, dass dies nur selten funktioniert. Die meisten Geschichten nehmen ein «trauriges, schlimmes Ende», wie O'Toole es ausdrückt. Und selbst in den positivsten Fällen gelingt es nicht, ein Modell zu schaffen, das eine oder zwei Generationen charismatischer Führungspersönlichkeiten überdauert. Es liegt in der Natur von Konzernen und Marktkräften, dass es sich mit guten Absichten und Aktiengesellschaften ähnlich verhält wie mit einem quadratischen Bolzen, der in ein rundes Bohrloch getrieben wird: Er passt nie ganz oder zumindest nicht, ohne sich stark zu verbiegen.

Unbeschränkte Haftung

Es lohnt sich, den Begriff «Gesellschaft mit beschränkter Haftung» näher zu betrachten, denn Unternehmen waren nicht immer haftungsbeschränkt. Von etwa 1600 bis 1800 gab es sogenannte Chartered Companies: Zusammenschlüsse von Investoren und Aktionären, die durch königliche Urkunde gegründet wurden und Exklusivrechte erhielten. Infolge florierte der Handel; Ausbeutung und Kolonialisierung ließen nicht lange auf sich warten.

Zu den bekanntesten gehörte die Dutch East India Company, die 1602 gegründet wurde und auf ihrem Höhepunkt einen Wert von umgerechnet 8 Billionen Gegenwarts-US-Dollar hatte. Als erstes multinationales Unternehmen hatte die Kompanie die Befugnis, Armeen zu unterhalten, Kriege zu führen, Sträflinge gefangen zu nehmen und hinzurichten, eigene Münzen zu prägen, Verträge abzuschließen und Kolonien zu gründen. Es wäre interessant, sich die Frage zu stellen, was ein Unternehmen wie Unilever oder Facebook heute mit solchen Befugnissen anfangen würde.

Unter den Chartered Companies gab es noch weitere: die British East India Company, die South Sea Company, die Hudson's Bay Company, die heute in anderer Form fortbesteht, und viele andere. Alle wurden zu riesigen Unternehmensmonolithen mit quasistaatlichen Befugnissen, die die von Kleinstaaten übertrafen. Chartergesellschaften waren ein Beweis für die unbändige Macht des Profitstrebens, wenn man ihm die Zügel schießen ließ – jedenfalls so weit, wie es den Interessen ihrer Nation dienlich war.

Die Erfindung der Gesellschaft mit beschränkter Haftung in der Mitte des 19. Jahrhunderts war zum Teil eine Reaktion auf diesen gleichermaßen beeindruckenden wie erschreckenden historischen Präzedenzfall. Die Einführung der Haftungsbeschränkung hat sich als äußerst produktive Maßnahme erwiesen, die es Unternehmern ermöglicht, Risiken einzugehen, bei denen attraktive Gewinne winken, während sie persönlich vor den schlimmsten Folgen des Scheiterns geschützt werden. Wenn Sie eine Restaurantkette eröffnen und diese als Gesellschaft mit beschränkter Haftung eintragen lassen, haftet das Unternehmen und nicht Sie persönlich, falls sich ein Kellner eines Tages den Rücken bricht. Ohne diese Schutzkonstruktion wäre es schwierig, ein größeres Unternehmen hochzuziehen.

Aber vom ersten Tag an war den Fürsprechern dieser neuen Rechtsform klar, dass dies ein großes Zugeständnis seitens der Gesellschaft war. Man befürchtete, sie könnte zu fahrlässigem Verhalten und mangelndem Verantwortungsbewusstsein einladen. Und nur wenige wünschten sich eine Welt, in der Konzerngiganten mehr Macht auf sich vereinigten als Regierungen. Daher war die Haftungsbeschränkung mit strengen Auflagen verbunden: Sorgen Sie dafür, dass die Ziele Ihres Unternehmens klar und präzise formuliert sind – und halten Sie sich daran. Geben Sie Ihre Direktoren, leitenden Angestellten und Aktionäre an. Reichen Sie Jahresberichte und Steuererklärungen ein. Lassen Sie Ihre Konten extern prüfen. All dies war Teil des Gesellschaftsvertrags: Wir machen Ihnen dieses Geschenk, aber übertreiben Sie es nicht. Es geht ausschließlich ums Geschäft – fangen Sie nicht an, Gefangene zu machen und Ihre eigenen Armeen zu gründen. Bleiben Sie in Ihrer Spur!

Wir haben bereits gesehen, wie dieses Argument in die Purpose-Debatte einfließt. So gesehen war der Purpose die denkbar taktvollste Art und Weise, aus dieser Spur auszubrechen: indem man vorgab, sich für die Lösung gesellschaftlicher Probleme einzusetzen. Heutzutage ist es wahrscheinlicher, dass Unternehmen in Kulturkämpfe als in echte Kriege verwickelt werden, aber die Folgen reichen über bloße Schlagzeilen hinaus. Unternehmen machen keine Gefangenen, aber einige Mitarbeiter fühlen sich durch eine Atmosphäre der politischen Intoleranz gefangen, in der die «Werte» des Unternehmens über ihren eigenen zu stehen haben. Unternehmen richten keine Verurteilten hin, aber sie haben die Macht, Mitarbeiter zu entlassen, weil sie ihre politischen Ansichten äußern, oder ihren Kunden die Konten zu sperren, weil sie die falsche Politik vertreten. Unternehmen beschließen nicht über Gesetze, aber sie verfassen hochgesteckte Manifeste und schließen sich zusammen, um ein «Statement on the Purpose of the Corporation» (2019) zu unterzeichnen. Zu den 136 Unterzeichnenden gehörte Alex Gorsky, Vorstandsvorsitzender von Johnson & Johnson, der sich später wie folgt über den Einigungsprozess äußerte: «Manchmal habe ich mich wie Thomas Jefferson gefühlt.»[4]

All dies spielt in die Debatten hinein, die über die Beziehung von Wirtschaft und Gesellschaft geführt werden. Bald kommen wir zu der Zeit nach 2008 und dem Aufstieg des Purpose-Sterns am Firmament. Aber zuerst noch etwas Geschichte.

Stakeholder und Aktionäre

Am 13. September 1970 veröffentlichte die *New York Times* einen Artikel von Milton Friedman mit dem Titel «A Friedman Doctrine: The Social Responsibility of Business Is to Increase Its Profits» (Eine Friedman-Doktrin: Die soziale Verantwortung eines Unternehmens besteht darin, seine Gewinne zu steigern). Darin entfaltet der konservative Ökonom eine Argumentation, der sich Adam Smith angeschlossen hätte, als er *The Wealth of Nations (Der Reichtum der Nationen)* 1776 verfasste. Der Grundtenor lautet, dass Unternehmen der Gesellschaft am meisten nützen, wenn sie sich auf ihr Geschäft beschränken. Bestenfalls tauge das Gerede von der «gesellschaftlichen Verantwortung» für eine seichte Titelstory, die gewöhnlich von Führungskräften erzählt wird, die nicht besonders viel Ahnung von Politik hätten. Schlimmstenfalls sei die Agenda der gesellschaftlichen Verantwortung (man würde es heute «Purpose» nennen) ein Verstoß gegen die treuhänderische Pflicht, die die Geschäftsführer den Aktionärinnen und Aktionären schulden. Zudem wäre sie ein Beispiel für eine undemokratische Praxis, mit der eine eng gefasste politische Agenda durchgesetzt werden soll. Der Artikel endet mit folgenden Überlegungen:

> «Nimmt man aber die Doktrin der ‹sozialen Verantwortung› ernst, so würde sie den Anwendungsbereich des politischen Mechanismus auf jede menschliche Tätigkeit ausweiten. Damit unterscheidet sie sich in ihrer Philosophie nicht von einer explizit kollektivistischen Doktrin. Sie unterscheidet sich nur durch die Behauptung, dass kollektivistische Ziele ohne kollektivistische Mittel erreicht werden können. Deshalb habe ich sie in meinem Buch *Kapitalismus und Freiheit* als eine ‹grundlegend subversive Doktrin› in einer freien Gesellschaft bezeichnet und gesagt, dass in ‹einer solchen Gesellschaft nur eine einzige soziale Verantwortung der Unternehmen existiert: ihre Ressourcen zu nutzen und sich an Aktivitäten zu beteiligen, die darauf abzielen, ihre Gewinne zu steigern, solange sie sich an die Spielregeln halten, das heißt sich im offenen und freien Wettbewerb befinden, ohne zu täuschen oder zu betrügen.›»

Nach wie vor wird über Milton Friedmans Vermächtnis gestritten. Kurz umrissen, lässt sich die Geschichte des 20. Jahrhunderts anhand von drei Ökonomen erzählen: Friedrich August Hayek, dem Verfechter der freien Marktwirtschaft in Reinstform, John Maynard Keynes, dem Sozialdemokraten, der für wiederkehrende staatliche Eingriffe als Korrektiv extremer Auswüchse des freien Marktes eintrat, und Milton Friedman, der, neben Hayek und entgegen der keynesianischen Doktrin, der neoliberalen Ära von Reagan, Thatcher und anderen Auftrieb verschaffte.

Je genauer man sich die Sache anschaut, umso subtiler wird die Debatte. Hayek selbst war der Meinung, die Position von Friedman sei näher an der von Keynes als an seiner eigenen. Und in dem Zitat oben fällt auf, dass Friedman über die «Spielregeln» spricht, die letztlich von der Regierung aufgestellt werden. Wie wir bereits festgestellt haben, hat es den sogenannten freien Markt so nie gegeben. Märkte beruhen auf Beschränkungen, deren Geltungsbereich vereinbart wurde und die durchsetzbar sind. Wären sie vollkommen frei, würden sie nicht funktionieren. Der Unterschied zwischen Keynes und Friedman lässt sich nicht in ein einfaches Rechts-links-Schema pressen.

Aber kehren wir zu unserem historischen Abriss zurück: Der Artikel von Friedman wurde als eine meisterhafte Verteidigungsschrift des freien Marktes gefeiert und bildete mit den folgenden beiden Schlüsselzitaten eines Jahrzehnts die geistige Grundlage der Ära von Reagan und Thatcher: «Es gibt keine Gesellschaft» von Margaret Thatcher, 1987, und «Gier ist gut» aus dem Mund des Charakters Gordon Gekko im Film *Wall Street* (ebenfalls 1987).

Der Artikel von Friedman wurde zu einem von zwei einander entgegengesetzten Polen einer Debatte, die in der Folge seiner Veröffentlichung eskalierte. Auf der einen Seite steht Friedmans «Aktionärskapitalismus» – der Gedanke, dass Unternehmen vor allem ihren Aktionären gegenüber verantwortlich sind: Sie dienen der Gesellschaft am besten, indem sie innerhalb ihres eigenen Kompetenzbereichs bleiben. Die entgegengesetzte Position bildet der «Stakeholder-Kapitalismus», nämlich die Überzeugung, dass Unternehmen nicht allein ihren Aktionärinnen Verantwortung schulden, sondern auch allen anderen (Mitgliedern der Gesellschaft): Mitarbeitenden, Kunden, Lieferanten, Gemeinden und der ganzen Welt, auf deren Ressourcen sie zugreifen. Wie wir sehen werden, handelt es sich bei der Debatte um Purpose zu weiten Teilen um eine Neuauflage dieser älteren Diskussion.

Auf der Seite der Stakeholderinnen befanden sich Leute wie Klaus Schwab, der Autor des 2020 erschienenen *Stakeholder Capita-*

lism: A Global Economy that Works for Progress, People and Planet. 1971, als der Artikel von Friedman international rezipiert wurde, war Schwab damit beschäftigt, das European Management Forum aufzubauen, aus dem schließlich das Weltwirtschaftsforum hervorgehen sollte. Sein Auftrag bestand darin, «den Zustand der Welt zu verbessern, indem führende Persönlichkeiten aus Wirtschaft, Politik, Wissenschaft und anderen Bereichen der Gesellschaft dazu angehalten wurden, globale, regionale und industriebezogene Agenden zu erarbeiten». Weiter vorangetrieben wurde das gemeinsame Vorhaben durch das Stelldichein der Wirtschaftselite in Davos – das jährliche Woodstock für Stakeholder-Kapitalisten.

Oberflächlich betrachtet hat der Stakeholder-Kapitalismus einiges für sich. Denn wer würde dem Gedanken nicht zustimmen, dass Unternehmen mehr Menschen berücksichtigen sollten als nur ihre eigenen Aktionäre? Liegt es nicht ganz eindeutig in ihrer Verantwortung, die Auswirkungen, die ihre Geschäftstätigkeit auf die Menschen in ihrer Umgebung und unseren Planeten hat, in ihre Überlegungen miteinzubeziehen?

Andererseits gibt es Kritiker, die behaupten, dass das Konzept immer fragwürdiger wird, je näher man es betrachtet. Inwiefern sind wir alle wirklich Stakeholder, beispielsweise von Unilever oder Procter & Gamble? Die meisten von uns haben keinen Anteil an diesen Unternehmen, weder ein Stimmrecht noch ein finanzielles Interesse. Wir erhalten weder ein Gehalt noch eine Dividende. Niemand fragt uns zu getroffenen Entscheidungen und es gibt keine Regeln, die bestimmen, welche Interessengruppen zu priorisieren sind, wenn es zu unvermeidlichen Interessenkonflikten kommt. Stattdessen können CEOs die moralische Autorität von «Stakeholdern» für sich beanspruchen, ohne jemandem von ihnen Rechenschaft ablegen zu müssen. Und wenn es hart auf hart kommt, wenn die Interessen bestimmter Gruppierungen mit denen der Aktionäre konkurrieren: Wie kann sich ein Vorstand dann für Erstere entscheiden, ohne seine treuhänderische Pflicht gegenüber Letzteren zu verletzen?

Diese Auseinandersetzung schwelt schon seit Jahrzehnten und geht weit über Klaus Schwab hinaus. 1972 hielt Antoine Riboud, Gründer und Präsident von Danone, eine viel beachtete Rede vor französischen Wirtschaftsführern, in der er Friedman ausdrücklich kritisierte und erklärte, dass «die unternehmerische Verantwortung nicht am Fabriktor oder an der Unternehmenstür endet».[5]

Bis 2020 war Danone zu einem 40-Milliarden-Dollar-Unternehmen angewachsen, das nun unter der Purpose-gerichteten Führung von CEO Emmanuel Faber steht. Seine bedeutendste Leistung war es, Danone den neuen Rechtsstatus einer «Entreprise à Mission» zu verleihen, wobei der Social Purpose in die Unternehmenssatzung aufgenommen wurde. In einer triumphalen Rede vor den Aktionären beschwor Faber den Geist von Antoine Riboud, als er erklärte: «Sie haben heute hier die Statue von Milton Friedman gestürzt!»[6]

Sechs Monate später stürzten die Aktionäre Emmanuel Faber. Im März 2021 waren die Investoren mit der chronischen Ertragsschwäche des Unternehmens unzufrieden, Faber wurde als Vorsitzender und CEO abgesetzt, und die *Financial Times* bezeichnete die ganze Geschichte als «Case Study über die Fallstricke von Purpose».[7]

Dies ist ein Beispiel dafür, dass unter den meisten Purpose-Erzählungen mehrere Schichten Historie begraben liegen. So spuken die Geister von Friedman, Riboud, Keynes, Hayek, Robert Owen, William Lever, Adam Smith und vielen anderen – bis hin zu Francesco Datini in der Toskana und Jesus Christus im Tempel – in der Purpose-Debatte bis heute regelmäßig umher.

Aber jetzt wenden wir uns dem P-Wort zu: Wie und wann ist es aufgetaucht?

Der Weg bis 2008

1976 trat ein junger Händler in die New Yorker Investmentbank First Boston ein. Nachdem er einst politische Ambitionen gehegt hatte, betrat er die Welt der Hochfinanz und leitete bald eine Abteilung, die sich auf das zukunftsträchtige Gebiet der hypothekenbesicherten Wertpapiere spezialisierte. In den nächsten zehn Jahren ging es mit dem jungen Händler steil bergauf. Einige Beobachter schätzen, dass er für eine Steigerung des Nettogewinns von First Boston um eine Milliarde US-Dollar direkt verantwortlich war.

Bald wurde er zu einer Art Wall-Street-Legende, die den Weg zu einem Multi-Billionen-Dollar-Megamarkt für die Verbriefung von Schuldtiteln ebnete: einem Markt, bei dem Hypotheken, Auto- und Kreditkartenkredite von Banken gekauft, dann aufgeteilt, neu verpackt und an Tausende andere Investoren weiterverkauft wurden. Das Ganze war äußerst innovativ. Doch 1986 gab die Legende eine gewagte Prognose über die Zinssätze ab, die sich als falsch herausstellte und sein Unternehmen mindestens 100 Millionen Dollar kostete. Der nicht mehr ganz so junge Händler wurde sang- und klanglos aus seinem Amt entfernt – genauso schnell, wie er an die Macht gekommen war. Von seinen beruflichen Niederlagen gezeichnet, gründete er eine neue Investmentgesellschaft. Er nannte sie BlackRock.

Larry Fink ist in diesem Buch bereits aufgetaucht. Er ist der Purpose-beflissene CEO, der jetzt Briefe an die Unternehmenswelt verfasst, in denen er feststellt, dass «die Gesellschaft sowohl von öffentlichen als auch von privaten Unternehmen fordert, sich auf einen Social Purpose auszurichten». Und weiter schreibt Fink: «Purpose ist nicht nur ein Slogan oder eine Marketingkampagne – es ist der fundamentale Grund für die Existenz eines Unternehmens.»

In den 1990er- und frühen 2000er-Jahren hatte sich Fink eher im Hintergrund gehalten. Doch dann kam die Finanzkrise von

2008. Verursacht wurde sie durch die Subprime-Hypothekenkrise, die wiederum auf den innovativen Handel mit hypothekenbesicherten Wertpapieren zurückging, den Fink eingeführt hatte. Nun beauftragte die US-Regierung BlackRock mit der Beseitigung der entstandenen Misere. In den folgenden Jahren baute BlackRock enge Beziehungen zur Regierung auf. Fink sah seine politischen Ambitionen bereits wahr werden, als er von der Präsidentschaftskandidatin Hillary Clinton als Kandidat für das Amt des Finanzministers aufgestellt wurde.

Die unerwartete Wahlniederlage von 2016 machte ihm einen Strich durch diese Rechnung. Doch BlackRock hatte inzwischen eine beispiellose Marktmacht erlangt: Der Vermögensverwalter kontrollierte Vermögenswerte in Höhe von bis zu 10 Billionen US-Dollar, die durch multinationale Unternehmen auf der ganzen Welt flossen. Nichts davon gehörte BlackRock selbst, vielmehr übernahm das Unternehmen die Verwaltung im Auftrag gewöhnlicher Privatanleger. Fink war jedoch sehr daran gelegen, dass diese Gelder möglichst Purpose-orientiert eingesetzt wurden. «Purpose-orientiert» hieß im Sinne einer sozial fortschrittlichen Agenda, die Unternehmen dazu ermutigte, das Vakuum zu füllen, das gescheiterte Politiker hinterlassen hatten. In seinem Brief von 2018 mit dem Titel «A Sense of Purpose» schrieb Fink: «Wir sehen auch, dass viele Regierungen es versäumen, sich auf die Zukunft vorzubereiten. Dies betrifft Fragen von der Altersvorsorge und der Infrastruktur bis hin zur Automatisierung und Weiterbildung von Arbeitnehmern. Aus diesem Grund wendet sich die Gesellschaft zunehmend dem Privatsektor zu und fordert von Unternehmen, auf umfassendere gesellschaftliche Herausforderungen zu reagieren.» Folgt man dieser Darstellung, war die Übernahme gesellschaftlicher Verantwortung durch den Unternehmenssektor nicht Finks Idee. Vielmehr war sie allein dem Druck der Öffentlichkeit geschuldet – derselben Öffentlichkeit, die gerade unerwartet für Trump gestimmt hatte. Die Botschaft war nun unmissverständlich: «Ohne eine Bestimmung, einen Purpose, kann kein Unternehmen, weder öffentlich noch privat, sein volles Potenzial entfalten.»

Fink erschien 2017 auf dem Titelblatt des Magazins *Bloomberg Markets*. Daneben stand ein Zitat, in dem sich die aufkeimende Identitätspolitik der Zeit – jedoch mit einer interessanten Wendung – widerspiegelt. Seine Worte waren: «Ich betrachte mich nicht als mächtig.» Ein Jahr später belegte Fink Platz 28 auf der *Forbes*-Liste der mächtigsten Menschen der Welt – noch vor Rupert Murdoch, Kim Jong-un und Vizepräsident Mike Pence. Hillary Clinton stand nicht auf der Liste.

Der Aufstieg des P-Wortes

Ich erzähle diese Geschichte nicht, weil ich denke, «Purpose» sei eine Erfindung von Larry Fink, und ich behaupte auch nicht, er bilde die Speerspitze einer genialen Weltverschwörung. Aber ihr zeitlicher Rahmen deckt sich ziemlich genau mit dem der Geschichte, um die es hier geht: Sie beginnt mit den Anfängen des Neoliberalismus und reicht über die Abrechnung damit im Jahr 2008 bis zum Aufkommen des Purpose-Memes, das direkt darauf folgte. Als die Finanzkrise ausbrach, war «Purpose» die Antwort, mit der sich die Unternehmen gegen drohende Strafmaßnahmen vonseiten der Regierungen rüsteten. Diese defensive Strategie entwickelte sich jedoch bald zu einem erfolgreichen Offensivschlag, der es ihnen erlaubte, die Initiative zu ergreifen und eine Schwäche in eine Stärke zu verwandeln. Ja, es stimmt: Das Fehlverhalten von Unternehmen hat uns die Suppe eingebrockt. Doch lassen wir die Vergangenheit vergangen sein und schauen wir uns lieber die politische Krise an, in der wir uns jetzt befinden: Unsere Politiker haben uns im Stich gelassen. Jetzt sind wir, die Konzerne, gefragt. Liebe Occupy-Wall-

Street-Crowd: Wir sind nicht eure Feinde. Wir sind eure mächtigsten Verbündeten!

Aber «Purpose» ist nicht etwa plötzlich vom Himmel gefallen. Die Idee war bereits einige Jahre zuvor aufgekeimt: Nach dem Dotcom-Crash der Jahre 2000 bis 2002 befanden sich Marketing und Big Business in einer Vertrauenskrise, und man war auf der Suche nach etwas mehr Substanz. Durch den extremen Hype um von vornherein zum Scheitern verurteilte Unternehmen wie boo.com, pets.com und flooz.com war die Dotcom-Blase immer weiter angeschwollen – bis sie schließlich platzte. Jetzt sehnte sich die Marketingbranche verständlicherweise nach Kunden, die etwas Handfestes zu verkaufen hatten.

In dieser Zeit begann das Wort da und dort aufzutauchen. So schrieb Mark Earls 2002 in *Welcome to the Creative Age,* im Kern gehe es immer um die Idee von «Purpose». Leslie de Chernatony drückte es in *The Marketing Book* von 2003 so aus: «Die zweite Komponente, der Purpose der Marke, befasst sich mit der Frage, wie die Welt durch die Marke zu einem besseren Ort werden könnte». Und Kevin Clark schrieb 2004 in *Brandscendence:* «Eine Marke, die einen Purpose verfolgt, ist nicht nur irgendein Business – sie wird von einer Mission angetrieben.»

Im größeren Kontext machte sich eine zunehmende Besorgnis über den Klimawandel in dem Bericht *Who Cares Wins* bemerkbar. Das 2004 von den Vereinten Nationen veröffentlichte Dokument stellte die ESG-Prinzipien (Environment, Social and Governance) vor, verbunden mit der Empfehlung, dass Investoren langfristig höhere Gewinne erzielen könnten, wenn sie mehr Wert auf ökologischen und sozialen Fortschritt legten.

Die ESG-Agenda wurde zu einer zentralen Säule für eine umfassende Orientierung am Purpose-Gedanken und, unter anderem, von Larry Fink und BlackRock begeistert aufgenommen. 2018 ernannte BlackRock Tariq Fancy zum ersten «Chief Investment Officer for Sustainable Investing», der damit weltweit die Sparte der an ESG-Zielen und Nachhaltigkeit ausgerichteten Investments verantwortete. Bereits ein Jahr später verließ Tariq Fancy BlackRock wieder. Nachdem er sich eingehend mit der Agenda befasst hatte, die er für bestenfalls überflüssig hielt, schlug er Alarm. In einem dreiteiligen Beitrag auf der Onlineplattform Medium mit dem Titel «Das geheime Tagebuch eines nachhaltigen Investors» legte Tariq Fancy überzeugend dar, dass die ESG-Agenda wirklichen Fortschritt, vor allem in puncto Klimawandel, aktiv verhindert. Obwohl er mehrfach dazu aufgefordert wurde, hat Larry Fink es bisher abgelehnt, sich an der Debatte zu beteiligen.

Aber eins nach dem anderen. Zunächst kann man festhalten, dass «Purpose» schon vor dem großen Beben der Finanzmärkte von 2007/2008 in der Luft gelegen hatte. Kurze Zeit später stürzte die Geschäftswelt in die Krise. Demonstranten fluteten die Wall Street und forderten ein gerechteres Wirtschaftssystem. Dabei vereinte Occupy Wall Street Menschen aller Identitäten und Schichten. «Wir sind die 99 Prozent» lautete der offizielle Slogan der Bewegung, die 2011 ihren Höhepunkt erreichte. Doch bald schon bildeten sich Risse im einheitlichen Protestblock, und die Bewegung zerfiel in ein Gewirr aus miteinander konkurrierenden Identitäten, von denen jede ihr eigenes Anliegen verfolgte: Feminismus, #metoo, Rassismus und Geschlechterungerechtigkeit sowie ein paar überlappende Bereiche. So berechtigt jedes dieser Anliegen auch gewesen sein mag: Für die großen Konzerne waren sie leichter zu handhaben als der enorme Gegenwind, der das Wirtschaftssystem in seinen Grundfesten zu erschüttern drohte. Im Public-Relations-Jargon ausgedrückt, war «Purpose» eine ideale Möglichkeit, die ganze Geschichte noch einmal neu zu framen.

Derweil stand die Marketingwelt schon in den Startlöchern.

Frag immer erst: Warum?

Simon Sinek war ein Werbefachmann, der um die Jahrhundertwende bei Euro RSCG (heute Havas Worldwide) und Ogilvy & Mather tätig war, bevor er 2002 sein eigenes Beratungsunternehmen gründete. In der Werbebranche ist es nicht unüblich, eigene Modelle zu entwickeln, die die Funktionsweise von Marken beschreiben. Auf den Whiteboards von London bis New York finden Sie Marken-Zwiebeln, Marken-Pyramiden, Marken-Häuser und Marken-Donuts. Sineks Version bestand aus drei konzentrischen Kreisen: In der Mitte befand sich der Kreis mit dem «Warum» der Marke, umgeben von dem Kreis des «Was» und, ganz außen, dem des «Wie».

In einer ambitionierten Referenz auf den Goldenen Schnitt nannte Sinek sein Modell den «Goldenen Kreis» *(golden circle)* und kam auf den Gedanken, damit das verborgene Schema entdeckt zu haben, das allen erfolgreichen Marken und Marktführern zugrunde liegt. Zunächst lag die Skizze eine Weile herum. Plötzlich ging Sinek aber ein Licht auf, und er erkannte mögliche Parallelen seines Modells zur Neurobiologie.

Die erste Quelle war allerdings keine Neurobiologin, sondern die kalifornische Schauspielerin, demokratische Aktivistin und ehemalige Ehefrau von Dennis Hopper, Victoria Duffy Hopper – Tochter zweier Neurowissenschaftler. Bei einer Veranstaltung saß Sinek neben ihr, und sie begannen, über die Struktur des Gehirns zu plaudern. Dabei erfuhr Sinek, wie der äußere, rationale Neokortex das frühere, emotionale limbische System umgibt. «Und mir wurde klar, dass die Funktionsweise des Gehirns und der Aufbau meines kleinen Modells – das Warum, Wie, Was – exakt übereinstimmten. Mit anderen Worten: Ich hatte herausgefunden, warum Marketing funktioniert. Ich hatte herausgefunden, warum Menschen tun, was sie tun. Und das hat mein Leben grundlegend verändert.»[8]

Sinek holte sich Bestätigung von einem Neurowissenschaftler, der wunderbar passenderweise Peter Whybrow hieß. Es stellte sich heraus, dass das Modell nicht ganz perfekt war: Whybrow riet Sinek, die Reihenfolge des Wie und des Was umzukehren. Aber abgesehen von solchen Kleinigkeiten enthielt sein Modell gerade genug Wissenschaft, um Sinek Vertrauen in sein Modell – oder seine «Entdeckung», wie er es lieber nannte – einzuflößen. «Das ist nicht meine Meinung, das ist Biologie», sollte er später schreiben.

Diese Biologie ist umstritten. Sineks Version basiert auf dem Triune Brain Model, einem dreistufigen Modell des Gehirns, das in den 1960er-Jahren durch den Neurowissenschaftler Paul MacLean populär wurde. Die Grundidee ist die, dass unser «Echsenhirn», der primitivste, nonverbale Teil unseres Gehirns, instinktgesteuert funktioniert. Im Laufe der Evolution wurde dieser Teil vom alten limbischen System umhüllt, das die Quelle unserer Emotionen ist. Dieser Teil wurde wiederum, in jüngerer Zeit, von einem hochentwickelten Neokortex umschlossen. Dieser Bereich unterscheidet unser Gehirn von dem anderer Wirbeltiere und ermöglicht es uns, rationale und verbale Entscheidungen zu treffen. Wenn Sie nun Menschen dazu inspirieren wollen, Ihre Marke zu kaufen, müssen Sie über das Was und das Wie hinausgehen und zum Warum vordringen, wo die eigentliche Entscheidung stattfindet. «Menschen kaufen nicht WAS man tut, sie kaufen, WARUM man etwas tut»[9], wiederholt Sinek achtmal in seinem Buch *Start With Why* oder, in deutscher Fassung: *Frag immer erst: warum.*

Sineks Berater Peter Whybrow war ein Anhänger von MacLeans dreiteiligem Modell. 1997 veröffentlichte Whybrow das Buch *A Mood Apart,* das ein Kapitel über das Reptiliengehirn enthält, welches mit einem Zitat von MacLean beginnt. 2010 veröffentlichte Whybrow einen weiteren Aufsatz mit dem Titel «After Freud: What do neuroscience advances tell us about human nature?», in dem sein anhaltendes Vertrauen in MacLeans Ideen zutage tritt. Ein Beispielzitat:

«Beim menschlichen Gehirn handelt es sich nicht um ein einzelnes Organ, sondern um einen Hybriden: eine im Laufe der Evolution entstandene Hierarchie von drei Gehirnen in einem. Daher lässt sich menschliches Verhalten am besten verstehen, wenn man die Anatomie des Gehirns in einen evolutionären Kontext stellt. Ein primitives ‹Echsenhirn›, das sich vor Jahrtausenden zum Zweck des Überlebens herausgebildet hat, befindet sich im Kern des menschlichen Gehirns. Dort steht die Wiege des primitiven Dopamin-Belohnungssystems, in dem Glücksgefühl und Lust, Neugier und Begehren wie auf Autobahnen hin- und herrasen.»

Bereits als Sinek 2009 *Start With Why* veröffentlichte, war dieses dreiteilige Modell dabei längst in Ungnade gefallen. Ein Artikel aus dem Jahr 2008 in der Zeitschrift *Yale School of Medicine* trägt den Titel «A theory abandoned but still compelling» (Eine aufgegebene, aber nach wie vor bestechende Theorie). In dem Artikel wird erörtert, wie die Theorie widerlegt wurde, aber «MacLeans Ausstrahlung verlieh seinen Ideen besondere Resonanz».

In jüngerer Zeit hat die gefeierte Neurowissenschaftlerin Lisa Feldman Barrett in ihrem Buch *Seven and a Half Lessons About the Brain* (2020) den Mythos vom dreiteiligen Gehirn widerlegt. Sie diskutiert darüber mit ihrem Kollegen Sam Harris in Folge 247 seines Podcasts *Making Sense.* An anderer Stelle schreibt sie: «Dieses Modell, das als dreieiniges Gehirn bezeichnet wird, ist eine Fantasievorstellung … Das Gehirn hat sich nicht wie Sedimentgestein in Schichten entwickelt. Vielmehr (um es mit den Worten des Neurowissenschaftlers Georg Striedter zu sagen) entwickeln sich Gehirne wie Unternehmen: Während sie wachsen, organisieren sie sich neu. In den Gehirnregionen, die MacLean als für Emotionen zuständige betrachtete und die er als ‹limbisches System› bezeichnete, befinden sich heute bekanntermaßen wichtige Knotenpunkte für die allgemeine Kommunikation im gesamten Gehirn. Sie steuern die verschiedenen Systeme des Körpers und sind für viele Phänomene neben Emotionen wichtig, wie z.B. Sprache, Konzeptbildung, Stress und sogar die Koordination der fünf Sinne zu einem kohärenten Erlebnis.»[10]

Ich führe diesen wissenschaftlichen Exkurs an, weil ich noch nirgendwo sonst eine Widerlegung von Sineks «Entdeckung» gefunden habe. Es könnte ein Fall von Brandolinis Gesetz sein, welches besagt, dass «die Menge an Energie, die benötigt wird, um Blödsinn zu widerlegen, um ein Vielfaches größer ist als die, die man braucht, um ihn zu produzieren». Tatsächlich wirft die Beziehung zwischen Emotionen, Denken und Sprache ernsthafte Fragen auf, aber diese Fragen lassen sich nicht auf ein karikatureskes Modell reduzieren, das vorgibt, die Wahrheit über Menschen, Marketing, die Wirtschaft oder sonst irgendetwas zu enthüllen.

Dennoch hat Sineks Buch einen bleibenden Eindruck in der Geschäfts- und Marketingwelt hinterlassen. Dazu beigetragen hat ein TED-Vortrag, der zu einem der meistgesehenen aller Zeiten wurde. Von Anfang an war Sineks Idee des «Warum» gleichbedeutend mit Purpose – «Mit Warum meine ich: ‹Was ist Ihr Purpose, Ihre Sache, Ihre Überzeugung›». Die Kraft der Idee lag darin, dass sie Unternehmensführern schmeichelte: Sie konnten sich selbst als Helden feiern, die von einem höheren Zweck angetrieben wurden, der in dem Geschäft nur seinen äußeren Ausdruck fand. Und das Schöne an der Theorie war, dass jeder, der über die Frage «Warum?» rätselte, Sineks Modell zu bestätigen schien: Schwer zu beantworten soll sie sein, weil sie tief im nonverbalen Teil des Gehirns verborgen liegt.

Wenn Sie also die Chefin eines Unternehmens für Werbegeschenke fragen: «Warum tun Sie, was Sie tun?», wird sie vielleicht ob der Offensichtlichkeit der Antwort stutzen: «Na ja, wir tun es, um Werbegeschenke zu verkaufen und unseren Lebensunterhalt zu verdienen. Es gab eben eine Marktlücke für Werbegeschenke.» Oder sie wird sich eine pseudopsychologische Ursprungsgeschichte aus den Fingern saugen: «Ich würde mal sagen, ich hab da eine Marktlücke für Werbegeschenke gesehen und konnte es kaum glauben, dass … die Menschen so lange ohne solche Werbegeschenke … zu diesem bestimmten Preis … gelebt haben. Also wollte ich … Werbegeschenke jedermann und jederfrau zugänglich machen und vielleicht … das Tabu … um Werbegeschenke brechen und … den Menschen das Leben mit Werbegeschenken erleichtern … und ich möchte die Werbegeschenke definitiv jedem und jeder verkaufen … also bin ich definitiv auf einer Mission, das Leben für alle zu verbessern, überall … und die Welt zu ermutigen … sich selbst glücklich zu schenken™ …» Und schon hat sich die Werbegeschenke-Firma neu erfunden: als ein Unternehmen, das den Status quo infrage stellt. Und das nur ganz zufällig Werbegeschenke herstellt.

Das klingt wie eine Parodie, aber es ist die Geschichte, die Sinek auf Apple projiziert (sein bevorzugtes Beispiel für ein «Start-with-Why»-Unternehmen). Die beiden anderen bevorzugten Fallstudien in seinem Managementbuch stammen nicht aus der Geschäftswelt. Da sind einmal die Gebrüder Wright. Sineks Version der Geschichte ist, dass sie das Rennen um die Entwicklung des ersten motorgetriebenen Flugzeugs gewannen, weil sie von einem stärkeren Sinn für das «Warum» beseelt waren:

> «Was Langley und die Brüder Wright schaffen wollten, war genau das Gleiche […] Sowohl die Brüder Wright als auch Langley waren hoch motiviert. Beide hatten eine hohe Arbeitsmoral. Alle waren wache wissenschaftliche Köpfe. Was das Team der Brüder Wright dem Team von Langley voraushatte, war nicht Glück. Es war Inspiration. […] Die Brüder Wright inspirierten ihr Umfeld. Langley bezahlte Talente, um reich und berühmt zu werden. Die Brüder Wright begannen beim WARUM.»[11]

So wird eine faszinierende Geschichte fortschreitender technischer Innovation auf eine einfache Frage des Wollens reduziert. Sinek schreibt wie ein Sportkommentator, der erklärt, dass die Siegermannschaft «es mehr wollte». Dabei übersieht er einen wichtigen Aspekt der Geschichte der Gebrüder Wright, der für die Geschäftswelt, an die er sich wendet, von Interesse sein könnte. Es gibt einen Grund, warum wir nicht alle mit Wright Airlines fliegen. Larry Tise, Historiker und Biograf der Gebrüder Wright, fasst es so zusammen:

> «Die meisten Historiker betrachten die Gebrüder Wright als große amerikanische Helden. Ich sehe sie auch als tragische Figuren. Nachdem sie die Erfindung gemacht hatten, wollten sie – wie Henry Ford und Alexander Graham Bell – mit ihrer Erfindung und Arbeit reich werden. Sie erhielten das Patent für ihre Flugmaschine, aber dann bemühten sie sich nicht darum, das Fliegen weiterzuentwickeln. Sie arbeiteten stattdessen daran, das Patent zu schützen. Sie waren besessen davon, Geld zu verdienen und das Patent zu schützen.»[12] Nichts ist falsch an dem Wunsch, aus seiner Arbeit Kapital zu schlagen. Aber man muss schon sehr lange suchen, um irgendwo in der Geschichte ein «Start-with-Why»-Narrativ zu entdecken.

Sein anderes Beispiel ist Martin Luther King. Man könnte dabei an David Brents Bewunderung für Nelson Mandela in der britischen Comedy-Serie *The Office* denken – sicher ein unfairer Vergleich. Auf den ersten Blick scheint dieses Beispiel besser geeignet zu sein. Wie Sinek anmerkt, sagte King: «Ich habe einen Traum» und nicht: «Ich habe einen Plan». Aber wenn dieser Traum Kings «Warum» war, dann war es eins, das er mit vielen teilte, die ihm vorausgingen. Sineks Ansicht verkennt die wahre Dynamik von Kings Rede am Lincoln Memorial. Die Zeile, die unmittelbar auf die erste Erwähnung von «Ich habe einen Traum» folgt, lautet: «Es ist ein Traum, der tief verwurzelt ist im amerikanischen Traum.» In seiner gesamten Rede stützt King seine Argumentation nicht auf sein eigenes inneres «Warum», sondern auf die Werte seiner Zuhörerschaft, die er zu überzeugen versucht. Emanzipation, so argumentierte er, sei keine Bedrohung für den American Dream, sondern vielmehr dessen wahre Erfüllung:

> «Als die Architekten unserer Republik die grandiosen Worte der Verfassung und der Unabhängigkeitserklärung schrieben, unterzeichneten sie einen Schuldschein, dessen Erbe jeder Amerikaner sein sollte. Dieser Schuldschein war ein Versprechen, dass allen Menschen – ja, schwarzen Menschen wie auch weißen Menschen – die unveräußerlichen Rechte von Leben, Freiheit und dem Streben nach Glück garantiert wären.»[13]

Darin liegt eindeutig das «Was» und das «Wie», das sich durch die gesamte Rede zieht. Man hat das Was: die Verfassung, die Unabhängigkeitserklärung, die Emanzipationserklärung, die christlichen Werte, die liberale Tradition, während das Wie beschreibt, wie man diesen Werten gerecht wird.

All dies wird kontrovers diskutiert, und Kings Rede stellt nur einen kleinen Ausschnitt aus einem ganzen Leben für den politischen Kampf dar. Dieses Leben auf eine inspirierende Parabel für CEOs zu reduzieren, ist unseriös.

Ein Jahr nach der Veröffentlichung seines Buchs nahm Sinek ein Interview mit Adam Fish für den Anthropologie-Podcast *Savage Minds* auf.[14] Er erzählt die Entstehungsgeschichte des Goldenen Kreises und wendet sich dann umfassenderen Überlegungen über den Unterschied zwischen gewinnorientierten und gemeinnützigen Organisationen und das Wesen der Unternehmensführung zu.

Man könnte sich nun fragen, ob die Existenz gemeinnütziger Organisationen ein Problem für Sineks Idee von Purpose-getriebenen Unternehmen darstellt. Wenn man wirklich von einem höheren Ziel angetrieben wird, das über den bloßen Profit hinausgeht: Würde man sich dann nicht von vornherein für eine gemeinnützige Organisation entscheiden? Für Sinek ist das nur eine Frage der Definition:

> «Alle Organisationen sind gewinnorientiert. Sie unterscheiden sich nur in der Art und Weise, wie sie diese Gewinne messen. For-Profits messen ihren Gewinn in Dollar und Cent; für gemeinnützige Organisationen liegt er in den Auswirkungen ihres Handelns auf die Welt.»

Diese merkwürdige Unterscheidung führt Sinek zu weiteren Reflexionen über die Überlegenheit gewinnorientierter Unternehmen, wenn es darum geht, ihre Mission in die Tat umzusetzen:

> «Man spricht oft mit gemeinnützigen Organisationen, und viele von ihnen schleppen personellen Ballast mit sich herum – es mangelt an fähigen Mitarbeitern. Trotzdem stehen sie Entlassungen zurückhaltend gegenüber, weil sie der Sache so sehr verbunden sind. Das Problem ist, dass viele von ihnen tatsächlich schlechte Arbeit machen. Ein gewinnorientiertes Unternehmen hätte keine Skrupel, sich von solchen Leuten zu trennen, denn es braucht Mitarbeiter, die Ergebnisse liefern. Sozial orientierte Unternehmer wissen dagegen: Der Schlüssel liegt in der Verbindung beider Modelle. Eine klare Mission *und* klare Strukturen. Nicht das eine oder das andere, sondern beides – zwei Seiten ein und derselben Medaille. Die besten Organisationen funktionieren wie soziale Bewegungen.»

Viele dürften die Kritik an gemeinnützigen Organisationen kennen, welche zu institutioneller Trägheit neigen können. Für Sinek besteht die Lösung nun nicht darin, deren Funktionsweise zu verbessern. Stattdessen setzt er auf Unternehmen, die für eine Idee eintreten. Sie sollen durch eine starke, Purpose-orientierte Führung dazu gebracht werden, zu funktionieren – nicht durch Konsens oder Demokratie.

> «Konsensorientierte Organisationen funktionieren nicht ... Die beste Regierungsform ist die wohlwollende Diktatur. Und dasselbe gilt für Organisationen. Die ganze Konsens-Idee basiert immer auf dem kleinsten gemeinsamen Nenner. Wie stellt man möglichst viele Menschen zufrieden? Das Endergebnis ist absolut unbefriedigend. Schauen Sie sich irgendein Gesetz an, das im Kongress verabschiedet wird ... Nur selten sind die Gesetze wirklich bedeutend und großartig, weil man es so vielen Menschen und so vielen Wählern wie möglich recht machen muss. Führung funktioniert also mit einer Person – oder höchstens einem Zweierteam – an der Spitze, die ihre Vision der Welt erklärt und diejenigen in ihrer Organisation, die daran glauben, bittet, ihr beim Aufbau dieser Vision zu helfen. Konsens ist nicht der richtige Weg. Es gibt nur eine Vision, und es kann nur eine Vision geben.»

Es gibt nur eine Vision, und es kann nur eine Vision geben. Hierin mündet Sineks Modell des Social Purpose: gewinnorientierte Unternehmen, die sich dem Bauchgefühl ihrer wohlwollend diktatorischen Führungskräfte folgend mit sozialen Anliegen befassen, für welche die Vorstellung von einem Mitarbeiterkonsens nur eine lästige Ablenkung darstellt. Dies mag eine effiziente Strategie sein, um Entscheidungen über den Preis von Werbegeschenken oder den Standort eines Lagers zu treffen. Aber wenn es darum geht, soziale Anliegen zu verfolgen und eine Agenda für eine bessere Welt voranzutreiben, würden viele einer langsamen politischen Konsensfindung den Vorzug geben, die auf derselben Verfassung basiert, für die Martin Luther King eintrat.

Sinek kann der Marketingwelt viel beibringen, aber nichts davon hat mit Purpose zu tun. Seine Kompetenz liegt im Marketing und in der Rhetorik. Er weiß um die Macht eines aus drei Worten bestehenden Slogans (Just Do It … Take Back Control … Start With Why). Er weiß um die Macht der Wiederholung (man beachte die vielen Beispiele im TED-Vortrag). Er weiß um die Bedeutung, die ein Anstrich von Wissenschaftlichkeit haben kann, wenn man jemanden von etwas überzeugen will (wie der Marketingfachmann in den 1920er-Jahren, der den obskuren Begriff «Halitosis» (für Mundgeruch) prägte, um Listerine zu verkaufen). Er weiß, dass Worte wie «Entdeckung» wirkungsvoller sind als «Theorie». Er weiß, dass es ein kluger Schachzug ist, sich selbst als Optimisten zu bezeichnen, um Fragesteller als Pessimisten und Zyniker abzustempeln. Er verfügt über eine besondere Sprachgewandtheit, die seine Ideen im persönlichen Gespräch überzeugender erscheinen lässt als auf dem Papier.

Und er weiß, dass die Menschen meist nicht allzu genau hinschauen, wenn es darum geht, einmal aufgestellte Behauptungen zu belegen. Um das Thema abzuschließen, müssen wir jetzt noch auf einen letzten Punkt eingehen.

Harte Fakten

Im Oktober 2008, einen Monat nach dem Zusammenbruch von Lehman Brothers und etwa zu der Zeit, als die britische Regierung die Royal Bank of Scotland vor dem Ruin bewahrte, gab Jim Stengel seinen Rücktritt als Chief Marketing Officer bei Procter & Gamble bekannt. In seiner Kurzbiografie heißt es: «Diese mutige Entscheidung war Jims erster Schritt auf einer neuen Mission, seine Leidenschaft für unternehmerisches Wachstum durch die Konzentration auf höhere Ideale zu teilen.»

Das Ergebnis war *Grow: How Ideals Power Growth and Profit at the World's 50 Greatest Companies*, 2011. Das Buch wurde zu einem der Gründungsdokumente der Purpose-Bewegung und wird auch von Simon Sinek gern zitiert. Auf dem Buchrücken fanden sich Zitate von Sheryl Sandberg – damals COO bei Facebook («Ein neues, leistungsstarkes Geschäftsmodell») – und Martin Sorrell – damals CEO des Werbegiganten WPP, der sich selbst als «absolut überzeugt» bezeichnete. Und weiter heißt es: «Jim Stengel teilt seine Überzeugungen und seine Erfahrungen mit einer Großzügigkeit, die an Leichtsinn grenzt. Und er liefert die harten, klaren Zahlen, um seine Lehren zu untermauern.»

Diese harten, klaren Zahlen stammen aus einer Studie von Millward Brown, damals Teil von Kantar, der «Insight, Information and Consultancy»-Gruppe von WPP. Jim Stengel bat Kantar, zu untersuchen, ob ein starkes ethisches Bewusstsein mit einer besseren Unternehmensleistung zusammenhängt.

Auch wenn er das Wort «Ideal» verwendet, ist dennoch klar, dass er von einer ähnlichen Definition wie «Purpose» ausgeht, einschließlich der sozialen Dimension: «Wir definieren ein Ideal als den höherwertigen Nutzen, den eine Marke oder ein Unternehmen der Welt bringt», sagt Stengel. «Der Kern jedes Unternehmens, jeder Marke ist der Grund für seine oder ihre Existenz. Ein höheres Ideal, eine Mission in der Welt … Das ist kein Marketing-Slogan, keine Werbekampagne. Es ist der Grund, warum es dich gibt.» Später verwendet Stengel die beiden Begriffe synonym und spricht davon, dass «Unternehmen, die von einem höheren Ideal, einem höheren Purpose angetrieben werden, ihre Konkurrenz bei Weitem übertreffen».

Hier lohnt es sich, innezuhalten und zu überlegen, wie man eine Studie gestalten könnte, die Stengels Theorie beweisen könnte. Vielleicht würde man mit einer strengen Definition von «Ideal» beginnen. Anhand dieser Definition könnte man dann eine Gruppe von Unternehmen bestimmen, die sich von einem Ideal leiten lassen, und eine andere Gruppe von Unternehmen, für die das nicht der

Fall ist. Anschließend könnte man die bisherige Leistung beider Gruppen messen, um nach bedeutenden Unterschieden zu suchen; dabei ist auf weitere Variablen zu achten, die die Ergebnisse verzerren könnten. Noch besser wäre es, wenn die Theorie auch einen gewissen prognostischen Wert hätte: Dann könnte man die zukünftige Leistung beider Stichproben überwachen und nach anhaltenden Unterschieden suchen.

Stengel und Millward Brown verfolgten einen anderen Ansatz. Zunächst identifizierten sie die 50 Marken, die «in den letzten zehn Jahren sowohl bei der Kundenbindung als auch bei der Wertschöpfung am besten abschnitten». Die Auswahl wurde auf der Basis der Top-Performer der 50 000 Marken umfassenden Datenbank von Millward Brown getroffen. Anschließend suchten sie nach allem, was man als «Ideal» bezeichnen könnte, um den Erfolg dieser Unternehmen zu erklären.

Diese Methode führte zu dramatischen Ergebnissen: «Die Studie ... stellt einen kausalen Zusammenhang her zwischen der Fähigkeit einer Marke, einem höheren Purpose zu dienen, und ihrer finanziellen Performance. Bemerkenswert ist, dass Investitionen in diese Unternehmen – die Stengel 50 – in den letzten zehn Jahren um 400 Prozent rentabler gewesen wären als Investitionen in die S&P 500», berichtete Millward Brown. Der «Purpose Case» war bewiesen: «‹Erfolgreich sein, indem man Gutes tut› – ist das wirklich erreichbar? Wir haben es schon immer geglaubt, aber jetzt haben wir den Beweis. Die erfolgreichsten Marken und Unternehmen der Welt sind nicht nur auf Profit ausgerichtet – sie gründen auf Idealen.»

Im vorangehenden Kapitel sind wir auf Brandolinis Gesetz gestoßen: «Die Menge an Energie, die benötigt wird, um Blödsinn zu widerlegen, ist um ein Vielfaches größer als die, die man braucht, um ihn zu produzieren.» Professor Byron Sharp vom Ehrenberg-Bass Institute for Marketing Science hat 2011 in einem Beitrag sein Möglichstes getan, um die nötige Energie zu mobilisieren:

«In Werbebroschüren für Stengels Buch heißt es, dass ‹eine Investition in diese Unternehmen – die ‚Stengel 50' – in den 2000er-Jahren 400 Prozent rentabler gewesen wäre als eine Investition in die S&P 500›. Er deutet damit an, dies sei der Beweis für seine These von den ‹Idealen›. Nun hat Stengel diese Unternehmen aber gerade aufgrund ihres finanziellen Wachstums ausgewählt! Wären sie ausschließlich auf Basis eines idealerweise objektiven (oder intersubjektiv nachprüfbaren) Maßstabs für ‹idealistisch sein› ausgewählt worden, dann würden Korrelationen mit der finanziellen Leistung vielleicht etwas aussagen – vor allem, wenn es sich um zukünftige und nicht um vergangene Leistungen handeln würde. Da diese Unternehmen aber aufgrund ihrer finanziellen Leistung ausgewählt wurden, sagt ihre Aktienkursentwicklung im selben Zeitraum gar nichts aus.»[15]

Jahre später, als die «Stengel 50» noch immer als Beweis für eine wachsende Purpose-Bewegung gefeiert wurden, schlug der Verhaltensforscher und Autor Richard Shotton eine weitere Demontage vor und führte dabei fünf Punkte an.[16]

Erstens: Die Marke ist nicht das Unternehmen. Wie Shotton geduldig erklärt, haben mehrere Marken in Stengels Liste nicht einmal einen eigenen Aktienkurs, sondern sind Teil größerer Unternehmen. Eine davon ist Stonyfield Farm, die 2014 weniger als zwei Prozent des Umsatzes von Danone ausmachte. Stengels seltsame Theorie besagt, dass der Aktienkurs von Danone aufgrund des «Markenideals» von Stonyfield Farm gestiegen sei. Ähnliches gilt für mindestens 12 der 50 Unternehmen.

Zweitens handelt es sich um eine zirkuläre Logik. Wie Shotton schon etwas weniger geduldig erklärt, wurden die Stengel 50 aus den besten 0,1 Prozent der 50 000 Marken umfassenden Datenbank von Millward Brown ausgewählt: «Es überrascht nicht, dass diese Marken eine positive Aktienentwicklung aufweisen. Wenn sie in der Vergangenheit nicht gut abgeschnitten hätten, wären sie nicht unter den besten 0,1 Prozent der Marken von Millward Brown. Auf das Wesentliche reduziert, besagt Stengels Erkenntnis, dass Marken, die zu den erfolgreichsten 0,1 Prozent der Unternehmen gehören, an der Börse gut abgeschnitten haben. Das ist eine zirkuläre Logik.»

Drittens wurde die Definition rückwirkend angepasst. Stengels Definition von «Ideal» ist so vage, dass sie schon fast parodistisch wirkt. Moët & Chandon «existiert, um Anlässe in Feste zu verwandeln». Mercedes-Benz «existiert, um ein erfülltes Leben zu verkörpern». BlackBerry «existiert, um Menschen miteinander und mit den wichtigsten Inhalten ihres Lebens zu verbinden, jederzeit und überall». Dies ist die Art von nichtssagenden Beschreibungen, die auf eine ganze Produktkategorie zutreffen. Sie werden von vielen Marken verwendet und haben meist nichts mit der Realität zu tun. Dennoch wurde die Studie seither unzählige Male herangezogen, um die Bedeutung zu untermauern, die ein Social Purpose – ein an gesellschaftlichen Idealen orientiertes Ziel – für die Markenperformance hat.

Viertens: Es gibt keine Vergleichsgruppe. Zu keinem Zeitpunkt vergleicht Stengel erfolgreiche Marken mit erfolglosen. Woher wissen wir, dass sich die unteren 0,1 Prozent nicht auch an einem ähnlich formulierten Ideal orientierten? Woher wissen wir, dass es unter den Top-Performern nicht andere Gemeinsamkeiten gab, die eine größere Erklärungskraft besessen hätten? Niemand hat das überprüft.

Fünftens: Die Studie besitzt keinen prognostischen Wert. Shotton untersuchte die Börsenperformance der Stengel 50 in den fünf Jahren nach ihrer Veröffentlichung. Von den 26 Unternehmen, die nicht Teil einer größeren Holdinggesellschaft waren und daher sinnvollerweise in die Analyse einbezogen werden konnten, übertrafen nur neun den S&P-Benchmark. Rein per Zufall wären bereits 13 zu erwarten gewesen.

In den Branding-Etagen geht man weiter munter davon aus, dass an Stengels Buch etwas dran sein muss – schließlich gibt es keinen Rauch ohne Feuer. Brandolini ist da anderer Meinung.

Die Purpose-Dekade

Sinek und Stengel waren keineswegs die einzigen Propheten des Purpose. In den Jahren nach 2008 waren ihre Bücher Teil einer Welle von Purpose-Titeln, die bis heute anhält. Eine bei Weitem nicht vollständige Aufzählung umfasst folgende Titel: *Philanthrocapitalism: How the Rich Can Save the World* (Matthew Bishop und Michael Green, 2008), *The Story of Purpose* (Joey Reiman, 2012), *Conscious Capitalism* (John Mackey und Raj Sisodia, 2013), *Do/ Purpose* (Dave Hieatt, 2014), *Leading from Purpose* (Nick Craig, 2018), *Activate Brand Purpose: How to Harness the Power of Movements to Transform Your Company* (Scott Goodson und Chip Walker, 2021), *Purpose and Profit: How Business Can Lift Up the World* (George Serafeim, 2022) und *The Activist Leader* (Lucy Parker und Jon Miller, 2023).

Bereits 2017 schien das Thema Purpose ein Trend zu sein, der sich langsam totläuft. Im Juni 2017 habe ich mich mit einem Artikel in der *Creative Review* erstmals in die Debatte eingemischt. Er trägt den optimistischen Titel «Is this the end for brand purpose?» Etwa zur gleichen Zeit veröffentlichten Ipsos und Trinity Mirror eine Verbraucherumfrage, die ein wachsendes Misstrauen gegenüber Purpose-orientierter Werbung aufzeigte. «Ein Großteil des Problems», so berichtete Trinity Mirror, «besteht in der ‹Arroganz› von Marken, die einen Purpose für sich beanspruchen, der ihnen schlecht zu Gesicht steht. Bei den Verbrauchern führt dies zunehmend zu Zynismus.»[17] Inzwischen hatte der Social Purpose in den Werbekampagnen bereits ausreichend hohe Wellen geschlagen, um das Thema zum Gegenstand einer Persiflage in Saturday Night Live zu machen (Pitch Meeting, 2017).

Rückblickend war dies die Ruhe vor dem Sturm. 2018 begann Larry Fink, seine Purpose-triefenden Briefe zu schreiben, 2019 unterzeichnete der US Business Roundtable sein «Statement on the Purpose of a Corporation», und das Thema wurde zu dem gigantischen Projekt, das es heute ist. Mit der wachsenden Popularität wuchs auch der Widerspruch – sowohl von links als auch von rechts; dazu zählen Titel wie: *The Rise of Woke Capital* (Ross Douthat, New York Times, 2018), *Winners Take All* (Anand Giridharadas, 2018), *Can't Sell, Won't Sell* (Steve Harrison, 2020), *Woke, Inc* (Vivek Ramaswamy, 2021) und *Woke Capitalism* (Carl Rhodes, 2021).

Seit 2022 hat sich einiges geändert. Unternehmen wie Unilever und Procter & Gamble haben sich still und leise von ihrem Purpose distanziert, und in Larry Finks Jahreslosung von 2023 wird das Wort nicht einmal erwähnt. Was daran liegen könnte, dass die Arbeit bereits getan ist: Purpose ist tief in das institutionelle Gewebe aus Wirtschaft und Marketing eingelassen. Wenn Sie die Website einer beliebigen Marke oder Holdinggesellschaft besuchen, werden Sie wahrscheinlich eine Absichtserklärung finden. Dieses sogenannte «Purpose Statement» versucht sich an dem Spagat, eine Verbindung herzustellen zwischen dem, was das Unternehmen tut, und der Gesellschaft im Allgemeinen. Viele Werbeagenturen und Beratungsunternehmen positionieren sich ausdrücklich im Dunstkreis des Purpose. Der Social Purpose hat Auszeichnungen für kreative Werbekampagnen gekapert und sitzt im Bildungssektor fest im Sattel. Der Vizekanzler der University of the Arts London (die Institution der in meiner Einleitung erwähnten Chief Social Purpose Officer) nannte Simon Sinek als Inspirationsquelle. Als dieses Buch verfasst wurde, fiel mein Blick in den Schlagzeilen auf folgende Überschriften: «Für die Generation Z bedeutet Marken-Purpose, dass er uns hilft, die Welt zu verändern» (AdAge), «Richard Edelman: Das ist nicht das Ende des Brand Purpose» (PRWeek), «Mars-CEO: Angriffe auf den Marken-Purpose sind Unsinn» (Raconteur) und: «Was ein großartiges Corporate Purpose Statement ausmacht» (Harvard Business Review)[18].

«Im Namen Gottes und des Profits», lautete das Motto auf Francesco Datinis Geschäftsbüchern. Jetzt scheint Purpose der einzig wahre Weg zu sein. Und der verheißt nichts Gutes.

3.
Wie Purpose zu schlechtem Marketing führt

Wenn du nun Almosen gibst, sollst du es
nicht vor dir ausposaunen, wie es die Heuchler tun …
damit sie von den Leuten gepriesen werden.

Matthäus 6:2

Ein Cellist spielt auf einem Häuserdach. Weit unten versammelt sich ein Protestzug. Menschen verschiedenster Ethnien im Alter von 18 bis 34 Jahren gehen mit strahlendem Lächeln spazieren. Eine junge Frau hält ein Schild hoch mit der Aufschrift «Join the conversation». Ein anderer hält ein Schild in französischer Sprache, auf dem steht: «Faites de la conversation». Der Cellist spielt leidenschaftlicher. Schweißperlen sprühen aus seiner strubbeligen, pechschwarzen Mähne.

Woanders beschriftet eine muslimische Fotografin ihre Kontaktabzüge. Sie sieht unzufrieden aus. Schnitt. Wir sehen eine weiße, blonde Frau – ein ehemaliger Reality-TV-Star –, die an einem glamourösen Fotoshooting teilnimmt. Als sie in einem Hauseingang posiert, fällt ihr Blick auf den vorbeiziehenden Protest und ein Schild mit der Aufschrift «Love». Sie hält inne und bricht ihre Pose ab.

Der Cellist befindet sich jetzt in einem Loft mit unverputzten Ziegelwänden. Er wirft einen Blick aus dem Fenster, nimmt einen Schluck von seinem Softdrink und geht auf den Balkon, um sich den Protestzug anzuschauen, der unten vorbeizieht.

Die muslimische Fotografin ist frustriert. Sie zerknüllt ein Foto und fegt ihre ganze Arbeit vom Schreibtisch. Als sie den Protestzug draußen vorbeiziehen hört, schnappt sie sich ihre Kamera und eilt auf die Straße. Unter den Demonstranten ist ein Mann mit einem Cellokasten auf dem Rücken. Einige Demonstrierende beginnen, Breakdance zu tanzen. Es formiert sich eine Band, in der auch der Cellist mitspielt.

Der Demonstrationszug setzt sich fort, und der Cellist erblickt das Glamour-Model. Er nickt ihr zu und bedeutet ihr, sich dem Zug anzuschließen. Das Model reißt sich die blonde Perücke vom Kopf, wischt ihren Lippenstift ab und schließt sich den Demonstranten an, die sich jetzt einer Polizeikette nähern. Sie bahnt sich einen Weg durch die Menge, greift sich eine gekühlte Getränkedose aus einem

Eiskübel, nickt dem Cellisten noch einmal zu und macht sich auf den Weg zur Polizeikette. Die muslimische Fotografin ist da, um den Moment festzuhalten, in dem Kendall Jenner sich dem attraktivsten Polizisten nähert und ihm eine gekühlte Dose reicht.

Die Menge jubelt begeistert, als der Polizist einen Schluck nimmt, mit den Achseln zuckt und sich mit einem süßen Lächeln seinen Kollegen zuwendet.

Es erscheint das Pepsi-Logo mit den Schlusszeilen: Live bolder. Live louder. Live for now.

* * *

Der Werbespot von Pepsi wurde am 4. April 2017 veröffentlicht. Nach einem Social-Media-Protest epischen Ausmaßes wurde er am 5. April 2017 zurückgezogen. Pepsi wurde vorgeworfen, die Black-Lives-Matter-Bewegung, die sich nach der Ermordung von Michael Brown formiert hatte, zu instrumentalisieren und zu trivialisieren. Bernice King, die Tochter von Martin Luther King, postete ein Bild ihres Vaters, der einer aggressiven Polizeikette gegenübersteht. «Hätte Daddy doch nur von der Macht von #Pepsi gewusst», schrieb sie.

Ich erinnere mich noch, wie ich den Spot zum ersten Mal gesehen habe. Ich hatte gehofft, der Cellist würde sich dem Marsch anschließen – ganz in der Art eines Woody Allen in der Szene, in der er einen Cellisten in einer Marschkapelle spielt: Er spielt verzweifelt ein paar Töne, bevor er seinen Hocker packt und unbeholfen ein paar Schritte weiter rückt.

Für mich war dies Anlass, meinen ersten Artikel über das Thema Purpose zu schreiben.[19] Andere Beispiele waren McDonald's, das die Geschichte eines Jungen erzählte, der über den geteilten Genuss von Filet o' Fish eine Beziehung zu seinem toten Vater aufbaut. Oder Heineken, das die Mitglieder verfeindeter kultureller Lager für eine Produktaufnahme zusammenbringt. Oder Dove, das eine

Reihe von Emojis mit krausem Haar und Verpackungen einführte, die verschiedenen Körperformen nachempfunden waren. Und die Cannes Lions, die die «I Sea»-App feierten: Die App nahm für sich in Anspruch, bei der Seenotrettung von Flüchtlingen zu helfen, erwies sich dann aber als schlichter Proof of Concept.

Bereits 2017 war dieser Trend zu emotionaler Werbung, die ein vages Bewusstsein sozialer Themen transportierte, zum peinlichen Klischee geworden. Saturday Night Live knöpfte sich das Thema in einem Sketch vor, in dem zwei Agenturen für die Cheetos-Super-Bowl-Kampagne werben. Das erste Team, gespielt von Alec Baldwin und Aidy Bryant, präsentiert seine Killeridee: «Wir beginnen mit einer kleinen Migrantin. Das Mädchen ist müde und voller Staub, denn sie hat einen langen Weg hinter sich. Sie schaut auf und sieht … eine Mauer. Wie wird sie sie überwinden? Oben erscheint ein Junge. Er wirft ein Seil herunter. Das Seil besteht aus aneinandergeknüpften amerikanischen Flaggen. Das Mädchen klettert das Seil hinauf. Sie sieht ihr neues Land zum ersten Mal und weint. Harter Schnitt. Cheetos.» Das andere Team verblüfft den Kunden mit lustigen Ideen, in denen es darum geht, dass Cheetos lecker sind. Der Gag geht weiter, während das Publikum über einen Trend lacht, der bereits zum Gespött geworden ist.

Den Purpose-Hype trifft die volle Verantwortung. Es ist so weit gekommen, weil viele Marken – auf der Suche nach einem höheren gesellschaftlichen Nutzen – unbeholfen umhertapsten und sich dabei erwartbar weit außerhalb ihrer Komfortzone bewegten.

Aber nicht darum soll es in diesem Kapitel in erster Linie gehen. Es wäre zu einfach, die vielen prominenten Beispiele oberflächlicher «Purpose»-Werbung, die in den 2010er-Jahren entstanden sind, auseinanderzunehmen. Stattdessen möchte ich mich mehr auf das konzentrieren, was «richtig» gelaufen ist, auf Beispiele, die viele Purpose-Verfechter als richtig verstandenen Purpose betrachten würden.

Man könnte meinen, der Backlash um die Pepsi-Werbung hätte 2017 das Ende des «Purpose»-Trends eingeläutet. Doch stattdessen setzte die Werbebranche noch einen drauf. Jetzt redeten Marketingfachleute davon, dass Purpose-orientierte Werbung nur funktioniere, wenn man es wirklich ernst meine. Daraufhin beschlossen die allermeisten Marken, es wirklich, wirklich ernst zu meinen. Denn so funktioniert Psychologie: Wir alle wollen zu den Guten gehören. Und so drang Purpose tiefer in jeden Marketingbereich ein und beeinflusste die Art und Weise, wie Marken über sich selbst und ihr Publikum dachten.

Führt dies zwangsläufig zu schlechtem Marketing? Vielleicht nicht. Es wäre dumm, in so komplexen Bereichen wie Werbung und Markenbildung, auf die so unterschiedliche Einflussfaktoren einwirken, kategorische Behauptungen aufzustellen. Das ist auch nicht mein Hauptanliegen in diesem Buch. In vielerlei Hinsicht würde ich mir sogar *größere* Sorgen machen, wenn Purpose tatsächlich dazu beitragen würde, kommerzielle Erfolge zu erzielen, denn am beunruhigendsten sind seine Auswirkungen auf die Gesellschaft.

Dennoch behaupte ich, dass es der Purpose-Idee inhärente, strukturelle Faktoren gibt, die die *Wahrscheinlichkeit* für schlechtes Marketing deutlich erhöhen. Ich werde in den nächsten Kapiteln näher darauf eingehen. Wenn Sie ein allgemein interessierter Leser sind, der sich schon einmal gefragt hat, warum Werbung in letzter Zeit so ernst geworden ist, dann könnte dieses Kapitel Ihnen darüber Aufschluss geben. Sind Sie dagegen eine vom Purpose beseelte Marketingfachfrau, könnte das Buch ein Anstoß sein, mit dem Theater aufzuhören, den politischen Lipgloss abzuwischen und wieder in die Realität zurückzukehren.

Purpose: Der große Gleichmacher

In der Marketingwelt wird immer wieder darüber diskutiert, ob Marken sich um Differenzierung (difference) oder Wiedererkennbarkeit (distinctiveness) bemühen sollten. Lange Zeit hatte Differenzierung die Nase vorn. Dabei ging es darum, einen Unique Selling Point, also eine Art Alleinstellungsmerkmal zu finden, das Ihre Marke von anderen unterschied, und sich dann darauf zu konzentrieren. Ein Trick bestand darin, dass es sich nicht unbedingt um etwas Einzigartiges an Ihrem Produkt handeln musste – es musste nur insofern einzigartig sein, als nur Sie allein diese Behauptung aufstellten. Im Zeitalter der Tabakwerbung etwa behauptete Lucky Strike «It's toasted» und baute so eine erfolgreiche Marke auf. Auch bei anderen Marken wurde geröstet, aber Lucky Strike hisste seine Flagge und beanspruchte dieses mentale Territorium für sich.

Dank der intensiven Forschungen des Ehrenberg-Bass Institute haben Marketingfachleute später erkannt, dass Wiedererkennbarkeit mindestens genauso wichtig, wenn nicht sogar wichtiger ist. Sie brauchen gar nicht auf ein Produktversprechen zu setzen, das sich deutlich von anderen unterscheidet. Sie können sich auch einfach dadurch von der Konkurrenz abheben, dass Sie immer die orangefarbene Marke sind, immer dieselbe Schriftart verwenden oder am Ende Ihrer Werbung immer denselben Jingle einspielen. Betrachten Sie diese als Ihre charakteristischen Merkmale und nutzen Sie sie: So entstehen mentale Anker in den Köpfen der Kunden, sodass sie sich vage an Ihre Marke erinnern. Wenn sie dann das nächste Mal etwas gedankenlos aus dem Regal greifen, haben sie positive Assoziationen in Bezug auf die Marke. Das Regal steht für die physische Verfügbarkeit. Das Wiedererkennen ist mentale Verfügbarkeit. Wenn Sie beides richtig machen, haben Sie eine Chance.

Außenstehende mögen sich darüber wundern, dass diese Debatte über Differenzierung und Wiedererkennbarkeit in der Marketingwelt so intensiv geführt und über den exakten Unterschied zwischen Unterscheidung und Unverwechselbarkeit hitzig gestritten wird. Aber in einem Punkt sind sich alle einig: Es hilft, das eine oder das andere der Kriterien zu erfüllen.

Gleichförmig, vorhersehbar, durchschnittlich und unauffällig zu sein bedeutet wahrscheinlich, dass man weniger wahrgenommen wird und weniger in Erinnerung bleibt. Wie fast immer im Marketing kommt es auch hier auf die näheren Umstände an. So kann es nützlich sein, sich an die anerkannten Codes der Branche zu halten – etwa, indem Sie bei einem Öko-Produkt auf Grün setzen. Aber damit etwas bei den Leuten hängen bleibt, müssen Sie irgendwann entweder etwas Unverwechselbares finden oder die Unterschiede betonen.

Das strukturelle Problem des Marken-Purpose besteht darin, dass er zur Gleichförmigkeit tendiert. Im Großen und Ganzen beruht er auf der Maxime von Simon Sinek, die wir bereits besprochen haben: «Start With Why».

Wenn Marken nach ihrem «Warum» oder dem tieferen Grund für ihre Existenz suchen, führt der Weg unweigerlich die Abstraktionsleiter hinauf. Oder, um eine andere Analogie zu gebrauchen: Es ist eine Art Homöopathie für die Marketingwelt. Dabei wird der funktionale Nutzen eines bestimmten Produkts verdünnt und dadurch auf eine etwas abstraktere Ebene gehoben. Dann wird erneut verdünnt. Dieser Vorgang wird so oft wiederholt, bis eine so hohe Abstraktionsebene erreicht ist, dass jeglicher Sinn für das Spezifische auf der Strecke geblieben ist.

Angenommen also, es handelt sich bei Ihrem Produkt um eine Tafel Schokolade. Dann geht es plötzlich nicht mehr darum, den Menschen etwas Schokoladiges zum Naschen zu geben, sondern darum, ihnen allgemein etwas Leckeres zu bieten. Im Weiteren geht es nicht darum, ihnen etwas Leckeres zu bieten, sondern darum, ihnen ganz allgemein eine Freude zu bereiten. Und es geht nicht um die Freude als solche, sondern um das Vergnügen, das man durch die Freude erfährt. Und es geht nicht um den physischen Genuss, sondern um den emotionalen. Und es geht nicht um den individuellen emotionalen Genuss, sondern um den geteilten emotionalen Genuss. Und es geht nicht um den geteilten Genuss, sondern darum, die Welt durch die Kraft des Teilens zu einem besseren Ort zu machen – und spätestens jetzt hat Ihr Brand-Purpose mehr mit dem Buddhismus zu tun als mit Schokolade.

Oder nehmen Sie ein Stück Seife. Dabei geht es nicht darum, dass jemand sauberer wird, sondern darum, den Menschen ein Gefühl von Sauberkeit zu vermitteln. Und es geht nicht darum, ihnen ein Gefühl von Sauberkeit zu vermitteln, sondern ihnen das Gefühl zu geben, gut auszusehen. Und es geht nicht darum, gut auszusehen, sondern darum, sich gut zu fühlen. Und es geht nicht darum, sich körperlich gut zu fühlen, sondern sich emotional gut zu fühlen. Und es geht nicht darum, sich emotional gut zu fühlen, sondern darum, die Welt zu einem besseren Ort zu machen, indem man allen hilft, sich emotional gut zu fühlen. Und auf einmal ist Ihr Seifen-Brand-Purpose dem der Schokoladenfabrik ziemlich ähnlich.

Dieses Denkmuster wird Ihnen wieder begegnen, wenn Sie sich den Purpose einiger der größten Marken der letzten zehn Jahre anschauen:

Wir malen uns eine Welt aus, in der du überall dazugehören kannst. Wir fördern das Bewusstsein in der Welt. Wir eröffnen Chancen, indem wir die Welt in Bewegung bringen. Wir geben den Menschen die Möglichkeit, Gemeinschaften zu gestalten und die Welt näher zusammenzubringen. Wir inspirieren und stärken den menschlichen Geist: Mensch für Mensch, Tasse für Tasse, Ort für Ort. Wir erschließen das Potenzial menschlicher Kreativität.

Dies sind die Leitbilder beziehungsweise Purpose-Statements von sechs Marken, die Sie gut kennen – vielleicht möchten Sie raten! Dazu gehören ein Immobilienvermittler, ein Büroimmobilienanbieter, ein Transportunternehmen, ein Social-Media-Netzwerk, eine Coffeeshop-Kette und ein Unternehmen aus der Musikbranche.[20] Aber allein aufgrund dieser Statements käme man kaum auf die Idee, dass sie in grundverschiedenen Branchen tätig sind. Die Wortwahl ist ein aus lauter Abstraktionen zusammengerührter Einheitsbrei: Bewusstsein, Chancen, Geist, Potenzial, Kreativität – mit nur einer einzigen konkreten Rosine: der Tasse, die vage auf den Coffeeshop hindeutet.

Purpose-Statements sind weitgehend intern, aber Sie werden feststellen, wie dieses Denkmuster in den Slogans auftaucht, die die Marken in die Welt entlassen. Vor Jahrzehnten gehörten zu den beliebten Slogans: «Beanz Meanz Heinz», «Have a break, Have a KitKat», «Avis: We try harder», «Ronseal: Does exactly what it says on the tin» oder «KFC: Finger lickin' good». Jeder dieser Slogans ist ein sprachliches Meme, das die jeweilige Marke in die Kultur eingebracht hat. Wenn Sie das nächste Mal Bohnen kaufen, werden Sie sie dank dieser kantigen kleinen Eselsbrücke vermutlich mit Heinz in Verbindung bringen. Wenn Sie das nächste Mal vormittags eine Kaffeepause machen, werden Sie diesen Moment (den Marketingexperten als *category entry point,* als Kaufanlass, bezeichnen) vielleicht mit KitKat in Verbindung bringen. Wenn Sie das nächste Mal als Politikerin versuchen, geradeheraus und nahbar zu wirken, könnten Sie sich darauf beziehen, indem Sie eine Frau sind, die «genau das tut, was auf der Dose steht».

Demgegenüber kletterten die Slogans vieler Marken im Laufe der 2010er-Jahre die Abstraktionsleiter immer weiter hinauf und landeten irgendwo jenseits des konventionellen Sprachgebrauchs. «Burger King: Be Your Way.» «Stella Artois: Be Legacy.» «Lenovo: The Do Inside.» «Rightmove: Find Your Happy.»

Jeder dieser Slogans entspringt dem aufrichtigen Wunsch, sich eingehend mit dem Unternehmen zu befassen und zu fragen, worum es *wirklich* geht. Man durchforstet das neokortikale «Was» und das limbische «Wie» und gelangt zum Reptiliengehirn. Es geht nicht um Burger, sondern um Selbstverwirklichung. Es geht nicht um Lagerbier, sondern um das Vermächtnis. Es geht nicht um Technologie, sondern um Handlungsfähigkeit. Es geht nicht um einen Umzug, sondern darum, das Glück zu finden.

Währenddessen – irgendwo ganz weit unten – schaut ein Kunde nach oben, auf eine Reklametafel. Dann wendet er den Blick wieder nach unten, ohne dass dabei ein echter Eindruck in seinem Hippocampus zurückgeblieben wäre.

Purpose missversteht die Funktion von Marketing

«Die Hälfte meiner Werbeausgaben ist verschwendet. Das Problem ist, dass ich nicht weiß, welche Hälfte.» Dieses Zitat wird üblicherweise dem Einzelhandelsmagnaten John Wanamaker aus dem 19. Jahrhundert zugeschrieben.

Wanamaker war eine interessante Persönlichkeit: ein innerlich zerrissener Philanthrop und der Erfinder des Preisschilds – in einer Zeit, als beim Einkaufen meist noch gefeilscht wurde. «Als frommer Christ glaubte er, dass, wenn die Menschen alle gleich vor Gott waren, sie auch alle gleich vor dem Preis sein sollten», heißt es in seiner Kurzbiografie auf der Website von PBS[21]. Er schien zu glauben, dass fast alles einen Preis hat. Während des Ersten Weltkriegs setzte er sich ernsthaft für die Idee ein, dass die USA Deutschland Belgien für 100 Milliarden US-Dollar abkaufen sollten, um dem Blutvergießen ein Ende zu bereiten.[22]

Aber zurück zum Zitat. Über ein Jahrhundert später ist Marketing immer noch ein Rätsel. Denken Sie nur an eine Marke wie Coca-Cola oder Pepsi: Vor Ihrem inneren Auge wird sich eine Kette von Assoziationen aufreihen, die sich im Laufe der Jahre in Bezug auf die Marken gebildet haben. Einige stammen aus der Werbung, die Sie gesehen haben, andere entstehen *trotz* Werbung. Vielleicht sind Sie in dem Alter, in dem Sie an einen Bauarbeiter mit nacktem Oberkörper denken, der einen Schluck aus einer Dose Cola Light nimmt. Oder vielleicht verbinden Sie Diätcola mit Donald Trump, weil Sie gelesen haben, dass er es gerne trinkt. Vielleicht weckt Pepsi Erinnerungen an einen Schulfreund, der sich im Bus eine Dose mit Ihnen geteilt hat. Oder vielleicht verbinden Sie es mit der Farbe Blau und verorten Blau daher unterbewusst nicht als leckere Farbe. So oder so – beide Marken sind so allgegenwärtig, dass man eigentlich denken könnte: «Okay, wir haben es kapiert. Ihr könnt endlich aufhören, Milliarden in Markenbildung, Werbung und Sponsoring zu stecken. Ob ich nun für Pepsi oder für Coke bin – glaubt mir, diese Entscheidung habe ich schon vor langer Zeit getroffen.»

Wie Marken *wirklich* funktionieren, ist komplexer. Ich habe bereits Byron Sharp und das Ehrenberg-Bass Institute erwähnt, die in den letzten Jahren vor allem mit dem Buch *How Brands Grow* auf dem Gebiet des Marketings wertvolle Arbeit geleistet haben. Vielleicht verstehen wir Marketing immer noch nicht richtig, aber Byron Sharp hat gezeigt, dass man den Prozess mit etwas Empirie unterfüttern kann. Und die Ergebnisse sind selbst für gestandene Marketingfachleute überraschend.

Wer steckt eigentlich hinter dem Erfolg von Coca-Cola? Man könnte diese Frage beantworten, indem man sich den «Durchschnittskäufer» ansieht, der etwa 12-mal im Jahr kauft. Aber der Durchschnittskäufer ist nicht dasselbe wie der *typische* Käufer, denn einige wenige Stammkunden verzerren die Statistik: Auf etwa 4 Prozent aller Coca-Cola-Käufer entfallen 25 Prozent des Gesamtumsatzes. Was den typischen Käufer betrifft, hat sich herausgestellt, dass die Hälfte aller Coca-Cola-Käufer nur ein oder zwei Dosen pro Jahr kauft. Und etwa 30 Prozent aller Coca-Cola-Käufer kaufen weniger als einmal im Jahr eine Dose. Bei Pepsi-Käufern liegt diese Zahl bei über 50 Prozent.

Für Marketingexperten sind diese Erkenntnisse aufschlussreich. Die Vorstellung, dass die Hälfte des Geschäfts auf Kunden zurückgeht, die kaum einen Gedanken an einen verschwenden, ist verstörend. Marketingfachleute sprechen gern davon, die Kunden «gezielt anzusprechen» oder mit bestimmten «Communities», die ihre Marke lieben, im Gespräch zu bleiben. Bei den 4 Prozent, die Ihre Marke sowieso kaufen würden, könnte das sogar funktionieren. Jetzt stellt sich aber heraus, dass Gelegenheitskäufer – Menschen, die das ganze Jahr über kaum mit der Marke in Berührung kommen – von ganz entscheidender Bedeutung für Ihren kommerziellen Erfolg sind. Und wenn man sich die ganze Bandbreite ansieht, ist ein «Stammkunde» jeder, der drei oder mehr Dosen pro Jahr kauft – was einem vielleicht nicht wirklich viel vorkommt.

Dies ändert die Kommunikation von Pepsi oder Coca-Cola mit der Welt grundlegend. Anstelle eines Dialogs zwischen gleichberechtigten Partnern handelt es sich eher um ein kontinuierliches, dezentes, niedrigschwelliges «Wir existieren», «Wir sind die in Rot», «Wenn Sie das nächste Mal einen Softdrink kaufen: Denken Sie an uns!» und «Hoffentlich bis zum nächsten Jahr».

Wie bei Pepsi und Coke läuft es auch bei den meisten anderen Marken. Und was Marketingspezialistinnen am meisten beunruhigt, ist, dass die Nutzerbasis dieser «konkurrierenden Marken» mehr oder weniger dieselbe ist. Die echte Welt teilt sich nicht in Pepsi- und Coke-Käufer auf. Es ist eher so, dass es Käufer von Erfrischungsgetränken gibt, von denen die meisten nur selten kaufen. Und wenn sie kaufen, greifen sie manchmal zu einer Pepsi und manchmal zu einer Coke.

In diese Welt tritt nun Purpose. Kunden sehnen sich nach einem Warum, sagt die Marke. Kundinnen wollen einen Softdrink kaufen, der ihre Werte hochhält, sagt die Marke. Kunden fordern, dass Softdrinks das Vakuum füllen, das die Politik hinterlassen hat, sagt die Marke …

Die Wahrheit erinnert eher an das «Mad-Men»-Meme mit Don Draper im Aufzug: «Ich denke überhaupt nicht an dich.»[23]

Purpose zielt an (jungen) Menschen vorbei

Aber die Dinge ändern sich. Die Generation Z ist anders. Die Generation Z ist politisch engagierter denn je. Die Generation Z verlangt von den Marken, die sie unterstützt, einen authentischen Social Purpose.

Dieses Argument ist bei einer bestimmten Art von Beratungsunternehmen sehr beliebt. Seine Consultants teilen Generationen willkürlich in Kohorten ein und fällen pauschal weitreichende Urteile über deren Unterschiede. Dann kassieren sie astronomische Summen als Gen-Z-Flüsterer für verängstigte Kunden. 2022 gründete der PR-Riese Edelman eine eigene Gen-Z-Abteilung, um diesen lukrativen Markt zu erschließen. Der CEO – oder ZEO, wie er dort heißt – ist der genderfluide Modedesigner Harris Reed. Die COO (Chief Operating Officer) ist eine konventionellere Wahl: Amanda Edelman, die Tochter des CEO von Edelman. Die Generation Z verlangt von ihren Marken Authentizität – einschließlich wohl authentischer Vetternwirtschaft.

Den Unternehmen, auf welche die Purpose-Idee attraktiv wirkt, kommt es zupass, behaupten zu können, ihre Umsetzung sei als Reaktion auf den Druck von unten erfolgt – also bottom-up anstatt top-down. Viele glauben das sogar, weil ihnen das Beraterinnen der Generation Z überzeugend einflüstern.

Die Generation Z ist «True Gen», sagt McKinsey. Wer zu ihr gehört, sieht «Konsum als Zugang, nicht als Besitz, Konsum als Ausdruck individueller Identität und Konsum als ethisches Anliegen».[24] «Um die Herzen der Generation Z zu gewinnen, müssen

Unternehmen und Arbeitgeber betonen, wie sehr sie sich bemühen, gute Weltbürger zu sein», sagt Deloitte. «Und Taten zählen mehr als Worte: Unternehmen müssen sich für eine große Bandbreite an gesellschaftlichen Herausforderungen wie Nachhaltigkeit, Klimawandel und Hunger engagieren.» Die gute Nachricht für Unternehmen ist, dass das auch zu Einsparungen bei den Gehaltskosten führen könnte: «Die Generation Z schätzt das Gehalt weniger als jede andere Generation: Wenn sie vor die Wahl gestellt ist, entweder einen besser bezahlten, aber langweiligen Job anzunehmen oder eine interessantere Arbeit, die aber nicht so gut bezahlt wird, ist die Generation Z unentschieden.»[25]

Es stimmt, viele Umfragen deuten darauf hin, dass Verbraucher, insbesondere die Generation Z, wollen, dass sich Marken an ethischen Werten orientieren. 82 Prozent der Käuferinnen und Käufer «möchten, dass die Werte von Konsumgütermarken mit ihren eigenen übereinstimmen», so eine von Google Cloud in Auftrag gegebene Harris-Poll-Studie aus dem Jahr 2022.[26] Ähnliche Ergebnisse liefert eine Studie von PricewaterhouseCoopers aus dem Jahr 2021, der zufolge 84, 76 und 80 Prozent der Verbraucher «eher bei Unternehmen kaufen», die sich in den Bereichen Umwelt, Soziales und Unternehmensführung engagieren.[27]

Das Problem dabei ist, dass Verbraucher (ich eingeschlossen) wenig Einblick in die wahren Beweggründe haben, die für ihre Kaufentscheidung ausschlaggebend sind. Wenn man in einer Umfrage dazu aufgefordert wird, darüber nachzudenken, braucht man ein Herz aus Stein, um zu sagen, dass ethische Fragen für einen überhaupt keine Rolle spielen. Zumindest ist das eine für einen selbst unangenehme Antwort, die man der Marktforscherin am anderen Ende der Leitung geben würde. Aber selbst bei anonymen Umfragen denken wir im Allgemeinen gern gut von uns. Ich bin ein anständiger Mensch, ich gebe mein Bestes. Ja, natürlich ist Ethik wichtig.

Aber schauen Sie sich einmal in Ihrem Zuhause um und machen Sie eine Bestandsaufnahme all der Dinge, die Sie im Laufe der Zeit angesammelt haben. Überlegen Sie, welche Marke hinter den Vorhängen, dem Teppich, der Mikrowelle, dem Fernseher, dem Hemd, den Keksen, der Hausratversicherung, dem Internetprovider, dem Salz und dem Pfeffer, dem Deodorant, den Schuhen, den Einmachgläsern hinten im Kühlschrank, der Druckerei dieses Buchs, dem Laden, in dem Sie es gekauft haben (danke), steht. Vielleicht befindet sich zwischen den Primark-Sachen im Kleiderschrank ein Patagonia-Fleece; vielleicht haben Sie sich für das angebotene Öko-Waschmittel entschieden. Aber im Großen und Ganzen kaufen wir das, was wir kaufen, und in Umfragen sagen wir das, was man eben in Umfragen sagt.

Eine US-amerikanische Studie aus dem Jahr 2022 über die Lieblingsmarken der Generation Z legt nahe, dass sie Menschen wie alle anderen sind. Unabhängig von Meinungsumfragen sind die Marken, die sie am meisten konsumieren: YouTube, Google, Netflix, Amazon, M&M's, Walmart, Target, Doritos, KitKat und Oreo.[28] «Taten sagen mehr als Worte», heißt es in dem oben zitierten Deloitte-Bericht. Dasselbe gilt sicherlich für Verbraucher.

Es gibt eine andere Möglichkeit, die Stimmung der Verbraucherinnen in Bezug auf soziale und politische Themen zu beurteilen. Eine der kuriosen Eigenschaften der Purpose-Bewegung in Großbritannien und den USA ist, dass sie kurz nach der Abstimmung der Konsumenten für den Austritt Großbritanniens aus der EU und der Wahl von Trump ins Amt an Intensität zugenommen hat. Als die Menschen dann zunächst für Theresa May und anschließend mit überwältigender Mehrheit für Boris Johnson stimmten, blieb das Engagement für die Purpose-Bewegung auf einem konstanten Niveau. Und es hielt weiter an, als 74 Millionen Amerikaner für Trump stimmten – die höchste Zahl, die je einen unterlegenen Kandidaten gewählt hatte.

Für unsere Belange ist es nicht nötig, Stellung dazu zu beziehen, wie großartig oder wie deprimierend diese Ergebnisse waren. Es reicht festzustellen, dass die Öffentlichkeit bei Abstimmungen über wichtige Fragen in zwei Lager gespalten ist. Die Aussagen von Unternehmen deuten jedoch auf einen allgemein steigenden Druck hin, sich für fortschrittliche Anliegen einzusetzen: «Stakeholder drängen Unternehmen dazu, sich in heikle soziale und politische Themen einzumischen – vor allem, wenn sie sehen, dass Regierungen in diesen Fragen versagen», schreibt Larry Fink in seinem 2019 an die CEOs gerichteten Brief. «Die Welt braucht Ihre Führung», fährt er fort. Pflichtschuldig sind die CEOs angetreten, um das «politische Vakuum» zu füllen. Dabei haben sie leider übersehen, dass dieses Vakuum bereits mit 155 Millionen Amerikanern gefüllt ist, die die Wahl 2020 energisch angefochten haben – eine höhere Zahl als je zuvor in der Geschichte.

Wieder einmal wird behauptet, dass jüngere Menschen anders sind. «Was ich hier erklären will … ist, dass die Konsumenten der Gen Z Sie fallen lassen, wenn Sie keinen ethischen Kompass haben», sagt Clay Lute, einer der Gen-Z-Flüsterer bei Z Suite, einem Unternehmen der Berns Communications Group.[29] Er zitiert eine Umfrage des Marktforschungsunternehmens Forrester von 2021, die ergab, dass 51 Prozent der Gen-Z-Konsumenten in den USA vor einem Kauf Informationen über das jeweilige Unternehmen einholen; sie wollen sicher sein, dass es «mit ihrer eigenen Haltung zur Corporate Social Responsibility übereinstimmt».[30]

Und auch diesmal liegt die Wahrheit woanders. Drei Wochen nach dem russischen Angriff auf die Ukraine ergab eine britische Umfrage des Meinungsforschungsinstituts Opinium, dass 81 Prozent der über 55-Jährigen der Meinung waren, dass Marken ihre Geschäfte in Russland einstellen sollten – bei den 18- bis 34-Jährigen waren es nur 33 Prozent.[31] Und nur 15 Prozent aller Erwachsenen waren der Meinung, die Krise sollte sich in den Werbekampagnen von Marken widerspiegeln, während dieser Wert bei den 18- bis 34-Jährigen auf 11 Prozent fiel. Ja, mit diesen Fragen werden die Verbraucher auch aufgefordert, ihre eigenen Beweggründe zu untersuchen, was sich nicht notwendigerweise im Kaufverhalten niederschlägt. Aber in diesem konkreten Fall ist erstens bemerkenswert, dass die ältere Generation politisch motivierter zu sein scheint als die jüngere. Und zweitens lässt sich eine allgemeine Skepsis beobachten, wenn es um die Einmischung von Marken in politische Themen geht.

Eine *New-York-Times/Siena*-Umfrage aus dem November 2023 ergab, dass 46 Prozent der 18- bis 29-Jährigen für Trump stimmen würden, wenn die Wahl an diesem Tag stattfinden würde – nur ein Prozentpunkt hinter Biden.[32] Laut einer Folgeumfrage von NBC[33] war Trump in dieser Altersgruppe mit 46 zu 42 Prozent bereits in Führung gegangen. In beiden Fällen zeigen diese Ergebnisse nicht nur eine Abkehr von Biden zu linksgerichteten Kandidaten, sondern auch eine Abwanderung zu Trump.

Als Basketballlegende Michael Jordan zu einigen seiner Sponsoring-Deals befragt wurde, bemerkte er einmal: «Auch Republikaner kaufen Turnschuhe.» Später behauptete er, das sei nur ein Scherz gewesen, aber da war auch etwas Wahres dran. Jüngsten Umfragen zufolge könnten Republikaner 46 Prozent des Marktes der Generation Z ausmachen. Das allein sollte Marken dazu bewegen, zuerst nachzudenken, bevor sie unreflektiert auf eine Politik setzen, von der sie meinen, die Menschen würden sie von ihnen erwarten.

Natürlich sind Umfragen unberechenbar, und die Erfahrung hat gezeigt, dass jüngere Menschen tendenziell eher links als rechts stehen. Aber es ist schon schwer, sich diese Fakten anzuschauen und nach wie vor an eine «Generation Z» zu glauben, deren politische Ansichten progressiver sind als je zuvor und die von Unternehmen verlangt, sich stärker zu engagieren und eine ideologische

Führungsrolle zu übernehmen. Und im Gegensatz zu dem oben zitierten Bericht von Deloitte scheint das Gehalt für jüngere Menschen durchaus eine große Rolle zu spielen. Die Umfrage der *New York Times* ergab, dass 62 Prozent der 18- bis 29-Jährigen wirtschaftliche Themen wie Arbeitsplätze, Steuern und Lebenshaltungskosten als am wichtigsten einstufen, während nur 29 Prozent gesellschaftliche Themen wie Abtreibung, Waffen und Demokratie als Prioritäten nennen.

Dies alles lässt sich auf die folgenden drei Punkte bringen. Erstens: Die politischen Ansichten aller Generationen sind durchmischt und in den großen Fragen des letzten Jahrzehnts weitgehend gespalten. Zweitens: Die Ansichten der Generation Z sind komplexer und vielfältiger, als die Einflüsterer die Marketingfachleute glauben machen wollen. Drittens, und für unsere Belange am wichtigsten: Dies hat ohnehin keinen großen Einfluss auf die Marken, die wir kaufen.

Purpose baut auf Sand

Wir haben gesehen, wie das konsequente «Fragen nach dem Warum» letztlich zu Gleichförmigkeit und Abstraktion führt. Dadurch tendieren alle Marken dazu, zu einer leicht abgewandelten Version von «Wir sind hier, um die Welt zu verbessern» zu werden. Aber es erinnert auch an den politisch nicht ganz korrekten Witz über den Reisenden, der nach dem Weg nach Dublin fragt und von einem einheimischen Iren die Antwort erhält: «An Ihrer Stelle würde ich nicht von hier aus losgehen.»

Wenn eine Marke mit dem Warum beginnt, ist dies der erste Zweig eines Entscheidungsbaums, der sich in viele Richtungen weiter verzweigt, bevor er schließlich als Werbespot in einem Wohnzimmer erscheint. Und in letzter Zeit sind einige seltsame Spots erschienen.

Nehmen wir das Beispiel von Hellmann's Mayonnaise, die zum Unilever-Konzern gehört. 2019 verkündete Unilever-CEO Alan Jope: «Marken ohne Purpose haben bei Unilever auf lange Sicht keine Zukunft.»[34] Seine Idee war, dass jede Marke bei Unilever – vom Waschmittel übers Speiseeis bis zum Weichspüler – ein Purpose-inspiriertes «Warum» aufbieten sollte.

Das war der Anfang von dem, was wir «The Road to Hellmann's»[35] nennen können. Hellmann's ist eine Marke, die seit über 110 Jahren existiert, aber erst kürzlich entdeckte, dass ihr wahrer Purpose darin besteht, die Verschwendung von Lebensmitteln zu reduzieren. Das tut sie, indem sie dabei hilft, übrig gebliebene Lebensmittel im Kühlschrank aufzubrauchen. Unilever-Investor Terry Smith hatte für diese neue Positionierung nur vernichtende Kritik übrig: «Ein Unternehmen, das meint, den Purpose von Hellmann's Mayonnaise definieren zu müssen, ist unserer Meinung nach komplett durchgeknallt.»[36]

Zumindest fürs Erste wollen wir dem Claim wohlwollend begegnen. Es ist nicht *vollkommen* absurd zu behaupten, dass Hellmann's eine Rolle bei der Reduzierung von Lebensmittelabfällen spielen könnte. Wenn Sie ein paar Eier übrig haben, die Sie verbrauchen möchten, oder ein paar welke Salatblätter, können Sie sie vielleicht mit etwas Mayonnaise aufpeppen und so Lebensmittel verbrauchen, die sonst im Müll landen würden. Ist das plausibel? Manche mögen mit den Schultern zucken und es glauben. Aber ich denke, die meisten Verbraucher werden zustimmen, dass es, nun ja, etwas weit hergeholt ist. Schließlich könnte man genauso gut argumentieren, dass Mayonnaise auch zur Verschwendung von Lebensmitteln beiträgt: ein weiteres Lebensmittel, das mit der Zeit im Kühlschrank immer weiter nach hinten rutscht und dort langsam ranzig wird. Vielleicht sind dann die Eier die wahren Helden – sie könnten dazu beitragen, Ihre übrig gebliebene Hellmann's Mayonnaise aufzubrauchen!

Aber der springende Punkt ist, dass man, ausgehend von einem leicht übertriebenen Claim, recht bald zu ziemlich merkwürdigen Ergebnissen kommen kann. Nachdem Hellmann's mit dem «Warum?» losgelegt hatte, landete die Brand 2023 bei einer ziemlich surrealen Super-Bowl-Werbung: Die Schauspieler Jon Hamm und Brie Larson spielen die Rollen von Schinken und Brie in Pete Davidsons Kühlschrank. Ein riesiger Pete Davidson starrt die beiden hungrig an, die neben einem Glas Hellmann's stehen und darüber diskutieren, wie sie eine gute Kombination für ein Abendessen abgeben könnten. Die Schlusszeile lautet: «Make Taste Not Waste».

Man hat sich redlich bemüht, dem Ganzen eine humorvolle Note zu geben. Aber mir taten die beteiligten Kreativen leid. Von einem grundsätzlich überzogenen Claim ausgehend, müssen sie sich dann bemühen, es irgendwie passend zu machen.

Natürlich gehen viele Marken von einem überzogenen Werbeversprechen aus. Wir sind die beliebteste Fluggesellschaft der Welt (British Airways). Wir sind wahrscheinlich das beste Lagerbier der Welt (Carlsberg). Wir verleihen Ihnen Flügel (Red Bull). Aber das eine ist es, bei seinem *Produkt* zu übertreiben, das andere, eine übertriebene moralische Behauptung aufzustellen. Und genau dazu verleitet der Purpose. Die Pointe soll uns Zuschauer überzeugen. Aber wenn die Aussage lautet, dass Hellmann's dazu beiträgt, effektiv die Verschwendung von Lebensmitteln zu bekämpfen, denkt man unwillkürlich: «Im Ernst jetzt?» Wie das Zitat von Terry Smith andeutet, ist die Vorstellung, dass Hellmann's einen gesellschaftlichen Purpose haben sollte, unfreiwillig komischer als alles andere in dem Spot.

Heißt das nun, dass es ein schlechter Werbespot ist? Einer, der nicht funktionieren kann? Um es mit den Worten des chinesischen Premierministers zu sagen, der 1972 nach den Auswirkungen der Französischen Revolution gefragt wurde: «Es ist noch zu früh, um das zu beurteilen.»[37] Es gibt eine Annahme, die sich hartnäckig hält: dass es sich bei Werbung immer um einen kumulativen Prozess handelt, der über Jahre und Jahrzehnte hinweg stattfindet. Jede Super-Bowl-Werbung ist wahrscheinlich schon allein aus dem Grund effektiv, weil es eine Super-Bowl-Werbung ist. Aber der Grund, warum Hellmann's sich diese Sendezeit leisten kann, liegt in der jahrzehntelangen produktbasierten Werbung. Sie hat das Unternehmen in diese marktbeherrschende Position gebracht. Insofern stehen alle «Purpose»-Werbespots auf den Schultern von Riesen.

Hinter all den humoristischen Seiten der Werbung verbergen sich ernsthafte unternehmerische Manöver. Die ablehnende Reaktion von Terry Smith war ein Zeichen dafür, dass sich bei Unilever etwas änderte. Ein weiteres Zeichen war der Ausbruch des Krieges in der Ukraine, der einige Purpose-beseelte Marken in eine heikle Lage brachte. Wird eine Marke auf einem Social Purpose aufgebaut, erhöht dies aus PR-Sicht die Erwartungen an die Marke. Zwar sind wir es gewohnt, von Unternehmen zu hören, die sich zweifelhaft verhalten oder sogar in Skandale verwickelt sind. Etwas anderes ist es aber, wenn es sich um ein Unternehmen handelt, das sich moralische Überlegenheit auf die Fahne geschrieben hat. Dann wird ein anderer Maßstab angelegt, und jedes noch so geringe Fehlverhalten ist für die Medien ein gefundenes Fressen, das zu einer heftigen Reaktion führt.

«Unilever von der Ukraine zum ‹internationalen Kriegssponsor› ernannt», titelte der *Guardian* im Juli 2023. Bei einer Demonstration vor dem Unilever-Hauptsitz wurde ein düsteres Plakat gezeigt. Auf dem Plakat, das ein Dove-Werbeplakat parodierte, waren fünf Soldaten zu sehen, die Augen und Gliedmaßen verloren hatten. «Dove gehört zu Unilever, das 2022 schätzungsweise 331 Millionen Dollar Steuern an Russland gezahlt hat», hieß es in der Bildunterschrift.

Unilever teilte mit, es habe alle Importe und Exporte von Produkten nach und aus Russland eingestellt sowie alle Medien- und

Werbeausgaben gestoppt. Das Unternehmen belieferte jedoch weiterhin «Menschen im Land mit in Russland hergestellten, lebensnotwendigen Lebensmitteln und Hygieneprodukten für den täglichen Bedarf». Das *Wall Street Journal* betonte, Unilever bediene sich dabei einer weit gefassten Definition von «lebensnotwendig», die auch Speiseeis, Lufterfrischer und Make-up-Marken wie Little Fairy (Unilevers Kosmetikmarke für Kinder) umfasse.[38]

Danone, die bereits erwähnte «Entreprise à Mission», befand sich in einer ähnlichen Lage, da sechs Prozent ihres Geschäfts von Russland abhingen. Während einer virtuellen Rundreise zu mehreren westlichen Regierungen erhob Wolodymyr Selenskyj insbesondere gegenüber französischen Unternehmen Vorwürfe. Sie seien dafür verantwortlich, «die Ermordung und Vergewaltigung von Frauen und Kindern» zu finanzieren. Der CEO von Danone gab eine offizielle Erklärung dazu ab, in der er die Position des Unternehmens verteidigte. Er sagte: «Man wird leicht zum Opfer einer Schwarz-weiß-Logik und populistischer Positionen, aber letztendlich geht es bei unserem Ruf um unser Verhalten.»[39] Erst drei Jahre zuvor hatte sein Vorgänger Emmanuel Faber von Marken gefordert, sich zwischen Mutigsein und Untergang zu entscheiden: «Be bold or die.»[40] Wenn Danone wirklich gegen ein Schwarz-weiß-Denken war, dann war das Unternehmen ein spät Bekehrter.

Diese Turbulenzen, zusammen mit einem verpatzten Übernahmeversuch des Rivalen GSK, trugen zu einem deutlichen Stimmungswandel bei Unilever bei. Nachdem Alan Jope 2019 angekündigt hatte, dass Marken ohne Purpose langfristig keine Zukunft im Unternehmen hätten, wurde 2023 seine eigene Zukunft beschnitten. Sein Nachfolger Hein Schumacher sagte, Purpose könne eine «unwillkommene Ablenkung» sein und sich auf harte Faktoren wie Leistung «verwässernd» ausgewirkt haben.[41]

Und noch eine weitere strukturelle Schwäche der Purpose-Idee sollte erwähnt werden. Byron Sharp hat darauf aufmerksam gemacht, dass es für etablierte Marken zu einfach ist, einen Purpose zu imitieren. Selbst wenn es Werbetreibenden also gelingt, die Kunden davon zu überzeugen, dass ihre Mayonnaise einen positiven Beitrag zur Gesellschaft leistet – eine Supermarkt-Eigenmarke kann relativ einfach nachziehen: zum Beispiel, indem sie verkündet, fünf Prozent ihres Umsatzes für wohltätige Zwecke zu spenden.

Auch wenn diese Kritik berechtigt ist, so deuten die Anzeichen doch in eine andere Richtung: Supermärkte schauen sich Fälle wie den von Unilever und Danone an und treffen dann die klügere Entscheidung – für Diskretion und gegen den Heldenmut. Schließlich wurde Unilever unter anderem vorgeworfen, während des wirtschaftlichen Abschwungs die Preise erhöht und Profit daraus geschlagen zu haben («Schöne Gewinnspannen, Unilever, aber verschont uns mit eurer Scheinheiligkeit», schrieb der *Guardian* im Juli 2023). Die meisten Supermärkte werden das zur Kenntnis nehmen und lieber schweigen.

Unterdessen existiert Hellmann's seit 110 Jahren ohne einen Social Purpose und wird noch lange nach der Purpose-Ära weiterbestehen. Jon Hamm und Brie Larson werden uns dagegen höchstens noch eine Weile als seltsame Kühlschrank-Kobolde im Traum heimsuchen.

Purpose rückt die Marke ins Zentrum – nicht den Kunden

Jetzt kommt die Anklage zu ihrem wichtigsten Punkt: Beim Purpose dreht sich alles um die Marke, nicht um den Kunden. Und das ist eine der Todsünden des Marketings.

Einer der Höhepunkte meiner Karriere als Werbetexter ist mein Erscheinen in *The Copy Book: How Some of the Best Advertising*

Writers in the World Write Their Advertising (Taschen, 2018). Das Buch wurde seit der Originalausgabe von 1995 aktualisiert und ist ein Kompendium der Arbeiten verschiedener Werbetexter. Im Buch enthalten sind auch kurze Essays über ihre Perspektive und ihren Schaffensprozess. Viele der Autoren stammen aus dem sogenannten goldenen Zeitalter der Werbung – von den 1960er bis in die 1990er-Jahre. Dazu gehören David Abbott und seine Konzepte für *The Economist,* Volvo und Sainsbury's; Indra Sinha und seine Texte für die Metropolitan Police und Amnesty International; und Mary Wear mit ihren Arbeiten für die Londoner U-Bahn und Make Poverty History. (Es gibt auch einiges zu bemängeln, etwa eine starke Tendenz zu männlichen Autoren in der Originalausgabe, wobei die unterschiedlichen sozialen Schichten besser repräsentiert sind, als das heute sonst meist der Fall ist.)

Wenn Sie die Beiträge der einzelnen Autoren lesen, werden Sie bemerken, dass ein Thema immer wiederkehrt. Für Menschen, die im Auftrag von Marken schreiben, wäre dies die seltene Gelegenheit, über sich selbst zu sprechen. Stattdessen wechseln sie immer wieder das Thema und sprechen über jemand anderen: den Leser oder die Leserin.

Mary Wear sagt: «Du musst deine Zielgruppe kennen. Nicht intellektuell, sondern intuitiv. Denke wie sie, fühle mit ihr, identifiziere dich mit ihr.» Steve Hayden sagt: «Wenn du ein gut bezahlter Werbetexter sein willst, mach es deinen Kunden recht. Wenn du ein preisgekrönter Werbetexter sein willst, mache es dir selbst recht. Wenn du ein großartiger Werbetexter sein willst, mach es deinen Lesern recht.» John Salmon sagt: «Sie sollten aus der Perspektive des Lesers schreiben, was ihn interessiert.» Steve Harrison sagt: «Lesen Sie Ihren Text und versichern Sie sich, dass das Wort ‹Sie› oder ‹du› dreimal häufiger vorkommt als ‹ich› oder ‹wir›. So gelingt es Ihnen, das Thema aus der Perspektive des Lesers zu betrachten.»

Später werden wir uns mit dem Konzept der kognitiven Empathie befassen, das all dem zugrunde liegt. Aber fürs Erste geht es mir nur um diesen einen Punkt: Das Geheimnis des Schreibens liegt darin, an die Lesenden zu denken. Wie fühlen sie sich wohl, wenn sie auf diese Anzeige stoßen? Wie würden Sie sich fühlen, wenn Sie sie wären? Was würde Sie dazu bringen, weiterzulesen, anstatt weiterzuscrollen? Welche Einwände kommen ihnen wahrscheinlich, wenn sie diesen Satz lesen? Wie können Sie sie im nächsten Satz entkräften?

Purpose treibt Sie genau in die entgegengesetzte Richtung. Vielleicht erinnern Sie sich an die Purpose-Statements aus einem der früheren Kapitel:

Wir malen uns eine Welt aus, in der du überall dazugehören kannst. Wir fördern das Bewusstsein in der Welt. Wir eröffnen Chancen, indem wir die Welt in Bewegung bringen. Wir geben den Menschen die Möglichkeit, Gemeinschaften zu gestalten und die Welt näher zusammenzubringen. Wir inspirieren und stärken den menschlichen Geist: ein Mensch, eine Tasse und ein Kiez nach dem anderen. Wir erschließen das Potenzial menschlicher Kreativität.

«Du» wird einmal erwähnt, «wir» dagegen ziemlich oft.

Vielleicht ist diese Betrachtung zu eindimensional. Schließlich könnte man damit rechnen, dass sich eine interne Purpose-Erklärung mehr auf das Wir als auf das Du konzentriert (was ein Teil des Problems der Purpose-Statements ist). Und tappen nicht auch einige der klassischen Slogans wie «Avis: We try harder» in diese Falle?

Es stimmt schon: Man kann nicht alle Texte in ein einfaches Schema pressen. Andererseits ist es eine Tatsache, dass Purpose die Perspektive nach innen richtet. Die Unternehmen sollen tief in sich gehen und herausfinden, was sie wirklich motiviert. Wofür stehen sie? Was treibt sie morgens an? Was wollen sie in der Welt bewirken? Das schlägt sich in der Sprache nieder: *Wir glauben, dass … Unsere Werte sind … Wir sprechen über … Wir gründen eine Bewegung … Wir sind hier, um die Welt zu verbessern.* Oft geht es dabei auch um Entstehungsgeschichten: *Unsere Gründer saßen am Küchentisch, als … Unsere Gründer saßen in der Kneipe zusammen, als …*

Es ist ein ausführliches Gespräch, das die Marke mit sich über sich selbst führt. Leser, die nicht aus der Marketingbranche kommen, wären vielleicht erstaunt über die Tiefe und Komplexität dieser Gespräche. So manches Whiteboard hat schon die Last der Purpose-Ära getragen: Kreise wurden gezeichnet. Purpose, Werte und Visionen erblickten als Säulendiagramme das Licht der Welt. PowerPoint-Folien gerieten in den Fokus. Viele Post-its fielen im Kampf und wurden von einem neuen Marketingmanager mit einer etwas anderen Vision für eine bessere Welt entsorgt.

Einige Purpose-Verfechter werden einwenden, beim Purpose könne es immer noch um den Kunden gehen: Es gehe darum, die eigenen Werte auf eine Art und Weise zu verkörpern, die Kunden anerkennen und respektieren. In Wirklichkeit verhält sich die Marke wie der Narzisst beim ersten Date: «Aber genug von mir. Was hältst *du* von mir?» Man hört den Kundinnen zu, aber unter der Prämisse, dass der Marke eine wichtige Rolle bei der Lösung ihrer Anliegen zufällt. Selbst ein vermeintlich nach außen gerichteter Purpose beruht also auf einer überzogenen Vorstellung davon, was Marken sind und welche Rolle sie im Leben der Menschen spielen.

Um dies anschaulich zu machen, wagen Sie sich (vorsichtig) hinaus auf das, was ehemals Twitter hieß und jetzt X heißt. Dann sehen Sie sich die Timeline «Antworten» einer beliebigen Verbrauchermarke an. In der Purpose-Ära, die mit dem Aufstieg der sozialen Medien zusammenfiel, war eine faszinierende Dynamik zu beobachten: Marken posteten visionäre Botschaften, in denen sie sich vor der Welt als Anführer einer Bewegung inszenierten, und luden die Menschen dazu ein, mit ihnen «ins Gespräch zu kommen». Dann die Ernüchterung: Die @-Antworten sind eine Reihe von Entschuldigungen gegenüber Kunden, die banale Beschwerden über eine abgestandene Packung Chips, eine verspätete Lieferung oder einen halbgaren Burger vorgebracht haben.

Es ist eine bemerkenswerte Art der Kommunikation: In der einen Richtung geht es um Purpose und das, was Marken gerne von sich denken. In der anderen geht es um die Realität und das, was Kunden von Marken denken. Ich erinnere mich, dass mir dies auffiel, als Walkers Crisps – die führende britische Kartoffelchips-Marke – eine Kampagne zur Sensibilisierung für psychische Gesundheit unterstützte. Ich habe damals einen Screenshot gemacht. Hier ist eine Wiedergabe der Timeline (mit aus Diskretionsgründen geänderten Benutzernamen):

> *Walkers Crisps:* Es ist absolut in Ordnung, wenn es uns nicht gut geht. Wir müssen lernen, darüber zu reden, wie es uns geht. Denn je öfter wir darüber reden, desto einfacher wird es.
>
> *Matt Black:* @walkers_crisps Bitte sagen Sie nicht, dass Sie keine Sizzling Steak Wotsits mehr machen …
>
> *Matt Black:* @walkers_crisps Mit Rindfleisch und Zwiebeln … Sizzling Steak … was tun Sie für Leute, die diese Geschmacksrichtung LIEBEN?
>
> *Walkers Crisps:* @mattblack Es tut uns außerordentlich leid, dass wir Sie enttäuscht haben. Wir werden Ihr Feedback berücksichtigen.
>
> *Walkers Crisps:* Reden ist so wichtig. Und wie Sie sagen: Wir müssen alles dafür tun, um Menschen dazu zu ermutigen, über ihre Gefühle zu sprechen #FineIsNotFine

Es ist nicht so, dass Walkers etwas Falsches sagen würde. Natürlich kann es für die psychische Gesundheit wichtig sein, zu reden. Aber es macht einen Unterschied, ob der Rat von Ihrem Therapeuten kommt oder Ihrem Chips-Hersteller. Vor allem, wenn er von Matt und seinen Brutzelsteak-Problemen begleitet wird, die ich übrigens gut nachempfinden kann.

Als ich dieses Buch schrieb, war ich auch auf der Dove-Timeline, wo ich ein weiteres Beispiel gefunden habe. Auch diesmal habe ich die Benutzernamen geändert:

Shay Thompson: Ich freue mich, bekannt zu geben, dass ich an der Dove-Kampagne «Code My Crown» mitgewirkt habe. Dabei geht es um einen umfassenden Leitfaden für die Darstellung schwarzer Haare in Computerspielen. Es wurde viel Liebe in die Entwicklung des Leitfadens gesteckt, der verschiedene Anleitungen, Referenzbilder und mehr enthält.

Dove: @Shay_Thompson Lasst es uns gemeinsam sagen: Repräsentation zählt.

Ems: @dove hi, an wen kann ich mich wegen eines mangelhaften Produkts wenden?

Dove: @ems Hallo! Senden Sie uns bei Gelegenheit bitte eine DM, dann kümmern wir uns darum.

Dove: 85 % der schwarzen Gamer sind der Meinung, dass natürliches Haar in Videospielen schlecht dargestellt ist. Das müssen wir ändern! Es ist an der Zeit, die Darstellung schwarzer Haare in Spielen zu verbessern. Klicken Sie auf den Link, um mehr zu erfahren und den Leitfaden herunterzuladen!

84 FullyHilled: @dove Könnt ihr erklären, warum mein Kumpel eine Verätzung in den Achselhöhlen bekommen hat?

Dove: @fully_hilled Es tut uns sehr leid, das zu hören. Bitte ermuntern Sie Ihren Freund, sich bei uns zu melden, damit wir mehr darüber erfahren und ihm helfen können!

Sie werden verstehen, auf was ich hinauswill. Auch wenn diese Beispiele nicht hundertprozentig ernst gemeint sind, machen sie doch einen Punkt anschaulich, der aus meiner Sicht grundlegend ist.

In den letzten zehn Jahren war ich an vorderster Front im Branding tätig. Ich kann deshalb sagen, dass viele Marken eine ausgedehnte Nabelschau betreiben, anstatt den Blick auf die Welt zu richten. Wie wir später sehen werden, kann ein radikaler Perspektivwechsel viel bewirken. Es geht nicht um Ihre Marke und Ihren Purpose, sondern um die Welt da draußen. Egal, ob Sie nun Deodorants, Snacks oder eine Hausratversicherung verkaufen: Es gibt einen riesigen Markt da draußen. Mit vielen Menschen, die alle ihren eigenen Purpose verfolgen.

Purpose kann intern funktionieren. Aber für wen?

Es gibt einige Purpose-Befürworter, die alle oben genannten Punkte weitgehend akzeptieren, sich aber auf eine neue Position zurückziehen: Es mag ja sein, dass Purpose für das externe Marketing nicht ideal ist, aber auf Mitarbeiterinnen, Partner und Lieferanten wirkt er äußerst motivierend. Auf dieser Ebene muss ein inspirierender, höherer Purpose einfach funktionieren. Für diese Sicht wurden einige Belege vorgebracht. Aber das ist eine längere Geschichte, sodass es sich lohnt, ein wenig abzuschweifen.

2021 hat sich der Marketingforscher Peter Field die Datenbank der IPA Effectiveness Awards angeschaut. Dabei handelt es sich um eine Sammlung von Fallstudien, die im Rahmen eines Programms für Werbeauszeichnungen eingegeben wurden, welches auf einer messbaren Wirkung basiert. Ziel des Programms war es, die Wirkung Purpose-orientierter Kampagnen im Vergleich zu nicht Purpose-orientierten Kampagnen zu untersuchen.[42]

Dieser Ansatz birgt einige Probleme. Erstens ist die IPA-Datenbank insofern ein unzuverlässiger Datensatz, als sie aus Nachweisen besteht, die von den Werbeagenturen selbst erstellt wurden, um Preise zu gewinnen. Zudem stützen sich die Nachweise ausschließlich auf die Daten, die Kunden weiterzugeben bereit sind. Die IPA-Datenbank erlaubt also nicht gerade einen ungetrübten Einblick in die tatsächliche Funktionsweise des Marketings. Zweitens: Wie definiert man eine Purpose-getriebene Kampagne? Diese Programme sind sehr subjektiv (wir haben gesehen, wie schwammig der Begriff «Purpose» sein kann), und in Fields Studie wird nicht näher erläutert, worauf die Entscheidungen basierten. Dennoch kam es zu einem eindeutigen Ergebnis: Von den 333 Kampagnen der Kategorie «Non-Purpose» und den 47 Kampagnen der Kategorie «Purpose» schnitten die «Purpose»-Kampagnen deutlich schlechter ab. Je nach verwendeter Metrik generierten die «Non-Purpose»-Kampagnen 1,6 «sehr große» Geschäftseffekte, während «Purpose»-Kampagnen nur Effekte in Höhe von 1,1 generierten. Der Unterschied von 45 Prozent ist größer, als selbst Purpose-Skeptiker erwartet hätten.

Hier hätte die Untersuchung eigentlich zu Ende sein können. Peter Field machte aber weiter. In einem Schritt, der, wie er zugab, wegen der «Stichprobenbildung auf Basis der abhängigen Variablen» kritisiert werden würde, sortierte er die schlechtesten Purpose-basierten Kapmpagnen aus und behielt nur die 27 leistungsstärksten bei. Diese Gruppe verglich er nicht mit einer proportional leistungsstarken Gruppe der Nicht-Purpose-Kampagnen (wie sich später herausstellte, hätte «Purpose» dabei immer noch schlechter abgeschnitten). Er verglich vielmehr seine besten 27 mit der gesamten Nicht-Purpose-Gruppe. Dieser Vergleich von 27 mit 333 Kampagnen lieferte schließlich die Schlagzeile, auf die die Forschung aus war. Das Ergebnis war nun umgekehrt: Jetzt gewannen die Purpose-Kampagnen mit 2,1 zu 1,6. Die Berichterstattung in der Presse, die sich anschloss, war stark auf die Botschaft «Purpose funktioniert» getrimmt, während die weniger beeindruckenden Details in die unteren Absätze verbannt wurden.

Ich habe damals darüber geschrieben, weil niemand in der Marketingpresse einen entscheidenden Faktor der Studie zu erwähnen schien: Es gab einen Sponsor. Und der war unser Lieblingsunternehmen *à mission* – Danone! Dies alles geschah kurz nach der in der Einleitung erwähnten Geschichte, in der der Purpose-beflissene CEO Emmanuel Faber von ungeduldigen Aktionären aus dem Amt gedrängt wurde. Nun war Danone gezwungen, sich erneut für Purpose und seine vorgebliche wirtschaftliche Effizienz einzusetzen.

Das soll nicht heißen, dass Peter Field etwas Unlauteres im Schilde führte: Sowohl in Bezug auf den Sponsor als auch auf das Prozedere agierte er transparent. Aber der Gedanke ist nicht von der Hand zu weisen, Danone hätte sein Sponsoring als Fehlinvestition verbuchen müssen, wenn das ursprüngliche Ergebnis am Ende stehen geblieben wäre. Die ungewöhnliche Methodik und die positiven Schlagzeilen waren sicher leichter verdaulich.

Ich erzähle das alles, weil die Peter-Field-/IPA-Studie noch eine weitere Erkenntnis zeitigte: Purpose funktioniert besonders gut als Motivator für Mitarbeiter, Partner und Lieferanten.

Inzwischen sollte deutlich geworden sein, dass diese Erkenntnisse nicht unbedingt in Stein gemeißelt sind. Trotzdem kann man davon ausgehen, dass Menschen lieber für oder mit Unternehmen arbeiten, die einen höheren Purpose verfolgen und für positive Veränderungen in der Gesellschaft eintreten.

Die Frage ist, ob das in jedem Fall gut ist. Wir haben bereits den Deloitte-Bericht erwähnt, der nahelegt, dass Mitarbeitende der Generation Z mit niedrigeren Gehältern zufriedener sein könnten, weil es für sie wichtiger ist, etwas Sinnvolles zu tun. Zumindest sollten wir darauf achten, wie dies von Arbeitgebern ausgenutzt werden könnte. Wenn Sie ein großes Unternehmen sind, gibt es bereits ESG- und BlackRock-gesteuerte Anreize, sich einer Purpose-erfüllten Agenda zu verschreiben. Sie könnten es aber auch als nützliches Mittel sehen, um kluge, idealistische Hochschulabsolventen anzulocken. Für einige von ihnen könnte eine Karriere in NGOs, Wohlfahrtsverbänden, Schulen oder im Gesundheitswesen attraktiv sein – die Bezahlung ist dort vielleicht niedriger, aber die Arbeit könnte erfüllender sein.

Was, wenn Sie nun das Beste aus beiden Welten zu bieten hätten? Werden Sie Unternehmensberater, Marketing-Trainee oder Software-Ingenieurin! Genießen Sie es, Gutes für die Gesellschaft zu tun, während Sie gleichzeitig von den Vorteilen der Privatwirtschaft profitieren. Und was macht es schon, wenn die Arbeit manchmal bis spät in die Nacht hineingeht oder sich über lange Wochenenden erstreckt? Dann sollten Sie sich nicht zu sehr auf das Geld kaprizieren – denken Sie daran: Sie sind auf einer sozialen Mission!

Wenn das in Ihren Ohren zynisch klingt, lohnt es sich, einige der wahren Begebenheiten über die kultähnlichen Arbeitspraktiken bei dem Purpose-beseelten Coworking-Space-Anbieter WeWork oder bei Daylight (der LGBTQ+-Bank, deren Geschichte man nicht glauben würde, wenn man sie in einem Film sehen würde) zu lesen.[43] Aber selbst in den weniger extremen Fällen ist dies eine Frage systemischer Anreize, die Unternehmen dazu drängen, eine positive Geschichte zu erfinden, in der Hoffnung, mit Dow Jones & Co mithalten zu können.

«Purpose-erfüllte Arbeit: Die Geheimwaffe im neuen Krieg um Talente», lautet die Überschrift auf der Website von Bain & Company. «Der Kampf um Klima-Talente spitzt sich zu», schreibt die *Financial Times.* «Mitarbeitende suchen nach persönlichem Wert und Sinn bei der Arbeit. Seien Sie darauf vorbereitet, das zu bieten», so Gartner. Inzwischen beobachten wir den Trend zum *«quiet quitting»,* dem Dienst nach Vorschrift, und zu *«lazy girl jobs».* Dies deutet darauf hin, dass sich die Generation Z vom Purpose-Narrativ verabschiedet. «Warum konzentrieren wir uns nicht einfach auf die Annehmlichkeiten des Lebens? Findet man Sinn und Lebenszufriedenheit nicht auch außerhalb von Stress und Karriere?», heißt es in einem Bericht über sogenannte Lazy Girl Jobs im *Guardian.*[44] «Quiet Quitting: Warum ein Dienst nach Vorschrift global im Kommen ist», lautet der Titel eines anderen Berichts, in dem Maria

Kordowicz, Privatdozentin für Organisationspsychologie an der University of Nottingham, zitiert wird. Sie spricht darüber, wie sich «die Beziehung der Menschen zu ihrer Arbeit verändert hat».[45] Eine Gallup-Umfrage ergab, dass nur neun Prozent der Arbeitnehmenden in Großbritannien engagiert oder begeistert von ihrer Arbeit sind.[46] Der Trend spiegelt das wider, was in den USA als «great resignation» bezeichnet wird. Und zwar aufgrund eines allgemeinen Gefühls von Burn-out.

Bemerkenswert ist, dass dies nach mehreren Jahren geschieht, in denen Arbeitgeber Purpose als Mittel zur Mitarbeiterbindung aktiv eingesetzt haben. Vielleicht hilft es ja auf dem Cover der Broschüre zur Absolventenrekrutierung, vielleicht überzeugt es idealistische junge Menschen, sich zu bewerben. Aber könnte es später nicht auch zum Gefühl von Ernüchterung und Burn-out beitragen? Die Menschen sind nicht dumm. Selbst wenn sie an das Narrativ «erfolgreich sein, indem man Gutes tut» glauben wollen – für viele fühlt sich das nicht richtig an. Anstatt sich inspiriert zu fühlen, haben sie eher den Eindruck, manipuliert zu werden: Füge dich dem Leitstern des Purpose und stell bloß keine unangenehmen Fragen, sonst wirst du als Zynikerin entlarvt! Wir brauchen Leute, die anpacken können!

Es kann aber auch anders laufen: etwa, wenn ein Unternehmen aufgrund seiner erklärten ethischen Ausrichtung zahlreiche neue Mitarbeiter anzieht. Die Neuen hätten dann allen Grund anzunehmen, dass nichts der Durchsetzung ihrer politischen Überzeugungen am Arbeitsplatz entgegensteht. Und plötzlich sieht sich der Chef, der leidenschaftlich von einer besseren Welt gesprochen hat, einer aufsässigen Belegschaft gegenüber, die einen Kollegen wegen seiner falschen politischen Ansichten loswerden will. Oder die verlangt, einen langjährigen Lieferanten auszusortieren, weil er zu sehr auf fossile Brennstoffe setzt. Oder er ist mit Mitarbeitenden konfrontiert, die bezahlten Urlaub für die Teilnahme an politischen Protestveranstaltungen fordern. Hat man einmal das Thema Social

Purpose ins Zentrum seiner Unternehmenskommunikation gestellt, ist nur noch schwer zu sagen, wo die Grenze verläuft oder wann man wieder zur Tagesordnung übergehen kann.

Also ja: Ich kann mir vorstellen, dass Purpose intern als Motivator funktionieren kann. Wenn nur genügend Menschen lange genug daran glauben, dann wird er sich selbst erfüllen. Aber irgendwann holt einen die Realität immer ein, und vielleicht machen sich die Auswirkungen in der Gesellschaft bereits bemerkbar. Wie wir später sehen werden, ist das nichts Schlechtes. Wenn Menschen anfangen, den Sinn des Lebens in etwas Größerem zu suchen als in der Arbeit, dann kann dies zu einer gesünderen, glücklicheren Beziehung auch zur Arbeit selbst führen.

Purpose-Marketing nützt weder dem Geschäft noch der Welt

Nun zum Schlussplädoyer, das meiner Meinung nach als Argument gegen die Purpose-Idee auch für sich stehen könnte. Es bezieht sich auf das Bibelzitat am Anfang dieses Kapitels. Sobald aus Purpose Marketing wird, ist es weder das eine noch das andere. Wir haben bereits gesehen, wie sich die Fokussierung auf Purpose negativ auf das Marketing auswirkt, indem er es zu einer nach innen gerichteten, abstrakten Übung macht. Das führt zu Gleichförmigkeit, fehlendem Verständnis des tatsächlichen Kaufverhaltens, mangelnder Fundierung, einer Marken- statt Kundenzentrierung und zunehmender Realitätsferne.

Aber der entscheidendere Punkt ist, dass es Purpose in Eigeninteresse verwandelt, sodass er aufhört, Purpose-erfüllt zu sein. «Sei erfolgreich, indem du Gutes tust», lautet das Mantra aus der Sicht der Marke. Aber von außen betrachtet stellt sich die Frage: Wenn es euch so gut geht, ist euer Handeln dann *wirklich* so gut?

Der Autor und Werbefachmann Ian Leslie hielt Ende 2017 einen Vortrag zu diesem Thema, in dem er es mit dem sogenannten *costly signalling* oder Handicap-Prinzip in Verbindung bringt.[47] Das klassische Beispiel dafür in der Natur ist der Pfauenschweif – ein aufwendiges Männlichkeitssignal, das Weibchen beeindrucken soll. Charles Darwin war offenbar irritiert von diesem Schweif. Er verstand zwar seinen Zweck – die Partnerwahl –, sah aber nicht ein, warum er so übertrieben lang sein musste und damit jedem Männchen ein solches Gewicht aufbürdete.

Die allgemein akzeptierte Theorie besagt nun, dass gerade das Exzessive daran der Sinn der Sache ist. Die Tatsache, dass das Tragen dieses Gefieders für das Männchen mit einem so hohen Kraftaufwand verbunden ist, macht es so beeindruckend: je übertriebener, desto besser. Ian Leslie bringt dies mit den frühen Unternehmen der Quäker im Vereinigten Königreich in Verbindung – darunter Cadbury, Rowntree und Clarks. Ihre Geschäftsaktivitäten beruhten auf den Grundsätzen von Religion und Wohltätigkeit. So erbauten sie ganze Städte, um die Arbeiter unter besseren Bedingungen unterzubringen als gewohnt. Damals ging es nicht darum, diese Wohltaten in einer Marketingkampagne zu präsentieren oder einen «erlebnisorientierten» Cannes-Lions-Beitrag zu produzieren. Dennoch war es für die Außenwelt ein klares Signal, dass Cadbury ziemlich erfolgreich sein musste, wenn es sich so etwas leisten konnte. Wie beim Pfau und seinem Gefieder waren es die für das Unternehmen entstehenden Kosten, die beeindruckten.

Leslie empfiehlt Unternehmen deshalb, sich für eine der beiden folgenden Optionen zu entscheiden. Am vorbildlichsten wäre es, Gutes für die Gesellschaft zu tun und nicht darüber zu reden. Im Allgemeinen erscheint uns ein solches Verhalten moralisch bewundernswert: Es gibt nichts Beeindruckenderes, als nach dem Tod eines Menschen zu erfahren, wie freundlich und unterstützend er anderen gegenüber gewesen ist oder wie viele gute Taten er getan hat, ohne es jemals an die große Glocke zu hängen. Ein humorvolles Beispiel dafür findet sich in einer Folge der US-Comedyserie *Curb Your Enthusiasm:* Nachdem Larry David eine anonyme Spende für einen wohltätigen Zweck getätigt hat, versucht er, dies auf möglichst subtile Weise in Umlauf zu bringen. Am Ende der Folge schreit er schließlich nur noch: «Ich bin ‹Anonym›!»

Die zweite Option, die Leslie vorschlägt, ist diese: Marken können darüber sprechen, Gutes zu tun. Sie sollten aber darauf achten, dass es mehr um die Kosten geht, die dem Unternehmen dabei entstehen, als um den Erfolg, den es damit hat. Das ist zwar immer noch eine heikle Angelegenheit, weil es darauf hinauslaufen könnte, dass jemand Geld in den Hut eines Bettlers wirft, sich dann ein Megafon schnappt und verkündet: «Schaut her: Das waren 50 Pfund! Ich weiß zwar nicht, was ich heute zu Abend essen soll – aber egal, das musste sein!»

Trotzdem ist dieser Rat immer noch vernünftiger als die Theorie des Purpose-orientierten Marketings. Der Gedanke spiegelt sich auch in den Worten eines Werbeexperten wider, den ich in meinem ersten Artikel über «Purpose» von 2017 zitiert habe. Gleichzeitig liefert er die Inspiration zu einem Ausweg aus der Purpose-Hölle: «Ein Prinzip ist erst dann ein Prinzip, wenn es einen etwas kostet», sagte Bill Bernbach 1971.

Zumindest für dieses Kapitel ruht die Anklage.

4.
Wie Purpose die Welt schlechter macht

> Die Hälfte des Schadens, der in dieser Welt
> angerichtet wird, geht auf das Konto
> von Menschen, die sich wichtig fühlen wollen.
> Sie wollen keinen Schaden anrichten,
> aber sie interessieren sich auch nicht dafür.
> Vielleicht sehen sie den Schaden auch nicht,
> oder sie rechtfertigen ihn, weil sie fortwährend damit beschäftigt sind, gut von sich
> selbst zu denken.
>
> – T.S. Eliot, *The Cocktail Party, 1949*

Es sind die frühen 2020er-Jahre, auf dem Höhepunkt der Covid-Pandemie. Sie sind unterwegs zum Laden an der Ecke. Sie kommen an einem Poster vorbei, auf dem ein lebensecht wirkendes Porträt einer Krankenschwester prangt, die gerade ihre erschütternde 12-Stunden-Schicht hinter sich gebracht hat. «Courage is beautiful» lautet die Schlagzeile, die direkt neben dem Dove-Logo steht. Sie entgehen nur knapp einem Paket, das von einem vorbeifahrenden Amazon-Fahrer in eine Hecke geschleudert wird. Der Fahrer sieht erschöpft aus, und Sie lassen es gut sein. Sie überqueren die Straße, schlängeln sich zwischen Uber-Eats-Fahrern hindurch und steigen über den Bach, der sich aus einer geplatzten Wasserleitung des Versorgungsunternehmens Severn Trent ergießt. Dann werfen Sie einen Blick auf die HSBC-Werbetafel mit der Aufschrift «We are not an island».

Im Laden an der Ecke plärrt ein Radio. Es geht um einen Tech-Gründer, der eine elfjährige Haftstrafe antritt. Sie schnappen sich eine Zeitung. Die Schlagzeile handelt von der Explosion der Lebenshaltungskosten. Ihr Blick gleitet über das Regal. Sie greifen nach einem Viererpack Bud Light. Der Ladenbesitzer macht einen Gesichtsausdruck, den Sie nicht ganz deuten können. Aus einer Laune heraus entscheiden Sie sich, einen Riegel Dairy Milk für den Rückweg zu kaufen. Draußen murmeln Sie dem Verkäufer des Obdachlosenblatts *Big Issue* eine Entschuldigung zu und zucken zusammen, als ein VW Diesel vorbeifährt und ein Wasserstrahl aus der geplatzten Leitung spritzt. Nass und demoralisiert laufen Sie nach Hause. Als sich die Tür Ihres Nachbarn öffnet, heben Sie die Hand zum Gruß. Es stellt sich heraus, dass es Gäste sind, die über Airbnb gebucht haben.

Sie betreten die Wohnung, schalten den Fernseher ein und hören eine Stimme, die sagt: «Für die Höhen und Tiefen und alles dazwischen. Halifax: It's a people thing.» Sie öffnen eine Dose Bier, starren aus dem Fenster und erwägen eine Karriere als Revolutionär.

* * *

Warum sollte man sich Sorgen machen, wenn Purpose-orientiertes Marketing nicht funktioniert? Nur wenige werden traurig sein, wenn Unilever oder HSBC etwas weniger Geld verdienen. Und außerdem können wir uns doch darauf verlassen, dass der Markt und besorgte Aktionäre das Problem früher oder später lösen werden. Oder?

Wie meine Skizze oben andeuten soll, ist es nicht ganz so einfach. Ob es uns nun gefällt oder nicht: Wir alle müssen in einer Welt leben, die von einem Hintergrundrauschen Purpose-orientierter Marken erfüllt ist. Und es geht noch weiter. Purpose ist mehr als eine Marketingidee: Es ist eine Managementtheorie, die sich darauf auswirkt, wie Unternehmen in der Welt agieren. Dies hat reale Konsequenzen – sei es, dass Severn Trent Water vertrauliche E-Mails verschickt, in denen es um die Übernahme von sozialer Verantwortung als Mittel zur Vermeidung von Regulierungen geht, sei es, dass die Obdachlosigkeit zunimmt, während Banken ihre höchsten Gewinne seit der Krise von 2008 einstreichen.[48]

Dieses Kapitel handelt davon, warum die Purpose-Ökonomie, trotz aller guten Absichten, negative Folgen für die Gesellschaft hat. Betrachten Sie es als eine Wegbeschreibung – wobei der Weg uns direkt in die Hölle führt. Wir beginnen dort, wo das letzte Kapitel aufgehört hat.

Purpose führt zu schlechtem Marketing

Das ist an sich schon schlecht. Im Grunde ist Marketing nützlich für die Gesellschaft. Man muss kein Apostel des freien Marktes sein, um zu erkennen, dass die neue, inhabergeführte Pizzeria um die Ecke, von deren Erfolg die Zukunft einer Familie abhängt, von einer netten Ladenfront, dem Verteilen von Flyern und der Buchung einiger Facebook-Ads profitieren könnte. In einem größeren

Maßstab könnte man sich Unternehmen wie AstraZeneca ansehen, deren riesiges Gelände in der Nähe meiner Heimatstadt Macclesfield 4700 Menschen einen Arbeitsplatz bietet und jedes Jahr 160 Ausbildungsplätze schafft. Diese Menschen wiederum kaufen bei Tesco, Morrisons und dem örtlichen Feinkostgeschäft ein, essen in der neuen, inhabergeführten Pizzeria, rufen den Klempner, wenn ihr Wasserhahn tropft, zahlen ihre Steuern, spenden für wohltätige Zwecke, ziehen Kinder groß, kümmern sich um ihre alten Eltern und kaufen sogar das eine oder andere Patagonia-Fleece-Shirt.

Der Werbetexter und -kritiker Steve Harrison bringt diesen Gedanken in seinem Buch *Can't Sell, Won't Sell* von 2020 auf den Punkt: «Jedes Mal, wenn jemand etwas kauft, das wir beworben haben, kann jemand anderes bezahlt werden. Und nicht nur der Inhaber des Geschäfts, in dem es gekauft wurde. Der Verkauf finanziert den Lohn der Person, die das Produkt hergestellt hat. Oder die es angebaut oder verpackt hat. Der Person im Lager, in dem es gelagert wurde, oder der Person, die es an das Geschäft geliefert hat. Und der Person, die das Geschäft nach Ladenschluss gereinigt hat.»

Manche werden einwenden: Es ist naiv zu glauben, dass Märkte so sozial wären. Was ist mit der Ausbeutung von Arbeitnehmern, mit Steuerhinterziehung und dem Druck auf Lieferanten? Aber es ist ebenso naiv zu übersehen, wie nützlich Märkte sind, wenn sie effektiv funktionieren. Und zweifellos wäre so eine Haltung für jemanden, der im Marketing arbeitet, merkwürdig.

Das bedeutet, dass Werbung in einer Krise steigender Lebenshaltungskosten eine wertvolle Rolle spielt. Marken haben die reaktionäre Angewohnheit, die Marketingausgaben in einer Rezession zu kürzen. Untersuchungen zeigen aber, dass die Marken, die ihr Ausgabenniveau beibehalten, gestärkt daraus hervorgehen. Nicht etwa, weil sie versuchen würden, kurzfristige Gewinne zu erzielen, sondern weil sie den Grundstein dafür legen, von der Erholung später zu profitieren.[49] Durch Investitionen in Markenwerbung bauen

Sie die langfristige «mentale Verfügbarkeit» weiter auf, von der bereits die Rede war – während ihre Konkurrenten die Ausgaben kürzen und an Boden verlieren.

Würden Sie einen Branchenverband der Werbeindustrie leiten, könnten Sie zum Beispiel berichten, dass die Werbung auch ihre positiven Seiten hat. Sie könnten die Bedeutung der Werbebranche für die wirtschaftliche Erholung hervorheben oder über die Kraft des kreativen Denkens sprechen, um kommerzielle Ergebnisse zu erzielen. Stattdessen ist das Schaufenster der Branche in Cannes und beim D&AD weiterhin voller Kampagnen, die soziale Themen in den Mittelpunkt stellen: vom Selbstmord über Transgeschlechtlichkeit bis hin zu Massakern an Schulen. Kommerzielle, populäre Werbung hat bei den wichtigsten Auszeichnungen selten eine Chance. Und wenn doch, dann ist es eine Kampagne mit verschimmelten Whoppers, die dem Marketingteam wahrscheinlich karrierefördernde Aufmerksamkeit beschert, die Kunden aber kaum zu Burger King treiben wird.[50]

Wenn «Purpose» zu schlechterem Marketing führt, ist das eine schlechte Nachricht für Unternehmen und die Menschen, deren Lebensunterhalt von ihnen abhängt. Der Punkt ist simpel und dennoch überraschend umstritten in einer Welt, in der viele Menschen – sogar im Marketing – das unbestimmte Gefühl haben, dass ein Schrumpfen der Wirtschaft im Sinne des Klimaschutzes zu begrüßen wäre. Tatsächlich wurde dieses Experiment während des Lockdowns in kolossalem Ausmaß erprobt, als das globale BIP um drei Prozent sank. Nach Angaben der Weltbank stürzte die Pandemie fast 70 Millionen Menschen zusätzlich in extreme Armut, und zwischen fünf und sieben Millionen Kinder litten pandemiebedingt an Unterernährung. All dies führte 2020 zu einer Reduzierung der globalen CO_2-Emissionen um etwa sechs Prozent. Mit zehn weiteren Jahren globaler Abriegelung könnten wir uns den Zielen des Pariser Klimaabkommens annähern. Allerdings würde dies das menschliche Leid enorm steigern und einen Zusammenbruch unserer Gesellschaftssysteme wahrscheinlich machen.[51]

Vielleicht befürworten Sie immer noch eine postkapitalistische Zukunft mit negativem Wirtschaftswachstum. Aber die Frage der demokratischen Legitimität bleibt unbeantwortet: Wie wollen Sie die Menschen davon überzeugen, dafür zu stimmen? Irgendwann wird es darum gehen, einem Massenpublikum überzeugende Botschaften zu vermitteln, was nicht zuletzt durch Werbung geschehen kann – sei es über konventionelle Medien oder auf anderem Weg. Werbung dient vielen Herren: von Wohltätigkeitsorganisationen über sozial engagierte Unternehmen bis hin zu politischen Bewegungen und profitorientierten Unternehmen. «Jeder hasst Werbung, bis er seine Katze vermisst», sagte der Werbefachmann Dave Droga. Man könnte noch weiter gehen: Jeder hasst Werbung, bis er die Welt verändern will.

Purpose verpestet unsere Informationsräume

Werbung ist Teil einer sozialen Übereinkunft, die sich im Laufe der Zeit eher beiläufig entwickelt hat. Wildes Plakatieren wurde in Europa bereits im 15. Jahrhundert praktiziert, die erste Plakatwand kam aber erst 1835 auf. Sie bewarb einen Zirkus der Ringling Brothers und Barnum & Bailey – samt ihrem Slogan «The Greatest Show on Earth». Die schiere Größe der 15 Meter hohen Plakatwand hätte bereits für Aufmerksamkeit gesorgt. Aber ihr Gestalter Jared Bell erschuf ein werbegrafisches Kunstwerk, mit kräftigen Farben und lebendigen Figuren. Das Plakat war, wie die meisten guten Werbeanzeigen, besser als unbedingt nötig. Und Jared Bells Antrieb war, wie der vieler anderer Kreativer, ein doppelter. Erstens wollte er stolz sein auf sein Handwerk, indem er nicht nur das absolute Minimum leistete. Zweitens ging es ihm darum, seinen Teil jener stillschweigenden Übereinkunft zu erfüllen: Wenn die Werbung den öffentlichen Raum schon auf diese Weise vereinnahmte, dann trug sie auch Verantwortung dafür, das halbwegs anständig zu tun.

Seither hat die Werbung es immer wieder versäumt, dieses Versprechen einzuhalten. Aber sie hat es versucht, und oft ist es ihr auch gelungen. Wenn wir schon in Ihre Wohnzimmer senden, um *Coronation Street* zu unterbrechen, dann sollten wir einen gewissen Unterhaltungswert bieten – etwa mit einer JR-Hartley-Werbung (die legendäre britische Kampagne für die *Yellow Pages*), einem Smash-Martians-Spot (die Kampagne für Fertig-Kartoffelpüree aus den späten 1970er-Jahren, die beliebter wurde als viele der Sendungen, die sie unterbrach) oder einem Haufen Typen, die «Whassup?» sagen (die Budweiser-Kampagne von 1999, die ein Meme schuf, bevor wir sie Memes nannten). Und wenn wir schon an jeder Straßenecke riesige Plakatwände aufstellen müssen, dann am besten mit einem Plakat wie: «66 war ein großartiges Jahr für den englischen Fußball. Eric wurde geboren» (das Nike-Poster von 1996 mit Eric Cantona) oder: «Ich lese nie den Economist. Management-Trainee. 42 Jahre alt» (Anzeige für *The Economist* von 1989). Und wenn wir uns in Ihre Zeitung hineindrängen, dann doch bitte mit einer «Lemon» (die Anzeige für den Volkswagen Käfer von 1960) oder einer «Ends Fri» (die Anzeige aus dem Jahr 2004, die für die letzte Folge der US-Sitcom *Friends* wirbt – beachten Sie die elegante Umkehrung des Titels).

Im besten Fall sind Anzeigen mehr als Anzeigen. Sie existieren in erster Linie als kommerzielle Kreationen, um ein bestimmtes Ziel zu einem bestimmten Zeitpunkt zu erreichen. Aber sie können ein Eigenleben entwickeln, als kulturelle Artefakte, die die Marken und die Menschen, die sie in Auftrag gegeben haben, überdauern. Viele Briten einer bestimmten Altersgruppe werden sich an JR Hartley und die Smash Martians erinnern, obwohl wahrscheinlich die wenigsten in den letzten Jahren die *Yellow Pages* oder Smash verwendet haben.

Das bedeutet: Werbung sollte versuchen, gut zu sein. Werbekampagnen sind wie ungebetene Gäste. Wenn sie witzig, charmant oder gut aussehend sind, wird es dem Hausbesitzer nicht allzu viel ausmachen. Der legendäre Werbefachmann David Ogilvy begann als Handelsvertreter und lernte, wie man mit dem Menschen, den man da vor sich hat, umgeht. Meistens, so Ogilvy, sind Sie ein Ärgernis, aber an einem guten Tag können Sie jemanden davon überzeugen, etwas zu kaufen, das er zu schätzen weiß.

Heutzutage ist Werbung eher wie die Zeugen Jehovas: Sie klopft an die Tür und fragt, ob Sie in letzter Zeit über Purpose nachgedacht haben. Die meisten Marken predigen mit dem Eifer eines kürzlich Konvertierten: Wir haben gerade den Klimawandel/die Transgeschlechtlichkeit/Pride-Paraden/die Menstruation/die psychische Gesundheit entdeckt – möchten Sie sich an unserer Diskussion darüber beteiligen? Werbepausen und -plakate sind voll von Marken, die sich selbst als Helden ihrer eigenen Erzählung feiern und die Menschen einladen, mit ihnen in den Sonnenuntergang zu reiten.

In diesem Kapitel werden wir noch weitere stichhaltige Argumente gegen Purpose besprechen. Zunächst möchte ich aber auf ein Argument eingehen, das etwas subtiler, aber allgegenwärtig ist: Purpose ist zum Teil auch eine Frage des Geschmacks. Es hat etwas Demoralisierendes, in einer Kultur zu leben, in der einem zur Pandemie-Zeit erschöpfte Krankenschwestern mit hohlem Blick von Plakatwänden entgegenstarren. Und die Botschaft lautet nicht: «Unterstütze diese Wohltätigkeitsorganisation» oder «Werde Krankenschwester». Vielmehr ein Slogan, der die Krankenschwester mit der aktuellen Werbekampagne von Dove verknüpft. Ich nehme an, die meisten Menschen reagieren nicht negativ darauf – auch die abgebildeten Krankenschwestern nicht –, denn es ist bewegend und inspirierend, diese Menschen im öffentlichen Raum zu feiern. Aber wir haben uns an den Gedanken gewöhnt, dass solche Botschaften immer mit einem kommerziellen Nutzen verbunden sein müssen. «Courage is beautiful» ist der Preis, den wir dafür bezahlen, dass wir die Krankenschwestern feiern. Und jetzt kaufen Sie sich endlich Ihr Deo!

Woanders läuft in einer Werbepause ein emotionaler Film, der das Leben eines autistischen Mädchens und ihrer Familie porträtiert. Sie alle werden von einer echten Familie beeindruckend authentisch gespielt. Die Geschichte beginnt damit, dass die Mutter des Mädchens eines Morgens darum kämpft, sie aus dem Bett zu bekommen. Wir fragen uns, wie es wohl weitergeht. Das Mädchen zieht ihre Schuluniform und ihren schwarzen Hoodie an. Wir ahnen, was kommen wird. Das Mädchen ist gestresst und in der Schule sozial verunsichert. Sie zieht sich in einen Snoezelenraum (Sinnesraum) zurück und versteckt sich unter ihrem Hoodie. Wir spüren, dass jetzt etwas kommt. Zu Hause macht der Vater die Wäsche, und im Vordergrund erscheint ein Produktfoto. Es kommt definitiv, denn jetzt hat die Schwester des autistischen Mädchens deren Lieblingshoodie geklaut und die Mutter kämpft mit einem Nervenzusammenbruch. Bald taucht der Hoodie wieder auf, begleitet von Entschuldigungen und Umarmungen. «Autistische Mädchen erhalten dreimal seltener eine Diagnose als Jungen», heißt es im Spot. Das ist zwar korrekt, aber gerade wurde ein Mädchen gezeigt, das eindeutig eine Autismusdiagnose erhalten *hat* und dementsprechend geholfen wird. In irgendeiner Parallelwelt hätte dieser Satz der Aufhänger des Spots sein können – mit einem «Ambitious About Autism»-Logo und einer Spendennummer. Aber wie wir wissen, wird der eigentliche Aufhänger noch kommen. Und da kommt er: das Vanish-Logo mit dem Schriftzug «Making clothes live longer really matters». Dem Vater, der Vanish verwendet, sei

Dank, ist der Hoodie noch in tragbarem Zustand – was für das autistische Mädchen sehr wichtig ist. Viele Eltern autistischer Kinder werden anerkennend nicken, sich aber auch fragen, ob es klug ist, die Marke des Weichspülers zu wechseln, wenn man es mit sensorisch sensiblen Kindern zu tun hat.

Der Film mit dem Titel *Me, My Autism and I* entstand als Reaktion auf einen Wettbewerb von Channel 4 zur Förderung der Vielfalt in der Werbung. Als Preis wurde Sendezeit im Gegenwert von einer Million Pfund ausgelobt. Das Ergebnis ist ein sehenswerter Film, aber eine ungeschickte Werbung, bei der das schlechteste Element die Verbindung zum Produkt ist. Marken sollten sich in Bezug auf ihre eigene Werbung nicht wie Hochstapler fühlen, aber leider drängt sie Purpose oft dazu. Wie das Dove-Logo auf dem Foto der Krankenschwester ist es ein Zeichen einer neuen Übereinkunft: Wir erzählen Ihnen Purpose-inspirierte Geschichten, und Sie wissen, dass der Knaller noch kommt. Und da ist er: das Vanish-Logo oben im Endframe, während das Logo von Ambitious About Autism (ein wichtiger Partner in dieser Sache) auf den zweiten Platz verbannt ist. Schließlich gibt es noch eine Internetadresse, unter der man mehr über Autismus erfahren kann. Aber die ist nicht Teil der Website von Ambitious About Autism, sondern der des kommerziellen Partners: vanish.co.uk/autism.

Das Ganze hat einen Beigeschmack. Marken können eine wichtige Rolle im Leben von Menschen spielen, und sie tun das auch. 2014 berichtete die britische Presse über eine Frau, die kürzlich verstorben war und darum gebeten hatte, in einem Sarg mit dem Logo von Costa Coffee beerdigt zu werden.[52] «Costa Coffin» wurde unweigerlich zum viralen Hit, aber es war auch eine sehr anrührende Geschichte. Diese Frau hatte sich tatsächlich gerne mit ihren Freunden bei Costa getroffen und dies als tröstlichen Höhepunkt ihrer alten Tage betrachtet. Ja, die Sache ist lustig, aber sie ist wahr und wirklich genau so passiert. Was sie nicht ist: eine Werbekampagne.

Sobald man es in eine Anzeige oder in einen Spot verwandelt, wird das Wirkliche und Wahre zu etwas Plumpem und Unpassendem. Denn sobald man einen Spot aus etwas macht, ändert sich sein Charakter. Sobald man etwas mit einer Werbebotschaft verknüpft, wird es zu etwas anderem.

Ob beabsichtigt oder nicht: Die Purpose-Bewegung leistet der ihren Absichten entgegengesetzten Idee Vorschub. Denn das zentrale Mantra lautet: «Gutes tun ist ein gutes Geschäft». Es ermutigt Marken aktiv dazu, soziale Belange als Mittel zur Umsatzsteigerung zu instrumentalisieren. Es schmeichelt ihnen, zu glauben, dass sie einen höheren Zweck jenseits des Profits verfolgen. Obwohl sie das gewöhnlich nicht tun.

Wie bereits erwähnt, sagte Bill Bernbach, dass ein Prinzip erst dann ein Prinzip ist, wenn es etwas kostet. Die Werbetreibenden von heute haben das umgedreht: Jetzt ist ein Prinzip erst dann ein Prinzip, wenn es Geld einbringt. Als Nebeneffekt von dem, was Costa tut, mag das Unternehmen zu einem äußerst bedeutsamen Teil im Leben einiger Kundinnen geworden sein. Aber das ist nicht der Purpose des Unternehmens. Sein Purpose ist es, durch den Verkauf von Kaffee in attraktiven Lokalen Geld zu verdienen. Deshalb hat es der Frau gefallen. Wäre sie bei jedem Besuch mit rührseligen Botschaften über die zutiefst bedeutsame Rolle von Costa auf der Reise jedes Kunden durch Leben und Tod überschüttet worden, wäre sie wohl längst zu Caffè Nero gewechselt.[53]

Wir werden später darauf zurückkommen. Für den Moment sollten wir uns diese weitreichende Wirkung von Purpose als Verschmutzer unserer informationellen Umwelt vor Augen halten. Im Gegensatz zu einigen Marketing-Journalisten wäre ich eher besorgt, wenn Purpose als Marketinginstrument gut funktionieren würde. Denn das Letzte, was wir brauchen, ist mehr davon. Unausweichlich knüpft Purpose auf zahlreiche Arten, mehr oder weniger subtil, soziales Wohl an kommerziellen Gewinn. Letzterer ist der

Preis, den wir für Ersteres zahlen. Selbst wenn es für die betreffenden Marken funktioniert – was bedeutet das für uns als Gesellschaft? Ich denke, es hat einen demoralisierenden Effekt: das Gefühl, in einer Welt zu leben, die schmutziger und kompromittierter ist, als sie unbedingt sein müsste. Und das Gefühl, dass dem politischen Fortschritt im Zirkus des Kommerzes stets nur eine Nebenrolle zukommt.

Purpose ist ein Treiber der sozialen Spaltung

«Das Großartige an diesem Land ist, dass Amerika die Tradition begründet hat, dass die reichsten Verbraucher im Wesentlichen die gleichen Dinge kaufen wie die ärmsten. Man kann fernsehen und Coca-Cola-Werbespots sehen, und man weiß, dass der Präsident Coca-Cola trinkt, Liz Taylor Coca-Cola trinkt. Und man selbst kann auch Coca-Cola trinken. Eine Cola ist eine Cola, und für kein Geld der Welt bekommt man eine bessere Cola als die, die der Penner an der Ecke trinkt. Alle Colas sind gleich und alle Colas sind gut.»

Als Andy Warhol dies 1975 schrieb, wies er auf die nützliche Rolle hin, die Massenmarken für eine Kultur spielen können: Sie dienen als eine Art gemeinsame Basis. Vier Jahrzehnte später wurde Amerika durch den Aufstieg von Donald Trump – eines Diet-Coke-Fans – gespalten. Viele beklagten die Polarisierung, die Demokraten und Republikaner in parallele Versionen ein und derselben Realität zu drängen schien, ähnlich wie dies bei den *Leavers* und *Remainers* im Vereinigten Königreich anlässlich des Brexit gewesen war.

In solchen Zeiten kann eine Marke wie Coca-Cola ihrem Versprechen gerecht werden, «the real thing», das einzig Wahre, zu sein – ein Aspekt der gemeinsamen Realität, über den sich alle

Amerikaner einig sind. Das gilt für viele Marken: Wir mögen unsere Differenzen haben, aber am Ende können wir alle ein Bud genießen, eine Tüte M&M's teilen, uns zurücklehnen und einen Disney-Film ansehen. Es sind gemeinsame Bezugspunkte in stürmischen Zeiten.

So ist es aber nicht gekommen.

Am 23. März 2023 erschien Marketingmanagerin Alissa Heinerscheid im Podcast «Make Yourself At Home». Als erste Frau in der Position der Vizepräsidentin für Marketing in der 41-jährigen Geschichte von Bud Light sprach sie über ihre neue Rolle.

Aus dem Interview geht klar hervor, dass sie vorhatte, ihre neue Position sehr persönlich und wertebasiert zu gestalten: «Die Position hat einfach keine Bedeutung, wenn ich nicht auch einen positiven Einfluss auf andere Menschen habe. Das war mir einfach unglaublich wichtig … Ich versuche, auf Menschen zu setzen, die ähnliche Werte haben wie ich, die hungrig sind und die Großes leisten wollen. Menschen, die aber auch füreinander da sind und sich gegenseitig schützen, die freundlich und gut sind.»

Weiter beschreibt sie Bier als eine «Industrie des Lasters» und sagt, ihre Aufgabe sei es, eine Marke im Niedergang zu retten: «Wir haben diesen Kater. Ich meine, Bud Light war eine Marke mit prolligem, aus der Zeit gefallenem Humor, und es war wirklich wichtig, einen anderen Ansatz zu wählen.» Der Weg in die Zukunft lag für sie darin, jüngere Konsumenten anzusprechen: «Ich hatte also einen ganz klaren Auftrag. Wir mussten diese absolute Kultmarke weiterentwickeln und aufwerten. Und was ich dazu beitragen konnte, war mein Glaube an … okay, was bedeutet weiterentwickeln und aufwerten? Es bedeutet Inklusion. Es bedeutet, den Ton zu ändern. Es bedeutet, eine Kampagne zu fahren, die wirklich inklusiv ist und sich leichter und heller und anders anfühlt und die Frauen und Männer anspricht. Schließlich gibt es ohne Repräsentation keine Entwicklung.»

Einen Monat später wurde Alissa Heinerscheid auf unbestimmte Zeit beurlaubt, ebenso ihr Chef Daniel Blake. Ein gewaltiger Streit war entbrannt über die Mitwirkung des transsexuellen TikTok-Influencers Dylan Mulvaney in einem bezahlten Werbespot – ein Teil von Heinerscheids Inklusions-Mission. Den Streit angeheizt hatte der Musiker Kid Rock, der ein Video gepostet hatte, in dem er auf einen Stapel Bud-Light-Kästen schießt. Damit schlug die Gegenreaktion auf der rechten Seite des Kulturkampfes hohe Wellen. Aus deren Sicht ging es darum, eine Marke zurückzuerobern, die ihren historischen Kundenstamm verachtete, um eine neue (hier kommt das Wort) «woke» Generation zu umwerben. Was wie eine hitzige Social-Media-Debatte wirkte, hatte letztlich handfeste und nachhaltige kommerzielle Auswirkungen. Der Absatz von Bud Light ging in den folgenden Monaten um 26 Prozent zurück, während der Aktienkurs der Muttergesellschaft Anheuser-Busch InBev um 20 Prozent sank. Bud Light verlor seinen Status als meistgekauftes Bier in den USA an Modelo Especial – eine Position, die Bud Light 20 Jahre lang innegehabt hatte. Sechs Monate später war der Absatz Berichten zufolge immer noch 30 Prozent unter dem vorherigen Wert. Die Geschichte dürfte für immer in die Markengeschichte eingehen.[54]

Über die kulturellen, politischen, kommerziellen, technologischen und ethischen Ursachen dieser Vorfälle könnte man ein eigenes Buch schreiben. Einige sehen darin einfach eine Inklusions-Story mit dem Marketingmanager als Helden, die auf eine engstirnige Gegenreaktion stieß. Nach dieser Lesart ist sie mit der ersten Veröffentlichung einer Anzeige mit einem schwulen Paar vergleichbar oder dem allmählichen Rückgang sexistischer Stereotype im Laufe der Zeit. Und es stimmt: Die Werbewelt kann an dieser Front eine wichtige Rolle spielen. Was manchen wie eine Pflichtübung erscheinen mag, kann für einen Homosexuellen, der zum ersten Mal eine gleichgeschlechtliche Umarmung in einer Mainstream-Werbung sieht, oder für eine Frau, die eine andere Frau als CEO anstatt als Assistentin sieht, ermutigend sein. Wie üblich gehen Marken diese Themen ungeschickt an, aber man kann den Einsatz von Dylan Mulvaney in dem Spot durchaus in diese Tradition der Toleranz und der allmählichen Veränderung von Normen einreihen.

Andere erkennen darin keine Parallele. Für sie sind die Rechte von Transmenschen Teil einer umfassenderen Geschlechterideologie, deren Spektrum sich von vernünftig bis radikal erstreckt und die mit den Rechten anderer Gruppen, einschließlich Frauen und Kindern, in einem Spannungsverhältnis steht. Für den Zweck dieses Kapitels ist es nicht notwendig, zu diesen Fragen Stellung zu nehmen. Der Punkt ist, dass die Aufgabe einer Marketingmanagerin oder einer Werbeagentur gegenwärtig darin besteht, als kluge, einfühlsame Navigatorin der Kultur zu agieren und ihre Marke durch oder um die gefährlichen Klippen herumzulotsen. Und das funktioniert am besten, wenn die Marketingmanagerin nach außen und nicht nach innen schaut. Es bedeutet, dass man erkennt, dass die Marke nicht Ausdruck der eigenen Werte oder der persönlichen Geschichte ist. Sie lässt sich vielmehr mit einem Behälter vergleichen, in dem die Werte vieler Menschen enthalten sind, die alle schon lange vor einem selbst da waren. Auch wenn die Reaktionen teilweise auch von transfeindlicher Hetze geprägt waren, richtete sich die breitere Basis doch vor allem gegen das Gefühl, kontrolliert und bevormundet zu werden. Die Follower wissen, dass das Thema Transgeschlechtlichkeit mit einer größeren politischen Weltanschauung verbunden wird, mit der sie nicht einverstanden sind, und da hilft es auch nicht, wenn Marketingmanager die persönlichen Werte, die sie in ihre Arbeit einbringen, in Interviews kundtun.

Wie bei Bud Light so auch bei M&M's. Die Marke führte ein aufwendiges «Facelift» ihrer Markenmaskottchen durch, denen sie «differenziertere Persönlichkeiten» zu geben versuchte. So sollte die rote Figur weniger streitlustig und freundlicher werden, die orangefarbene «ihr wahres Ich annehmen, mit all seinen Sorgen», die grüne sollte ihre Go-Go-Stiefel gegen Turnschuhe eintauschen, um «Selbstvertrauen und Empowerment als starke Frau» auszustrahlen, und die braune statt Stilettos Pumps tragen, um Führungsfähigkeiten zu vermitteln. Die ganze Geschichte wurde von Tucker Carlson auf melodramatische Weise instrumentalisiert – eine Dynamik, die uns aus Social-Media-Eklats hinlänglich bekannt ist: Ein anfängliches Ereignis wird zu einem künstlich erzeugten Skandal aufgebauscht, woraufhin eine überzogene Gegenreaktion erfolgt. Dann wiederum folgt eine überzogene Gegenreaktion auf die Gegenreaktion und schließlich eine Welle dringlicher Debattenbeiträge über die Bedeutung des Ganzen. Es endete damit, dass M&M's ankündigte, die Figuren auf «unbestimmte Zeit» aus der Schusslinie zu nehmen. Die Kontroverse, so die offizielle Erklärung, sei «das Letzte, was M&M's wollte, da es uns darum geht, Menschen zusammenzubringen».

Diese Geschichten haben etwas Pantomimisches an sich – man hat das Gefühl, dass es keinem der Beteiligten wirklich ernst damit ist. Aber es gibt einen Grund, warum sie gerade jetzt und nicht irgendwann sonst passieren. Und es ist auch nicht weiter verwunderlich, dass jemand wie Tucker Carlson Anstoß daran nimmt. Denken Sie an die offizielle Erklärung, als die M&M's-Figuren eingeführt wurden: «Wir bei Mars glauben, dass in der Welt, die wir uns für morgen wünschen, die Gesellschaft inklusiv ist. Und als eine unserer ikonischsten Marken kündigt M&M's ein neues globales Engagement an, um eine Welt zu schaffen, in der sich jeder zugehörig fühlt.» Das ist die Art von hochtrabender Absichtserklärung, die vor 20 Jahren vielleicht absurd erschienen wäre und auch heute noch absurd erscheinen sollte. Aber im Purpose-Zeitalter ist sie Routine geworden. Sie entspringt der Überzeugung, dass eine Marke – selbst eine Süßwarenmarke! – eine fundierte Vorstellung davon haben sollte, was sie in der Gesellschaft erreichen will. Und gesellschaftlicher Wandel wird immer ein umstrittenes Thema sein. Marken sind nicht die bemitleidenswerten Opfer eines Kulturkampfs, der aus dem Nichts aufgetaucht ist. Sie beginnen mit der Frage nach dem Warum und enden mit Entschuldigungen und Erklärungen. Unterdessen versuchen sie verzweifelt, sich aus dem Sumpf zu befreien und zu einer gemeinsamen Basis zurückzukehren.

In seinen Auseinandersetzungen mit dem republikanischen Gouverneur Ron DeSantis hat Disney einen ähnlichen Handlungsbogen durchlaufen. Es begann mit der lautstarken Opposition der Disney Corporation gegen Floridas Parental Rights in Education Act, der von Kritikern als «Don't Say Gay»-Gesetz gebrandmarkt wurde. Als Vergeltung für das, was er als «woke Unternehmen» bezeichnete, die «mit ihren ungeprüften Pressekampagnen hausieren gehen», kündigte DeSantis an, der Staat werde Disney seinen besonderen Steuerstatus entziehen. Dabei handelt es sich um eine weitreichende Vereinbarung, die durch den von Walt Disney gegründeten Reedy Creek Improvement District gesichert wurde und Disney das Recht einräumte, seine eigene Infrastruktur, Bauvorhaben, Versorgungsunternehmen und eine eigene Feuerwache zu verwalten. Die Konfrontation eskalierte zu einem andauernden Rechtsstreit, in dem Disney den Gouverneur verklagte. Gleichzeitig zog sich das Unternehmen aus einem eine Milliarde Dollar schweren Büroentwicklungsprojekt im Bundesstaat zurück.

Hinter den Schlagzeilen verbirgt sich eine verworrene Geschichte über die Macht von Unternehmen, die Macht des Staates und die freie Meinungsäußerung von Unternehmen. Richard Foglesong, Politikwissenschaftler und Autor von *Married to the Mouse: Walt Disney World and Orlando* (2001), beschreibt Disney als einen «Staat im Staat». Seine ursprüngliche Satzung habe das Unternehmen seit jeher dazu genutzt, um die Zahlung von Steuern zu vermeiden. Ein Beispiel war eine Steuer, die Beamte des Orange County in den 1990er-Jahren eingeführt hatten, um den Haushalt des Sheriff-Departments zu decken. Disney argumentierte, es sei davon ausgenommen, da die Charta es «auf Dauer» von der Zahlung von Steuern befreie, die nach 1967 eingeführt wurden.

Foglesong unterstützt die Angriffe von DeSantis nicht: «Wir müssen über Disneys Macht sprechen, aber er greift das Unternehmen aus den falschen Gründen an.» Tatsächlich ist es nicht so, dass es nichts zu kritisieren gäbe. Und es gibt ernst zu nehmende Probleme in Bezug auf die politische Rede- und Meinungsfreiheit von Unternehmen. Historisch gesehen würde man erwarten, dass Republikaner wirtschaftsfreundlich und gegen Regulierung eingestellt sind: Lasst sie sagen, was sie wollen, und der Markt wird entscheiden. Auf der anderen Seite könnte man erwarten, dass sich Demokraten mehr für die Rechte des Einzelnen als für die Rechte von Unternehmen einsetzen: Wie viele der 225 000 Disney-Mitarbeitenden sind Anhänger der Republikaner? Was sollen sie tun, wenn ihr Arbeitgeber in ihrem Namen spricht und politische Standpunkte einnimmt, mit denen sie nicht einverstanden sind? Schließlich stimmt die politische Haltung von Unternehmen nicht immer mit der Mehrheitsmeinung überein. 2020 unterstützten Facebook, Twitter und der Großteil des Silicon Valley die Abstimmung über den Vorschlag 16 zur Wiedereinführung der Affirmative Action in Kalifornien.[55] Die überwiegend links eingestellte Öffentlichkeit sprach sich jedoch mit zunehmender Mehrheit über ethnische Unterschiede hinweg dagegen aus. Einige dieser Wähler arbeiteten wahrscheinlich bei Facebook und Twitter und schwiegen, während ihre Chefs in ihrem Namen selbstbewusste Erklärungen abgaben.

Im Moment geht es darum, dass der Purpose der Unternehmen Marken dazu drängt, parteipolitische Positionen einzunehmen, die für die Marke gefährlich und für die Gesellschaft nicht von Nutzen sind. Aus der Sicht des Verbrauchers können Marken eine gemeinsame Basis sein, auf der sich Republikanerinnen und Demokraten treffen. Aus der Sicht der Arbeitnehmenden können Unternehmen eine gemeinsame Basis bieten, auf der man mit Menschen aus allen Teilen des politischen Spektrums zusammenkommt. Die Verbreitung des Purpose-Gedankens hat diese gemeinsame Basis ausgerechnet in einem Moment geschwächt, in dem wir am stärksten auf sie angewiesen sind. Warhol sagte, dass eine Cola eine Cola ist, egal ob man Präsidentin oder ein Obdachloser ist. Heute sagt die Wahl eines Softdrinks, einer Süßigkeitenmarke oder einer Serie etwas über den Platz des Einzelnen im politischen Spektrum aus. Social Purpose schürt die soziale Spaltung.

Purpose ist sozialem Wandel gegenüber blind

Die Quellen sind sich uneins, ob es 1975 oder 1976 war. Aber alle erzählen von einem Grafikdesigner auf dem Rücksitz eines New Yorker Taxis. Er blickt auf eine Stadt, die kurz vor dem Bankrott steht. Die Kriminalitätsrate ist in nie gekannte Höhen gestiegen, und in der Bevölkerung macht sich Unzufriedenheit breit, die sich bald in einem Aufruhr und Plünderungen zu entladen droht. Milton Glaser, der Designer auf dem Rücksitz des Taxis, wurde als Sohn ungarisch-jüdischer Einwanderer in der South Bronx geboren. Er hatte sich im Grafikdesign einen Namen gemacht und dachte nun über den Auftrag nach, ein Logo für eine New Yorker Tourismuskampagne zu entwerfen. Mit einem roten Buntstift kritzelte er auf einen braunen Umschlag eine einfache Herzform. Dann ordnete er die Buchstaben I und NY rechts und links davon an. Später sollte er sagen, der Taxifahrer habe mit dieser Fahrt mehr Geld verdient als er selbst.

«I ❤ NY» ist nach wie vor eins der bekanntesten grafischen Symbole der Welt. Es wurde 1977 eingeführt und von einer Stadt ins Herz geschlossen, die an einem Tiefpunkt angelangt und nun bereit war, sich wieder zu erheben. Der Gebrauch eines Emojis avant la lettre sagte etwas über den besonderen Mix aus Coolness und Urinstinkt aus, der diese Stadt ausmacht: eine flotte Kurzform, die mit wenig sehr viel sagt. Nach dem 11. September 2001 passte Milton Glaser das Symbol an und fügte einen blauen Fleck auf dem Herzen und den erweiterten Slogan «I ❤ NY more than ever» hinzu. Abgesehen von dieser vorübergehenden Änderung blieb das Symbol unverändert und ist heute genauso bekannt wie die Freiheitsstatue oder die gelben Taxis.

2022 wurde ein weiterer Grafikdesigner damit beauftragt, das Logo zu überarbeiten. Der neue Ansatz kam von MaryamB – «einem Purpose-getriebenen Kollektiv mit Fokus auf New York City». So steht es auf der Homepage der Agentur, und weiter heißt es: «Wir sind eine Gruppe leidenschaftlicher Führungskräfte, Unternehmer, Kreativer, Träumer und Macher, die Gruppen und Organisationen für einen Purpose mobilisieren.» Das Ziel der Gruppe bestand darin, New York City zu helfen, das nun vor einer neuen Herausforderung stand: der Erholung von einer globalen Pandemie. Der Grafikdesigner Graham Clifford entwarf ein Symbol, das im März 2023 mit großem Tamtam eingeführt wurde. In dem neuen Logo, einer Variation von Glasers klassischem Markenzeichen, verlieh Clifford dem roten Herz eine gerundete Tiefenwirkung, während er «NY» durch «NYC» und «I» durch «We» ersetzte.

Die Agentur behauptete, das neue «We ❤ NYC»-Symbol sei nicht dazu gedacht, Milton Glasers Markenzeichen zu ersetzen, sondern es an eine moderne Zeit anzupassen. «Dies war eine Zeit des ‹Wir›, nicht des ‹Ich›», erklärte Kathryn Wylde, Präsidentin der gemeinnützigen Organisation Partnership for New York City. «Die Botschaft lautet nun: ‹Das geht uns alle an.›»[56]

Fast überall stieß die Kampagne auf Häme. Auf Twitter hagelte es Kommentare wie: «Das Original klingt wie die Stimme einer Stadt. Das neue klingt wie eine Investmentbank oder ein medizinisches Versorgungszentrum.» Ein anderer schrieb: «Das ist in jeder denkbaren Hinsicht zum Kotzen – und auch in einigen, die unsere Denkfähigkeit übersteigen.» Adam Gopnik verfasste eine breit angelegte Kritik im *New Yorker,*[57] die *New York Times* veröffentlichte eine Reihe negativer Reaktionen unter der Überschrift «These New Yorkers don't ♥ the We ♥ NYC logo»[58], und die *Washington Post* berichtete genüsslich über einen einhellig ablehnenden Kommentar: «New Yorkers bond over new city logo: They hate it.»[59]

Mir tut der Designer leid. Das neue Logo scheint als Produkt aus einem Prozess hervorgegangen zu sein, an dem mehrere Interessengruppen beteiligt waren: einmal die oben erwähnte Agentur, die sich dem «Purpose» verschrieben hat, dann mehrere städtische Behörden und Unternehmenspartner. Ich kann förmlich hören, wie sich die fünfzehnte Person im Raum zu Wort meldet: «Eigentlich sollte es NYC statt NY heißen, damit wir uns vom Bundesstaat unterscheiden.» Oder wie einige vor sich hinmurmeln, das Herz solle etwas «knalliger» daherkommen (wodurch die ungezwungene Dynamik verloren geht, die im Original so gut rüberkam). Und bestimmt können Sie sich das allseits zustimmende Nicken und die geräuschlos in die Luft gereckten Fäuste vorstellen, als jemand sagte: «‹We ♥› ist eigentlich viel besser als ‹I ♥› – es ist einfach inklusiver und diverser, nicht wahr? Es gibt kein Ich im Team!»

Ein wiederkehrendes Merkmal von Purpose ist, dass es gerne über «Wir» spricht. Manchmal steht es sogar groß im Markennamen: WeWork. Gewöhnlich ist es ein von oben auferlegtes «Wir», das ein entfernter, abstrakter Konzern vorgibt: «Wir sind keine Insel», heißt es in der HSBC-Kampagne, die in die Einkaufsstraßen von Birmingham, Liverpool und Manchester ausstrahlt, um den Menschen nach dem Brexit zu vermitteln, dass «wir» alle Teil von etwas viel, viel Größerem sind. Purpose geht davon aus, dass «wir» besser ist als «ich». Denn «ich» ist nur eine Person, und das klingt egoistisch und begrenzt, oder? «Wir» sind mehr als einer – also muss es inklusiver und motivierender sein.

Milton Glaser wusste instinktiv, dass das so nicht funktioniert. Das Schöne an «I ♥ NY» ist, dass es auf Freiwilligkeit basiert. Man kann das Abzeichen oder T-Shirt tragen, wenn man möchte, aber niemand zwingt uns dazu oder setzt stillschweigend unsere Zustimmung voraus. Menschen fühlen sich im Allgemeinen nicht gerne kontrolliert oder bedrängt, und New Yorker schon gar nicht. Wie es Dustin Hoffman dem Taxifahrer zuruft, während er mit Jon Voight im Film *Midnight Cowboy* die Straße überquert: «Leck mich, du Arschloch, hier gehe *ich*.»[60]

Das Ergebnis war, dass «I ♥ NY» zu einem kollektiven Symbol wurde: etwas, das Einheimische und Touristinnen gerne kauften. Ohne es wörtlich zu nehmen, schuf es ein großes, unausgesprochenes «Wir». Hier können die Fähigkeiten kreativer Marketingspezialisten hilfreich sein. Wenn man menschliches Verhalten ändern will, ist es sinnvoll, die menschliche Natur zu verstehen. Der Purpose geht stets von der Annahme aus, dass er richtig liegt und dass seine Wahrheiten selbstverständlich sind. Es ist eine geschlossene Denkweise, die jeden in dieses große, formlose Wir zwängt. Sie ist unsensibel gegenüber tatsächlichem sozialem Wandel.

Dass das «Wir» tatsächlich einen Unterton des Zwangs hatte, zeigte sich in der schnippischen Reaktion auf die Kritik in den sozialen Medien. «Wir lieben Kritiker», hieß es auf einem Folgeplakat, «auch wenn ihnen unser neues Logo nicht gefällt». Der begleitende Social-Media-Post lautete: «Jetzt, da wir Ihre Aufmerksamkeit haben, liegt es an UNS, zu handeln.»

Dieses lautstark verkündete «UNS» soll ein emotionaler Appell sein. Wie ein Lehrer steht der Purpose vor einer aufmüpfigen Klasse und sagt: «Zumindest hören wir schon mal zu! Vielleicht möchten wir ja einen Teil unserer Aufgebrachtheit in etwas Konstruktives umwandeln? Haben wir darüber schon einmal nachgedacht?»

Wenn es einmal so weit ist, dass in einer Kampagne eine versteckte Enttäuschung gegenüber ihrer eigenen Zielgruppe zum Ausdruck kommt, ist das kein gutes Zeichen. Bedenkt man aber die erklärten Ziele einer Kampagne, die von BlackRock, Amazon, McKinsey, Edelman, Facebook und anderen gesponsert wird, ist das eigentlich eine gute Nachricht. Kathryn Wylde sagte der *New York Times,* die Kampagne verfolge das Ziel, «soziale Spaltung und Negativität zu überwinden» und die Menschen daran zu erinnern, dass «wir diese Kluft, die zwischen Wirtschaft und Arbeit, zwischen Arm und Reich entstanden ist, nicht aufrechterhalten müssen».

Müssen wir das nicht? Sind die New Yorker wirklich daran interessiert, die Kluft zwischen Arm und Reich oder zwischen Unternehmen und Arbeitnehmern zu überwinden, wie Kathryn Wylde behauptet? Oder sind sie eher daran interessiert, das Gegenteil zu tun: das kuschelige «Wir», das der Purpose suggeriert, zu zerschlagen, und darüber zu sprechen, wie die Reichen die New Yorker aus ihrer eigenen Stadt verdrängt haben? Oder darüber, wie die Unternehmen mit ihren Interessen die Wut der Occupy-Wall-Street-Bewegung umgeleitet haben in ein Jahrzehnt des Herumdokterns am Social Purpose?

All diese Fragen werden wir später untersuchen. Sorry, *ich* werde sie später untersuchen. Sie hingegen dürfen gern weiterlesen, wenn Sie möchten.

Purpose führt zu Korruption aus edlen Beweggründen

Im September 2009, als das Zeitalter des Purpose begann, begrüßte die Silicon-Valley-Gründerin Elizabeth Holmes Ramesh «Sunny» Balwani im Vorstand ihres Start-ups Theranos. Das Unternehmen entwickelte ein Gerät für Bluttests per Fingerstich, mit dem Patienten anhand weniger Blutstropfen auf Hunderte von Krankheiten, darunter Krebs und Diabetes, diagnostiziert werden sollten. Der Name des Start-ups setzt sich aus den Begriffen «Therapie» und «Diagnose» zusammen. Die Finanzierung in Höhe von 945 Millionen Dollar kam von Investoren wie Rupert Murdoch, Henry Kissinger, dem ehemaligen US-Außenminister George Shultz und Betsy DeVos, der Bildungsministerin der Trump-Regierung. Sie alle ließen sich von der Ausstrahlung von Holmes einwickeln – einer frühreifen Studienabbrecherin der Stanford University. Sie trug gewöhnlich einen schwarzen Polokragen im Stil von Steve Jobs und pflegte, langsam und mit tiefer Stimme zu sprechen, was ihren Ambitionen eine gewisse Bedeutungsschwere verlieh. 2014 wurde Holmes dann auf der Titelseite des Magazins *Forbes* als erste weibliche Selfmade-Milliardärin gefeiert, die an der Spitze eines 9-Milliarden-Dollar-schweren Unternehmens stand. 2023 musste sie eine 11-jährige Haftstrafe antreten, während ihrem Kollegen und ehemaligen Lebensgefährten Sunny Balwani 12 Jahre Gefängnis drohten.

Ihr Absturz ist eine der traurigsten Begebenheiten der Purpose-Ära. Es stellte sich heraus, dass dieses geheimnisvolle Unternehmen auf einem Fundament aus Täuschungen, Wunschdenken, PR-Getöse, Mobbing und offenem Fehlverhalten aufgebaut war. Für die Patienten hatte das schockierende Folgen – manchen wurden fälschlicherweise ernsthafte medizinische Probleme attestiert, andere fälschlicherweise für gesund befunden. Die Wahrheit holte Elizabeth Holmes schließlich ein, die in zwei Fällen von Betrug und zwei Fällen von versuchtem Betrug für schuldig befunden wurde.

John Carreyrou erzählt die Geschichte in *Bad Blood*. Der Journalist behauptete sich gegen Widerstände bei Theranos und brachte schließlich die Wahrheit ans Licht. Das erste Kapitel seiner Erzählung trägt den Titel «A Purposeful Life», und es wird deutlich, dass er Holmes' Purpose-Besessenheit in der Geschichte für zentral hält. In einem Auftritt im Jahr 2018 in *Stay Tuned*, dem Podcast von Preet Bharara, stellt Carreyrou Holmes' Untergang als Beispiel für ein Phänomen dar, das er als «Korruption aus edlen Beweggründen» bezeichnet.

«[Elizabeth Holmes] war fest davon überzeugt, dass die Sache, für die sie sich einsetzte, edel war. Deshalb waren alle Betrügereien, die dorthin führten, vollkommen gerechtfertigt. Einfach weil sie der edlen Sache dienten.»

Der Begriff «Korruption aus edlen Beweggründen» wurde 1989 von Edwin Delattre, Professor für Philosophie an der Boston University, geprägt. Er verwendete ihn, um Fälle von Polizeikorruption zu beschreiben, bei denen Beamte bei ihrer Arbeit im Dienste des Gemeinwohls Abkürzungen nahmen. Inzwischen wird der Begriff jedoch für jedes System der sogenannten «teleologischen» Ethik verwendet, bei dem der Zweck (telos) zur Rechtfertigung der Mittel herangezogen wird. Purpose ist ein teleologisches System der Ethik, das auf Unternehmen angewendet wird. Ihre Konzentration auf einen fernen Leitstern rechtfertigt es, alle Normen und Erwartungen, die ihnen im Weg stehen, mit Füßen zu treten. Elizabeth Holmes war von ihrer Bestimmung überzeugt und sah jede Entscheidung und Mikroentscheidung im Kontext dieser größeren Erzählung. In der Realität endete diese Geschichte in einer texanischen Gefängniszelle.

Manch einer mag der Ansicht sein, dass «Korruption aus edlen Beweggründen» ein zu großzügiger Begriff ist. Für viele Patientinnen, Investoren und schlecht behandelte Mitarbeitende hat die Theranos-Geschichte nichts Edles an sich. Für sie ist Holmes eine soziopathische Narzisstin, deren Gerede von Purpose immer nur eine oberflächliche Tarnung für das blanke Streben nach Geld und Macht war. Für andere, darunter mindestens ein Mitglied der Jury, die sie verurteilte,[61] scheint Holmes jedoch zumindest in gewisser Weise an die Sache geglaubt zu haben, für die sie sich einsetzte.

Die Geschichte wurde inzwischen als TV-Drama adaptiert, und ein wesentlicher Bestandteil des Psychodramas handelt von Holmes' Motiven. Was geht in ihrem Kopf vor? Macht sie der Glaube an eine Veränderung der Welt eines schönen Tages blind für die Risiken, die sie eingeht? Glaubt sie wirklich an die Sache, oder treibt sie nur die Aussicht auf das große Geld? Oder ist es eine Mischung aus beidem, mit gelegentlichen Anflügen von Selbsterkenntnis? Zu den Beweisen gegen Holmes gehört eine verblüffende Notiz, die sie sich selbst schrieb, als sich die Schlinge um ihren Hals zuzuziehen begann. Darin scheint sie sich mit Bernie Madoff zu vergleichen – dem Betrüger, der das größte Schneeballsystem der Geschichte betrieben hatte. Damals, als Betrüger noch Klarheit darüber hatten, dass sie Betrüger waren.

Wie dem auch sei: «Korruption aus edlen Beweggründen» eignet sich recht gut zur Beschreibung der Psychologie des Silicon Valley mit seiner dominanten Kultur des «Fake it until you make it». Sobald man von der Richtigkeit seiner Sache überzeugt ist, ist es einfacher – bewusst oder unbewusst –, jedes Mittel zu rechtfertigen, das dazu dient, dieses Ziel zu erreichen. Und im Moment überzeugen sich viele Unternehmen – ob zynisch, aufrichtig oder irgendwo dazwischen – selbst von der Richtigkeit ihrer Sache. Sie werden dazu noch von Menschen aus der Werbe- und Markenbranche ermutigt, die ehrgeizigen Gründerinnen und ihren Marketingteams schmeichelhafte Dinge ins Ohr flüstern.

Vielleicht ist das aber Werbeagenturen gegenüber unfair. John

Carreyrous Buch enthält ein Kapitel über TBWA\Chiat\Day, die Agentur, die mit Theranos zusammengearbeitet hat. Ausnahmsweise kommen die Werbeleute gut weg. Die älteren Direktoren waren verständlicherweise bestrebt, die Aufmerksamkeit dieser weiblichen Steve Jobs zu gewinnen, deren Foto auf allen Zeitschriften-Covern prangte. Aber das Kreativteam erhielt aus erster Hand Einblick in die fehlende Substanz hinter den Behauptungen und erstellte irgendwann eine Tabelle, um die gemachten Aussagen auf ihre Richtigkeit zu überprüfen. Es ist erschütternd, was über den Fall zu lesen ist: Einer der leitenden Werbetexter war so besorgt über den irreführenden Gehalt der Unterlagen und dermaßen entsetzt über die unangemessenen Forderungen des Kunden, dass er unter Angstzuständen litt und sich aus dem Projekt zurückziehen musste. Bei Theranos selbst gab es einen noch dramatischeren Fall: Ein leitender Biochemiker nahm sich aus Sorge um seine Rolle bei dem Betrug das Leben.

Damals konnte jeder, der Fragen stellte, leicht als Spielverderber abgestempelt werden, dessen pedantische Bedenken der edlen Mission im Weg standen. Wenn Purpose bei dem ganzen Theater als der Schuldige gelten kann, hat er im Optimismus einen treuen Komplizen. Unter dem Deckmantel des sorglosen Optimisten lässt sich Kritik leicht im Keim ersticken: «Seht her, ich rede davon, die Gesellschaft zum Besseren zu verändern, und alles, was ihr tut, ist, zuzusehen und zu nörgeln!» Wir haben es bei Simon Sinek gesehen, dessen LinkedIn-Seite ihn als «Autor und Gründer von The Optimism Company» bezeichnet. Seine Biografie beginnt mit den Worten: «Simon Sinek ist ein unerschütterlicher Optimist, der an eine strahlende Zukunft und unsere Fähigkeit glaubt, sie gemeinsam zu gestalten.» Sobald man sich selbst als Optimisten mit einer edlen Sache in Verbindung bringt, lässt sich jeder Zweifel leicht als negativ und kontraproduktiv abtun.

Sineks Start-with-Why-Philosophie hat Elizabeth Holmes gute Dienste geleistet. Als die Skepsis von Journalisten und Investorinnen zunahm, waren es die Fragen nach dem Was, dem Wie, dem Wann und dem Wo, die sich als besonders heikel erwiesen. Wie sieht die aktuelle Bilanz aus? Wie genau funktioniert das Gerät? Wann wird es auf den Markt kommen? Wo befindet sich das Labor – können wir es besichtigen? Aber fragte man Elizabeth Holmes nach dem Warum, war sie in ihrem Element: Stundenlang konnte sie darüber reden, die Welt und das Leben zu verändern, amerikanische Truppen auf dem Schlachtfeld zu unterstützen und Ärzten zu Hause zu helfen. Vielleicht hätte sie die Anekdote über ihren Onkel zum Besten gegeben, der an Hautkrebs starb, den man eventuell früher hätte entdecken können – angeblich hatte die Geschichte sie zu ihrem Weg inspiriert. (Später stellte sich heraus, dass dieser Onkel, dem sie tatsächlich nicht besonders nahestand, erst Jahre nach der Gründung ihres Unternehmens starb.) Aber inwieweit dies nun wahr ist oder nachträglich zurechtgerückt wurde, ist für Holmes Teil der kommunikativen Komfortzone. Durch eine Kombination aus großartiger Vision und persönlichem Gründungsmythos konnte sie jedes Publikum in ihren Bann ziehen.

Eine ähnliche Dynamik kennzeichnet den Aufstieg und Fall von WeWork. Sein Gründer Adam Neumann formulierte seine geschäftlichen Ambitionen in der Sprache einer transzendenten sozialen Bewegung, die es sich auf die Fahne geschrieben hatte, «das Bewusstsein der Welt auf eine neue Ebene zu bringen» («elevate the world's consciousness»). An der Seite seiner Frau Rebekah (eine Cousine von Gwyneth Paltrow) ernannte sich Neumann selbst zum Aushängeschild der von ihm sogenannten We Generation (ein weiteres Beispiel für das Lieblingspronomen von Purpose). Währenddessen pflegte er einen extravaganten, von Alkohol und Drogen geprägten Lifestyle, den es zu finanzieren galt. Zunächst wurde WeWork durch Risikokapital aus Saudi-Arabien und anderen Ländern in die Stratosphäre katapultiert, schlug dann aber unsanft auf der Erde auf: Der Börsengang hatte grundlegende Wahrheiten über die Bilanz enthüllt, die unter halb-religiösem Eifer und einem wild optimistischen Storytelling verschüttet gelegen hatten.

Die Geschichte wird im Buch *The Cult of We* von Eliot Brown und Maureen Farrell erzählt. In einer Schlüsselszene haben der in Israel geborene Adam Neumann und seine Chief Legal Officer Jennifer Berrent gerade einen gigantischen Deal über 4,4 Milliarden US-Dollar Risikokapital abgeschlossen. Erst jetzt beginnen sie, über die geopolitischen Auswirkungen nachzudenken, die die Annahme von Geldern aus Saudi-Arabien und den Vereinigten Arabischen Emiraten mit sich bringt. «Wir nehmen toxisches Geld an», sagt Neumann mit dem Anflug aufrichtiger Gewissensbisse. Jennifer Berrents Antwort ist aufschlussreich: «Ich bin Jüdin und lesbisch … Ich werde von der saudischen Regierung – und vielen anderen Gruppen von Menschen – aus verschiedenen Gründen nicht akzeptiert. Nehmen wir ihr Geld und tun wir etwas Gutes damit.»

Das ist ein Paradebeispiel für Korruption im Dienste einer guten Sache. Wenn man sich erst einmal davon überzeugt hat, dass die eigenen Ziele edel sind, kann jedes Mittel zu diesem Zweck nur recht sein. Schließlich wird die Investition WeWork bei seiner noblen Mission helfen, die Gesellschaft durch die Vermietung flexibler Workspaces mit gutem Kaffee von Grund auf zu erneuern.

Das Buch enthält noch ein weiteres aufschlussreiches Detail. Wir erfahren, dass sich Adam Neumanns Büro in der WeWork-Zentrale in Manhattan im selben Gebäude befindet, in dem Oliver Stone in den 1980er-Jahren *Wall Street* drehte. Neumanns Mantras «Do what you love» und «Make a life, not just a living» wurden nur einen Flur von dem Büro entfernt ersonnen, in dem Gordon Gekko den denkwürdigen Ausspruch «Greed is good» (Gier ist gut) tat. Und das war mehr als bloßer Zufall. Bei genauerem Hinsehen fand ich heraus, dass Neumann und sein Mitbegründer Miguel McKelvey sich anfangs über ihr gemeinsames Interesse für den Film einander angenähert hatten.[62]

Auf poetische Weise veranschaulicht das einen wahren Sachverhalt. Anstatt die Gordon Gekkos von morgen zu fürchten, sollten wir uns vor den Gordon Gekkos von heute in Acht nehmen: denjenigen im lässigen schwarzen Polo- oder T-Shirt, nicht die in Nadelstreifen und Hosenträgern. Sie verkörpern den Scharlatan in Reinkultur – ihre ersten Opfer sind sie selbst. Neumanns Reichtum und sein hedonistischer Lebensstil waren nichts, was er heimlich, unter dem Deckmantel einer Purpose-geleiteten Story verfolgt hätte. Es geschah offen, weil es in seiner Philosophie keinen Widerspruch gibt. Wenn Sie einer edlen Sache nachgehen und wenn jede Wertsteigerung diese edle Sache weiter fördert, dann ist Gier wirklich gut. Und eigentlich handelt es sich noch nicht einmal um Gier: Denn man kann gleichzeitig Heiliger und Milliardär sein. Purpose und Profit sind die beiden Seiten ein und derselben, unendlich wertvollen Medaille.

«Unternehmen vor Ländern», sagte ein anderer erfolgreicher Gründer, Mark Zuckerberg, zu seiner ehemaligen Redenschreiberin Kate Losse. Und weiter: «Wenn man die Welt verändern will, ist es am besten, ein Unternehmen zu gründen.» Später beschrieb Losse, wie durchtränkt Facebooks Unternehmenskultur von Korruption aus edlen Beweggründen war. «Denn für Facebook ist Wachstum ein ethisches Ziel an sich. Wenn man sich die technische Mission von Facebook, Menschen zu verbinden, als ein moralisches Gut vorstellt, sind alle Bemühungen, die dazu führen, per definitionem gerechtfertigt.»[63]

Von Zuckerberg bis Neumann und Holmes macht Purpose Geschäftsinhaber und Mitarbeitende anfällig für diese Form der Selbsttäuschung. Zynisch betrachtet, tragen Unternehmen Purpose als «Mantel der sozialen Verantwortung», um es mit Milton Friedmans Worten zu sagen. Aber der Mantel verbirgt das Unternehmen auch vor sich selbst und täuscht Vorstandsmitglieder und Mitarbeitende über ihre wahren Anreize und Verantwortlichkeiten. Der kanadische Journalist Cory Doctorow schreibt über die Schwierigkeiten von Uber in einer Weise, die an das Märchen «Des Kaisers neue Kleider» erinnert: «All dies ist genau das, was jeder mit einem Funken kritischer Urteilskraft schon in den ersten Tagen von Uber vorhergesagt hätte. Aber das Unternehmen hat es fertiggebracht, die Realität erstaunlich lange in einem Zerrspiegel zu präsentieren, sodass die Investitionen weiter flossen.»[64]

Purpose ist dieser Zerrspiegel. Und Gründer und Mitarbeitende sind genauso anfällig wie alle anderen. Für ein gewinnorientiertes Unternehmen sollten Recht und Ethik Grenzen setzen und sind nicht dafür gemacht, um Wachstumschancen zu bieten. Hat man sich aber einmal davon überzeugt, dass Facebook existiert, um «die Welt näher zusammenzubringen», oder dass Unilever existiert, um «einen nachhaltigen Lebensstil zur Norm zu machen», dann beginnt man, sein Unternehmen als moralischen Akteur zu sehen, dessen Erfolg automatisch einen Fortschritt für die Gesellschaft bedeutet. Die Korruption aus edlen Beweggründen ist die Krankheit der Purpose-Bewegung. Der Weg zur Hölle beginnt im Kopf.

Purpose beschädigt den öffentlichen und den Non-Profit-Sektor

Der Teil, der jetzt folgt, ist mehr als ein Kapitel unter anderen. Er enthält *das* Argument des ganzen Buchs.

Um diesen Punkt zu verdeutlichen, möchte ich mich auf einen konkreten Fall konzentrieren. Ich habe ihn nicht ausgewählt, weil er ein Beispiel für offensichtlich schlechte Werbung im Pepsi-Stil ist, sondern weil er eines der überzeugendsten Beispiele für die Purpose-Seite der Debatte ist.

2022 gewann Cadbury in den Kategorien «Social Purpose» und «Best in Show» der IPA Effectiveness Awards, die als einer der anspruchsvollsten Belege dafür gelten, dass eine Marketingkampagne tatsächlich Wirkung in der realen Welt erzielt hat. Wie wir bereits in einem früheren Kapitel über Peter Field und Danone gesehen haben, beruhen die IPA Effectiveness Awards auf einem merkwürdigen Datensatz aus Unterlagen, die von Werbeagenturen erstellt wurden, um Preise zu gewinnen – wobei nur die Zahlen verwendet werden, die die Kunden zu teilen bereit sind. Nichtsdestotrotz wird ein gewisser Anschein von Objektivität gewahrt, indem man Kampagnen zu ihren kommerziellen Ergebnissen in Beziehung setzt.

Zumindest war das bis 2022 der Fall, als das IPA (Institute of Practitioners in Advertising), der britische Branchenverband für Werbeagenturen, begann, seine Kriterien zu ändern. Im Zeitalter des Purpose erschien es nicht mehr inspirierend genug, sich ausschließlich auf den kommerziellen Return-on-Investment zu konzentrieren. Deshalb wurde die Kennzahl «finanzielle Rendite» durch den vagen Begriff «Wertschöpfung» ersetzt. An die Bewerberinnen erging die Aufforderung, «Nachweise für die Wertschöpfung in Bezug auf den rein finanziellen Wert, den gesellschaftlichen oder ökologischen Wert oder eine beliebige Kombination dieser beiden vorzulegen».[65] Gleichzeitig wurde eine neue Kategorie «Social Purpose» eingeführt, die speziell solche Arbeiten berücksichtigen sollte. Anders gesagt: Angesichts des Mangels an «Purpose-bezogenen» Arbeiten, die den historischen Kriterien entsprachen, änderte das Preisverleihungsgremium kurzerhand die Kriterien. Um neben den kommerziell erfolgreichen Bewerbern anzutreten, genügt es zu behaupten, man habe gesellschaftlich etwas bewirkt – etwa, indem man ein Bewusstsein für ein wichtiges Thema geschaffen hat.

Cadbury nahm ordnungsgemäß an der Kategorie «Social Purpose» teil, gewann und wurde anschließend zum «Best in Show» gekürt. So konnte das IPA mit einer positiven Purpose-Story assoziiert werden anstatt mit einer wenig inspirierenden Geschichte über schnöden Kommerz.

Tatsächlich hatte Cadbury die lockeren Teilnahmekriterien kaum nötig, da das Unternehmen auch einige beeindruckende kommerzielle Kennzahlen vorzuweisen hatte. Der von der Agentur VCCP vorbereitete Beitrag für die Awards trug den Titel «There's a glass & a half in everyone: How intrinsic purpose can transform a brand's fortunes». Darin wurde die Geschichte erzählt, wie eine vierjährige Kampagne dazu beigetragen hatte, die Marke Cadbury wieder aufzubauen und den Jahresumsatz um 261 Millionen Pfund zu steigern.

Im Mittelpunkt der Kampagne stand die Idee der Großzügigkeit – ein Hinweis auf die Wurzeln der Marke im Quäkertum. Gleichzeitig war es eine Referenz auf den langjährigen Produktanspruch, dass in jedem Riegel anderthalb Gläser Milch enthalten sind. Die Fernsehspots erzählten emotionale Geschichten über Menschlichkeit, Großzügigkeit und Dankbarkeit. So betritt in einem Spot ein kleines Mädchen einen kleinen Laden; die Mutter ist gestresst und abgelenkt. Die Kleine tauscht ihre Lieblingsknöpfe und -schmuckstücke gegen eine Tafel Dairy Milk ein. Der Ladenbesitzer spielt mit. Das Mädchen eilt hinaus, um seiner Mutter zum Geburtstag zu gratulieren. Vor Rührung glitzern in deren Augen Tränen. In einem anderen Spot gibt ein mürrischer alter Mann den nebenan spielenden Kindern Bälle zurück, die immer wieder über den Gartenzaun fliegen. Eines Tages fliegt eine Tafel Dairy Milk über den Zaun. Zwei der Kinder lugen herüber und sagen: «Die müssen Sie nicht zurückgeben, Mr. Thompson». In einem dritten Spot sieht man einen Jungen im Bus mit einer Tafel Dairy Milk in der Hand. Seine Mutter sagt ihm, er solle sie für später aufheben. Als er sich umdreht, bemerkt er ein weinendes Mädchen im Teenageralter und bietet ihr zögernd etwas von seiner Tafel an. Sie schüttelt den Kopf, ist aber gerührt und dankbar. Die Mutter bemerkt es und sagt zu dem Jungen: «Na los, nur ein kleines Stückchen». Der Junge hat gelernt, dass sich Großzügigkeit gut anfühlt. In allen drei

Spots erscheint die Schlusszeile: «There's a glass and a half in everyone.» (In jedem steckt ein Glas und ein halbes.)

Das Video mit der Fallstudie für den Award-Beitrag zeigt Ausschnitte aus diesen Spots, die mit kommerziellen Kennzahlen untertitelt sind. «Über einen Zeitraum von fünf Jahren stieg der Gesamtwert der Cadbury-Umsätze um 22 Prozent», heißt es unter dem im Bus weinenden Mädchen. «Schätzungen zufolge lag der Jahresumsatz von Cadbury am Ende des Zeitraums dank Werbung um 261 Millionen Pfund höher als zu Beginn», heißt es unter dem traurigen Blick des Jungen auf das Mädchen. Bemerkenswerterweise beziehen sich alle Kennzahlen auf die kommerziellen Ergebnisse, und es wird kaum erwähnt, ob und inwiefern der Gewinner in der Kategorie «Social Purpose» einen Unterschied in sozialer Hinsicht gemacht hat.

Wenn man sich in die Details vertieft, stößt man schließlich auf die Erwähnung einer Wohltätigkeitsorganisation namens Age UK, die wertvolle Arbeit zur Bekämpfung der Einsamkeit älterer Menschen leistet. Es stellt sich heraus, dass Cadbury einen Teil der Gewinne aus der Kampagne an diese Wohltätigkeitsorganisation gespendet hat. Das ist lobenswert, aber nichts besonders Neues. Wie wir gesehen haben, spenden Unternehmen schon seit Langem für wohltätige Zwecke – eine von ihren nützlicheren Aufgaben. Neu ist die Art und Weise, wie der Purpose Unternehmen dazu ermutigt, sich selbst in den Mittelpunkt der Geschichte zu stellen, während die Non-Profit-Organisation ins Kleingedruckte verbannt wird. Es gab eine Zeit, in der es als unanständig galt, für wohltätige Zwecke zu spenden und dies an die große Glocke zu hängen. Jetzt gehen Unternehmen den umgekehrten Weg: Sie nutzen ihre Spenden als Grundlage für den Aufbau ihres gesamten lukrativen Markenimages.

Cadbury zufolge geht es um mehr als nur ein Markenimage. Der leitende Marketingdirektor hinter der Kampagne wird mit den Worten zitiert: «Die Ausrichtung von Cadbury auf einen klaren Purpose – Großzügigkeit – hat unsere Marke erneuert. Sie hat dem

Team einen Leitstern gegeben, an dem wir unsere Entscheidungen ausrichten können.»

Neun Monate nach Sendung des ersten «Happy Birthday Mum»-Spots im Januar 2018 berichteten britische Zeitungen über eine andere Seite von Cadbury. «Cadburys US-Eigentümer zahlten im Vereinigten Königreich keine Körperschaftsteuer – obwohl die Gewinne um mehr als 700 Prozent auf 185 Millionen Pfund in die Höhe schossen», berichtete die *Daily Mail.*[66] «Das ist empörend», kommentierte der im damaligen Schattenkabinett tätige Labour-Schatzkanzler John McDonnell. Und er fügte hinzu: «Das kann die Menschen, die jeden Tag zur Arbeit gehen und ihre Steuern über PAYE (Lohnsteuerabzugsverfahren, Anm. D.B.) zahlen, nur verärgern.» Alex Cobham, Geschäftsführer des Tax Justice Network, sagte, dass Mondelez «eine Art Finanz-Engineering betreibt. Das ist sehr traurig, wenn man bedenkt, dass Cadbury seit Langem daran arbeitet, in den Gemeinden, in denen das Unternehmen tätig ist, Werte zu schaffen.» Weiter sagte er: «Mondelez (die Muttergesellschaft, Anm. D.B.) entzieht dem Unternehmen Werte, indem es steuerpflichtige Gewinne aus dem Vereinigten Königreich durch hohe konzerninterne Dividendenzahlungen abschöpft.»

Dieser Bericht war der jüngste in einer Reihe ähnlicher Veröffentlichungen, die bis zur feindlichen Übernahme von Cadbury durch Kraft Foods im Jahr 2009 zurückreichen. Das Thema wurde im Dezember 2015 im Parlament zur Diskussion gestellt.[67] Der *Guardian* berichtete, Cadbury habe 2014 auf Gewinne in Höhe von 96,5 Millionen Pfund keine Steuern gezahlt.[68] Die *Financial Times* titelte 2013: «Cadbury: The great tax fudge» (Cadbury: Der große Steuerbetrug).[69] Die Untersuchung ergab, dass die Geschichte der Steuervermeidung von Cadbury mehr als ein Jahrzehnt vor der Übernahme begonnen hatte und von ehemaligen leitenden Angestellten als «äußerst aggressiv» beschrieben wurde.

Ist es zynisch, sich zu fragen, wo der «Leitstern» von Cadbury in den Jahren der Vermeidung von Steuern auf Hunderte von Millionen an Gewinnen war? Oder ist es zynisch, dies nicht zu tun? Steuern zu zahlen ist vielleicht die beste Möglichkeit für Unternehmen, einem echten sozialen Purpose zu dienen. Es ist ein großartiges Mittel, um Schulen, Krankenhäuser, öffentliche Verkehrsmittel und Dienstleistungen für ältere Menschen zu finanzieren. Vielleicht ist es rechtlich zulässig, clevere Steuervermeidungstricks anzuwenden. Aber wenn dann Ihre nächste Marketingkampagne auf der Idee der Großzügigkeit aufbaut, dann sollte man Sie eher aus dem Raum werfen, statt Ihnen Preise zu verleihen und zu applaudieren.

Die Geschichte hat noch weitere Ebenen. In den letzten Jahren hat sich Cadbury im Hinblick auf die Marketingvorschriften bezüglich HFSS (High in Fat, Salt and Sugar, für Produkte mit hohem Fett-, Zucker- und Salzanteil) nicht gerade mit Ruhm bekleckert. Zu den neuen Bestimmungen, die 2022 eingeführt wurden, gehört ein Werbeverbot für HFSS-Lebensmittel an zentralen Orten wie Ladeneingängen, Gangenden und Kassen. Die Gesundheitsbehörden halten dies für sehr wichtig, da 40 Prozent der Cadbury-Verkäufe auf Impulskäufe zurückgehen. Ein kürzlich erschienener Cadbury-Werbespot zeigt einen solchen Kauf: Ein Vater deutet an einer Tankstelle auf einen Riegel direkt neben der Kasse und schenkt ihn dann seiner Tochter. Wie sich herausstellt, handelt es sich dabei um die Frau hinter der Kasse. Ob diese Szene unter die Vorschriften fällt, ist nicht klar, und es erscheint taktlos, angesichts eines derart emotionalen Moments der Verbundenheit, wie er im Spot gezeigt wird, auch nur die Frage aufzuwerfen.

Für unsere Belange braucht man nicht Stellung zu beziehen zu der Frage, ob die HFSS-Vorschriften einen überzogenen Eingriff vonseiten eines paternalistischen Staats darstellen oder eine angemessene Reaktion auf das Übergewichtsproblem. Dieses hatte während des Lockdowns zugenommen, als Frustessen zu einer wertvollen Einnahmequelle für Cadbury und andere Marken wurde. Wie auch immer man dazu stehen mag: Der springende Punkt ist, dass sich das Vereinigte Königreich als demokratische Gesellschaft parteiübergreifend entschieden hat, dass es dem Gemeinwohl förderlich wäre, wenn weniger von diesen Produkten verkauft würden. Zum einen soll dies beim National Health Service zur Kostenersparnis beitragen, zum anderen soll es sich, ganz allgemein, positiv auf die Lebensqualität der Menschen auswirken. Aber die Entscheidung bringt noch weitere soziale Vorteile mit sich. In einem Bericht der Organisation Ethical Consumer von 2023 wird Cadbury als «mangelhaft» und als «zu vermeidende Marke» eingestuft. Die Einstufung erfolgte aufgrund von Problemen im Zusammenhang mit steuerlicher Integrität, der Verwendung von Palmöl, der Abholzung von Wäldern und der Verwendung von Plastik und Verpackungen. Besonders schwer wogen jedoch die in einem Dokumentarfilm der Reihe Channel 4 Dispatches aufgedeckten Zustände, wonach 10-jährige Kinder mit Macheten Kakao ernteten, der für die Cadbury-Lieferkette bestimmt war.[70]

Das alles soll nicht heißen, dass Cadbury ein besonders bösartiger Akteur auf dem Weltmarkt ist. Ich habe eine Vorliebe für Dairy Milk, sehe die Vermarktung eher entspannt, und ich bin genauso empfänglich wie jeder andere für emotionale Geschichten über menschliche Beziehungen. Aber die Diskrepanz zwischen Anspruch und Wirklichkeit sollte klar sein: Bei den IPA Effectiveness Awards feiert die Branche die Cadbury-Werbung nicht nur als Beispiel für eine erfolgreiche Werbekampagne, sondern ausdrücklich als «Social Purpose»-Kampagne des Jahres. Alle Beteiligten gehen mit der Gewissheit nach Hause, dass die Branche einen positiven Beitrag zur Gesellschaft leistet. Unterdessen wollen die Menschen da draußen, in der Gesellschaft, ausdrücklich weniger Werbung dieser Art sehen, fragen sich, ob es für Cadbury in Ordnung ist, in Zukunft mehr Steuern zu zahlen, und drehen Dokumentarfilme über Marken, die man besser meiden sollte.

Es ist bemerkenswert, dass das IPA für all dies verantwortlich zeichnet. Nachdem es die neue Kategorie «Social Purpose» eingeführt hatte, überreichte es Cadbury den Preis am 10. Oktober 2022. Die Preisverleihung fiel mitten in die unglückselige Amtsperiode von Premierministerin Liz Truss, die mit dem Versprechen von Steuersenkungen und Deregulierung an die Macht gekommen war. Das IPA begrüßte die Ernennung von Cadbury im Namen seiner Mitglieder aus der Werbebranche in einer Erklärung, die mit den Worten endet: «Schließlich hoffen wir, dass unsere neue Premierministerin ihr Versprechen, die geplante Erhöhung der Körperschaftsteuer rückgängig zu machen, rasch einlösen kann.»[71] Die Labour-Partei und die meisten Wirtschaftsbeobachter hielten die Politik von Truss damals für völlig unverantwortlich. Aber niemand in der Werbebranche schien sich daran zu stören, dass das IPA offen Lobbyarbeit in ihrem Namen betrieb. Unabhängig davon, wie man zur Frage der steuerlichen Belastung steht: Moralisch ist es kaum vertretbar, dass ein Industrieverband, der Steuerlobbyismus betreibt, ein Unternehmen, das Steuern umgeht, für eine Kampagne zum Thema Großzügigkeit auszeichnet. Und das alles, um der Werbebranche den Anstrich des sozial Wertvollen zu verleihen.

Nichts davon hat verhindert, dass die Cadbury-Kampagne weithin bejubelt wurde. Der führende Marketingexperte Mark Ritson – eigentlich ein Purpose-Skeptiker – schrieb, als hätte er eine Erleuchtung gehabt: «In einem wahren Akt der Marketing-Großmut zeigen Cadbury und sein Team von außergewöhnlichen Marketingspezialisten anderen Marken den Weg.» Und nachdem er sich vorwirft, früher so kritisch gewesen zu sein, argumentiert er, dass es idiotisch wäre, sich mit der Steuerfrage aufzuhalten, denn: «Letztlich verstehen die meisten Verbraucher nicht, was die Körperschaftsteuer ist, geschweige denn, wer sie nicht zahlt. Das Fernsehen und nicht die Steuern bestimmen die Markenwahrnehmung.

Und die Klugscheißer unter den Kolumnisten sollten den Markt nicht aus den Augen verlieren.»[72]

Purpose-Kritiker werden oft als Zyniker abgestempelt. Mir scheint nichts zynischer zu sein als diese Ansicht. In einem Artikel beschrieb ich sie damals als eine Art von «Purpose-Nihilismus».[73] Wen schert schon die Heuchelei, wen kümmert's, wenn die Kampagne keine echte soziale Wirkung entfaltet, was macht's, wenn sie die Leute für dumm verkauft? Solange sie die Werbung mögen, ist alles gut. Wenn es funktioniert, dann funktioniert es.

Auf kommerzieller Ebene ist das sinnvoll. Der Sinn einer Werbung ist es, den Absatz zu steigern, und es gibt gute Gründe dafür, dass Cadbury Preise für kommerzielle Effektivität, für Kreativität oder Craft-Awards gewinnt. Aber Social Purpose erhebt den Anspruch, etwas anderes zu sein, und sollte es auch sein. An anderer Stelle drückt sich Mark Ritson klarer aus: «The purpose of purpose is purpose».[74] Mit anderen Worten: Das Ziel einer Social-Purpose-Kampagne sollte darin bestehen, Ergebnisse im sozialen Bereich zu erzielen. Danach sollte sie beurteilt werden. Die Fokussierung auf kommerzielle Kennzahlen sollte nebensächlich oder sogar verdächtig sein, da sie Zweifel an den Motiven der Kampagne aufkommen lässt. Aber die Purpose-Bewegung zwingt alle, einschließlich der Marketing-Beobachter, in diese verstrickte Position, in der Purpose und Profit immer wieder die Plätze als Leitstern tauschen – oft mitten in der Spalte oder sogar mitten im Satz.

Für Ritson ist die Kampagne aus einem weiteren Grund bemerkenswert. Sie sei eine Lektion in puncto Langlebigkeit, und er verweist auf die lange Betriebszugehörigkeit des Marketingteams: «Bei Mondelez gibt es ein Team von außergewöhnlichen Frauen, die das Marketing für Cadbury leiten. Und das liegt nicht nur daran, dass sie alle erfahrene, hervorragende Marketingfachleute sind. Es geht darum, dass sie seit vielen kontinuierlichen Jahren an der Marke arbeiten.»[75] So gesehen ist es ein Grund zur Freude, dass die «Großzügigkeitskampagne» von denselben Leuten stammt, die die Jahre der Steuervermeidung heil überstanden haben, in denen die Kampagne lanciert wurde. Ritson schrieb zu einer Zeit, als das Vereinigte Königreich seinen vierten Finanzminister innerhalb von vier Monaten hatte, und argumentierte für den Wert einer langen Amtszeit, wenn man etwas erreichen wolle. Jeder Finanzminister würde indes für den Wert der Körperschaftsteuer argumentieren, die ihm dabei helfen würde, etwas zu erreichen.

Ich erzähle diese Geschichte so ausführlich, weil sie zeigt, wie sehr der Fokus auf Purpose von einer nüchternen Betrachtung des tatsächlichen gesellschaftlichen Engagements ablenkt, das vor allem im gemeinnützigen und im öffentlichen Sektor stattfindet. Es geht mir nicht darum, eine einfache Unterteilung in «Unternehmen = schlecht» versus «öffentlich/nicht gewinnorientiert = gut» vorzunehmen. Wenn Unternehmen tun, was sie tun, hat das viele soziale Vorteile, genauso wie es viele strukturelle Mängel und verschwendete Ressourcen im öffentlichen Sektor gibt. Es liegt jedoch eine höhere Logik darin, die Eigenständigkeit dieser Sphären in der Gesellschaft möglichst anzuerkennen und beizubehalten, auch wenn sie ständig interagieren und sich gegenseitig beeinflussen. In der letzten Dekade ist ein aufgeblähter Unternehmenssektor in Bereiche vorgedrungen, die weit über den eigenen Kompetenzbereich hinausgehen. Und er hat sich oft als Lösung für Probleme inszeniert, die die Wirtschaft selbst verursacht hat.

Wir haben gesehen, wie sich diese Dynamik auf verschiedenen Ebenen abspielt. Auf dem Arbeitsmarkt konkurrieren Wohlfahrtsverbände und gemeinnützige Organisationen mit dem privaten Sektor um idealistische junge Hochschulabsolventen. Bei Preisverleihungen in der Kreativbranche verdrängen Waschmittel- und Deo-Marken Wohltätigkeitsorganisationen aus dem Rampenlicht des Social Purpose. In der Öffentlichkeit macht sich wachsender Zynismus breit angesichts sozialer Ziele, von denen jedes mit einer anderen Marke assoziiert wird. Pride? Skittles. Postnatale Depression? Maltesers. Lebensmittelverschwendung? Hellmann's. Toxische Männlichkeit? Gillette.

Der Kreis schließt sich spätestens dann, wenn Purpose-erfüllte Marken beginnen, Wohltätigkeitsorganisationen ernsthaft darüber zu belehren, wie sie es besser machen könnten. «Unternehmen wie Virgin und Innocent bringen ihren Purpose auf vorbildliche Weise zum Ausdruck; Wohltätigkeitsorganisationen können von ihrem Beispiel lernen», sagt Leadership-Coach Carla Miller im *Guardian*.[76] «Damit Wohltätigkeitsorganisationen in der neuen ‹Purpose›-Landschaft erfolgreich agieren können, ist ein Umdenken erforderlich: Es muss darum gehen, langfristige Ziele mit Unternehmenspartnern zu teilen … oder diese sogar mit ihnen gemeinsam zu entwickeln», fordert Executive Coach Kate Adams in Fast Company.[77] «Da wir in die Ära des ‹Brand Purpose› eingetreten sind, werden nun Unternehmen und nicht Wohltätigkeitsorganisationen als prädestiniert dafür angesehen, soziale Werte zu schaffen. Unser Blog untersucht, was Marken aus dem Wohltätigkeitssektor tun können, um Vertrauen zurückzugewinnen und ihren Social Purpose neu für sich zu beanspruchen», sagt Dan DuFour, Markenstratege bei der Werbeagentur The Team.[78]

Es ist nicht schwer, sich auszumalen, wie diese Botschaften in einem Sektor ankommen, der den «Grund für seine Existenz» ziemlich genau kennt und der von Anfang an beschlossen hat, sich nicht auf Gewinn auszurichten. Einen Vorteil haben Wohltätigkeitsorganisationen immerhin gegenüber ihren neuen Konkurrenten: die Befreiung von der Körperschaftsteuer. Leider hat dies in den Jahren des Purpose keinen großen Unterschied gemacht.

Purpose ist ein Kreativitätsvampir

«There's a glass and a half in everyone» ist eine Variation der «Glass and a half»-Kampagne, die Cadbury erstmals 1928 eingeführt hat: ein Produkt-Claim, der in jeder 200-Gramm-Schokoladentafel eineinhalb Gläser Vollmilch versprach. Durch die Ergänzung von «in everyone» wird daraus eine Purpose-gerichtete Botschaft – eine Methode, die im Purpose-Zeitalter zu einer bewährten Masche geworden ist.

«Beanz Meanz Heinz» gilt als einer der klassischen Slogans. Er wurde vom Werbefachmann Maurice Drake während einer Sitzung im Londoner Pub The Victoria verfasst. Indem Heinz zu *dem* Namen in seiner Kategorie schlechthin wurde, gelang es, die billigere Konkurrenz aus den Supermärkten in Schach zu halten. Durch ein Stück Lyrik, das aus drei Wörtern besteht. 2021 schwenkte man auf «Purpose» um, und die Zeile wurde in «Beanz Meanz More» abgeändert. Die neue Kampagne sollte die gesundheitlichen Vorteile von Bohnen herausstellen und Diskussionen rund um die Marke anstoßen.[79]

«Gillette: The Best a Man Can Get» ist ein weiterer langlebiger Slogan, der 1989 eingeführt wurde, um die Assoziation von Gillette mit exzellenter Produktqualität innerhalb der Kategorie zu fördern. Übrigens war die Marke zu diesem Zeitpunkt bereits 88 Jahre alt, nachdem sie ein Mann mit dem wohlklingenden Namen King C. Gillette gegründet hatte. Er war ein utopischer Sozialist, der fand, die gesamte Industrie solle von einem einzigen, im Besitz der Öffentlichkeit befindlichen Unternehmen übernommen werden. Weiter fand er, dass alle Menschen in den USA in einer einzigen Stadt namens Metropolis leben sollten, die von den Niagarafällen angetrieben wird. Exzentrik à la Elon Musk hat also eine lange Geschichte. 2019 feierte Gillette das 30-jährige Jubiläum von «The Best a Man Can Get», indem es seine Version der Purpose-Thematik ausspielte. Der neue Slogan lautete nun: «The Best Men Can Be».

Was an Rhythmus und Reim verloren ging, wurde durch jede Menge Purpose wettgemacht. Die Kampagne begann mit einem Film, der den bisherigen Slogan von Gillette ernsthaft in Frage stellte. Vor dem Hintergrund der #metoo-Schlagzeilen beginnt das Drehbuch so: «Ist das das Beste, was ein Mann bekommen kann? Ist es das? Wir können uns nicht davor verstecken. Das geht schon viel zu lange so. Wir können das nicht einfach weglachen.» Es folgten Überlegungen zur toxischen Männlichkeit, durchsetzt von Szenen, in denen Väter Streit schlichten und ihren Töchtern ermutigende Affirmationen zurufen. Das Skript endete mit den Worten: «Nur indem wir uns selbst herausfordern, mehr zu tun, können wir dem Besten in uns nahekommen. Wir setzen Zeichen: thebestmencanbe.org».

Die in einigen liberalen Kreisen gepriesene Kampagne wurde zu einem der unbeliebtesten Videos auf YouTube. Inmitten des Kulturkampfwahnsinns, der sich später bei Bud Light wiederholen sollte, wurden Boykottaufrufe laut. «Die #metoo-Kampagne geht nach hinten los, und die Marke Gillette erleidet einen Rückschlag», berichtete die *Marketing Week* in der Zeit danach. Sechs Monate später meldete Reuters starke Umsätze bei allen P&G-Produkten – mit Ausnahme der Marke Gillette, auf die das Unternehmen eine Abschreibung von 8 Milliarden Dollar vornahm. Das wurde zwar auf veränderte Pflegegewohnheiten von Männern zurückgeführt und eine rückläufige Marktentwicklung für Rasierer. Aber die meisten sind der Ansicht, dass die Kampagne nicht gerade hilfreich war.

There's a glass and a half in everyone, Beanz Meanz More, The Best Men Can Be … Nehmen Sie noch den Wechsel von «I ♥ NYC» zu «We ♥ NYC» dazu, und es zeigt sich ein Muster, bei dem Purpose die Slogans der Vergangenheit für neue Botschaften von heute zweckentfremdet. Man kann dies als Metapher für die Funktionsweise von Purpose im Allgemeinen betrachten. Ob Hellmann's nach 110 Jahren Firmengeschichte über seinen Purpose nachdenkt oder Gillette nach 118 Jahren im Geschäft mit Rasierern damit anfängt, den Moralapostel zu spielen: Jedes Mal folgt das Skript einem bekannten Muster, bei dem Purpose auf den Schultern von Riesen steht, um sein Banner hochzuhalten. Das «Start With Why»-Mantra verschleiert eine unbequeme Wahrheit: All diese Marketingfachleute sind nur deshalb in der Lage, über ihr «Warum» zu sinnieren, weil sie jahrzehntelang kommerzielle, produktorientierte und solide Werbung betrieben haben. Diese hat ihnen ein Polster verschafft, das es ihnen erlaubt, die Purpose-Agentur zu beauftragen und die Super-Bowl-Slots zu buchen.

Auch auf institutioneller Ebene spiegelt sich die Biegsamkeit des Purpose-Konzepts wider. In der Werbebranche hat Purpose die bestehenden Auszeichnungen und Institutionen übernommen, anstatt eigene zu schaffen. An einem bestimmten Höhepunkt im Jahr 2022 machten Purpose-orientierte Kampagnen 17 der 21 Gewinner in den sogenannten Kreativitäts- und Craft-Kategorien in Cannes und 48 der 78 Gewinner beim D&AD aus.[80] Es wäre ein Leichtes, parallele Purpose-Kategorien festzulegen, die den Social Purpose als solchen beurteilen. Aber der Punkt ist, dass die konkurrierenden Agenturen nicht daran interessiert sind. Wenn der Preis als «kreativ» etikettiert ist, können sie sich anschließend als herausragende Kreativagentur bezeichnen. Das ist nützlich für die Attraktivität gegenüber Kunden von Fluggesellschaften über Banken bis hin zu Ölfirmen. Würden die Auszeichnungen ehrlicherweise als «Purpose Awards» oder «Kreativität für einen guten Zweck» betitelt, könnten viele potenzielle Kunden die Agentur als Nischenagentur «für den guten Zweck» ansehen und damit nicht als richtige Wahl. Was Agenturen sich wünschen, ist das Gütesiegel und das Prestige, das sich mit historischen Kreativpreisen verbindet: ein Prestige, das sich in Kontostände und lukrative Karriereschritte übersetzen lässt.

An der University of the Arts London (UAL) wird die nächste Generation kreativer Fachkräfte in Design, Film, Mode, Werbung und weiteren Bereichen ausgebildet – allerdings jetzt unter dem wachsamen Auge eines neuen Chief Social Purpose Officer. Seine Aufgabe ist es, die Kreativität in eine Purpose-Agenda zu kanalisieren und die Studierenden auf die schöne neue Unternehmenswelt vorzubereiten. Derzeit bekleidet Polly Mackenzie die Position. Sie war Leiterin der Strategieabteilung der Liberaldemokraten für den Wahlkampf 2010 und von 2010 bis 2015 Director of Policy. Ihrer Rolle bei der 180-Grad-Wende in der Frage der Studiengebühren scheint sich die neue Generation politisch bewusster Studierender nicht bewusst zu sein. 2011 hatte sie ihre Kommilitonen vor Wut noch zum Kochen gebracht.

Die Ernennung könnte etwas mit ihrem Chef, dem Präsidenten und Vizekanzler James Purnell, zu tun haben. In der Regierung von Gordon Brown war er Arbeits- und Sozialminister sowie Kulturminister, bevor er mit einem offenen Seitenhieb gegen seinen Regierungschef seinen Rücktritt erklärte und schließlich ganz aus der Politik der Labour Party ausschied. Ein Jahr nach seinem Amtsantritt an der UAL veröffentlichte er folgenden Fortschrittsbericht:

> «Ein Jahr später zeigt sich: Social Purpose ist ein fruchtbarer Boden. Unsere Strategie, die wir nächste Woche veröffentlichen werden, baut darauf auf. Was haben wir aus diesem Prozess gelernt? Erstens, dass wir uns einer globalen Bewegung anschließen. Von Simon Sineks TED-Vortrag bis zur 80 000-Hours-Bewegung – das Konzept sorgt für Aufmerksamkeit, im Guten wie im Schlechten.»[81]

Da ist er wieder: Simon Sinek, der hinter dieser neuen Bewegung steht, die nun einen ehemaligen Kabinettsminister und Vizekanzler einer führenden Kunsthochschule beeinflusst. Eine bemerkenswerte Leistung für eine These, die auf widerlegten Erkenntnissen der Hirnforschung und nachträglich angepassten Fallstudien basiert.

Warum dies alles der Gesellschaft schadet? Kreative Exzellenz sollte wachsen und gedeihen dürfen, ohne dass der Purpose-Kuckuck in ihrem Nest hockt. Um eine patriotische Note anzuschlagen: Das Vereinigte Königreich hat im Bereich der kommerziellen Kreativität eine beeindruckende Geschichte zu erzählen. 2019 lag der Beitrag der Kreativwirtschaft zur gesamten Wirtschaft bei 115,9 Milliarden Pfund, und ihr Wachstum übersteigt den nationalen Durchschnitt um das Fünffache.[82] Aber auch abgesehen von den nackten Zahlen muss man kein hoffnungsloser Romantiker sein, um zu glauben, dass Kreativität auch einen intrinsischen Wert an sich haben kann: Sie ist eine der besseren Eigenschaften des Menschen. Sowohl wirtschaftlich als auch geistig wäre es wünschenswert, in einer Gesellschaft zu leben, in der Kreativität um ihrer selbst willen geschätzt wird – und nicht, weil sie dem Diktat des Purpose gerecht wird. Purpose ist eine erstickende Kraft, die Kreativität für politische Zwecke vereinnahmt. Auf diese Weise entsteht viel schlechte Kunst.

Purpose und Klimawandel: Ablenkung statt Lösung

Im Januar 2018 veröffentlichte Larry Fink, CEO von BlackRock, «A Sense of Purpose». Es ist der erste einer Reihe jährlicher Briefe an die CEOs der Welt, in denen Fink die Purpose-Agenda ausbuchstabierte und jedes Unternehmen aufforderte, sich daran zu orientieren. Etwa um dieselbe Zeit ernannte BlackRock einen neuen Chief Investment Officer for Sustainable Investing. Er sollte sich um die Integration der sogenannten ESG-Aktivitäten in die Investitionstätigkeit des Unternehmens kümmern.

Das Akronym «ESG», das auf den UN-Bericht «Who Cares Wins» von 2004 zurückgeht, steht für Environmental, Social und

Governance: die drei Felder, nach denen Purpose-orientierte Unternehmen beurteilt werden. Die genaue Bedeutung der einzelnen Begriffe und wie sie gemessen werden, ist nach wie vor nicht konsistent. «Environmental» steht allgemein für Nachhaltigkeit und Klimaschutz, «Social» für Vielfalt und Repräsentation und «Governance» für die Rechenschaftspflicht eines Unternehmens. Dabei bezieht sich Governance auf Stakeholder im Allgemeinen, was heißt: ein Unternehmen ist auf unbestimmt definierte Weise praktisch jedem gegenüber rechenschaftspflichtig. Im Laufe der Zeit wurde ESG weitgehend zu einem Synonym für das Ethos der Purpose-Bewegung: «Erfolgreich sein, indem man Gutes tut».

Der neu ernannte Mitarbeiter von BlackRock war Tariq Fancy, ein ehemaliger Investmentbanker, der sich selbstständig gemacht hatte, um eine gemeinnützige Bildungsorganisation namens Rumie zu gründen. Als das Angebot von BlackRock kam, sah er darin die einmalige Gelegenheit, Gutes in großem Maßstab zu tun. Wie er später erklärte: «BlackRock war damals und ist auch heute noch das größte Investmentunternehmen der Welt. Ende Juni [2021] verwaltete es 9,5 Billionen US-Dollar und näherte sich der vom *Wall Street Journal* als ‹einst undenkbar› bezeichneten Schwelle von 10 Billionen US-Dollar an Vermögenswerten.[83] Wenn man es nur richtig anstellte, konnte man mit diesem Schwergewicht im Hintergrund weitaus mehr Positives in der Welt bewirken, als es mit Rumie möglich wäre.»

In den folgenden 21 Monaten hatte Tariq Fancy die Möglichkeit, die inneren Abläufe der ESG-Bewegung, an die er aufrichtig glaubte, aus einem einzigartigen Blickwinkel zu beobachten. Im September 2019 verließ er BlackRock desillusioniert und beunruhigt und begann mit der Arbeit an einem dreiteiligen Essay über seine Erfahrungen. «The Secret Diary of a Sustainable Investor» beleuchtet, was Tariq Fancy als zum Scheitern verurteilten Versuch ansah, «unbequeme Wahrheiten mit bequemen Fantasien» zu beantworten. Gegen Ende schreibt er: «Indem ich Alarm schlage, hoffe ich, diese Illusion als das zu entlarven, was sie ist: eine gefährliche Fantasie, die in erster Linie den Interessen der Ältesten und Reichsten dient. Und das alles geht auf Kosten der Jüngsten und Ärmsten sowie der vielfältigsten und der historisch am stärksten benachteiligten Communitys in der heutigen Welt.»

Dabei hatte das Ganze so vielversprechend begonnen: «Ich glaubte aufrichtig daran, dass nachhaltiges Investieren zwar nicht perfekt sei, aber ein Schritt in die richtige Richtung bei der entscheidenden Frage, wie Wirtschaft und Gesellschaft im 21. Jahrhundert ineinandergreifen sollten.» Doch als Fancy im Zuge der ESG-Preisverleihung in Stockholm an einem Abendessen teilnahm, wurde das Gefühl des Unbehagens immer stärker: «Ich bin in dem Glauben aufgewachsen, dass das warme Gefühl, die Welt zu retten, im Allgemeinen nur durch ein gewisses Maß an Selbstlosigkeit und Aufopferung entsteht. Das ist quasi der Preis, den man zahlen muss; man denke nur an jene edlen Gestalten, die sich dem Friedenskorps angeschlossen haben und in einem weit entfernten Land glücklich im Dienste der anderen tätig sind. Und doch schien es, als gäbe es viel von dem gleichen Prickeln und dem wohligen Gefühl eines Purpose auch hier: an einem schicken Ort mit Champagner und Schokolade und – dank innovativer neuer Geschäfts-, Technologie- und Finanzmodelle – ohne ganz so viele Opfer.»

Nach der Hälfte seiner Zeit bei BlackRock schlägt die Corona-Pandemie zu, und Tariq Fancy bemerkt, dass die Reaktion der Unternehmen inkonsistent ist. Überall um ihn herum fordern die Unternehmen die Regierung auf, grundsätzliche Maßnahmen zu ergreifen, um die kurzfristige Notlage zu bekämpfen. Im Gegensatz dazu ist man angesichts der längerfristigen Risiken des Klimawandels der Meinung, dass freiwillige Maßnahmen das Problem lösen werden. «Anstatt sich auf die freiwillige Einhaltung der Vorschriften zu verlassen, um die Covid-19-Kurve abzuflachen, hat unsere

Regierung mit Zwangsschließungen und Strafen dafür gesorgt, dass die Maßnahmen obligatorisch wurden. Diejenigen, die sich nicht an die Regeln hielten, gefährdeten uns alle, also waren wir im Allgemeinen mit harten Strafen einverstanden, die für jeden galten, der bei der Missachtung der Richtlinien erwischt wurde.» Fancy zitiert den Wirtschaftsnobelpreisträger William Nordhaus, der eine ähnliche Reaktion auf die klimatischen Herausforderungen fordert: «Die Wirtschaftswissenschaften weisen auf eine unbequeme Wahrheit bezüglich der Klimapolitik hin. Und die lautet: Um wirksam zu sein, muss die Politik den Preis für Kohlenstoff oder CO_2 erhöhen und damit die Externalitäten des Marktes korrigieren.»

Diesen Punkt verdeutlicht er anhand einer Basketball-Metapher: «Wenn man das Verhalten aller Spieler im Spiel ändern will, muss man die Spielregeln für alle ändern ... Stattdessen wird uns derzeit in Fragen der Nachhaltigkeit gesagt, unsere Hoffnung liege darin, uns zu beschränken. Wir sollen uns darauf verlassen, dass einige Spieler sich manchmal freiwillig dafür entscheiden, sich sportlich zu verhalten. Und zwar auch dann, wenn ihnen unsportliches Verhalten dabei hilft, ihre eigentliche Pflicht zu erfüllen, die darin besteht, maximal zu punkten.» Tariq Fancy zitiert einen anonymen Portfoliomanager von BlackRock, der genau diesen Punkt anspricht: «Ich glaube an den Klimawandel. Wenn wir einen Preis für Kohlendioxid hätten, würde ich meinen CO_2-Fußabdruck über Nacht senken – und alle anderen auch. Aber es macht keinen Sinn, es allein zu tun und mich selbst zu benachteiligen. Und es ist nicht das, was ich laut Gesetz tun sollte oder wofür ich bezahlt werde.»

Aber ist es nicht trotzdem sinnvoll, dass Firmen *etwas* unternehmen, anstatt nur auf staatliche Eingriffe zu warten? Tariq Fancy möchte das zunächst glauben, kommt aber widerstrebend zu dem Schluss, dass die Situation dann noch schlimmer wird. ESG ist nicht nur eine unvollkommene Lösung, sondern erschwert auch aktiv die Umsetzung echter Lösungen. Er gibt eine Studie in

Auftrag, die zeigt, wie die Öffentlichkeit durch ESG-freundliche Schlagzeilen beeinflusst wird. Dies führt zu einem Rückkopplungseffekt, bei dem Unternehmen auf diese öffentliche Zustimmung verweisen, um ihr Handeln zu rechtfertigen. Dann zitiert er eine weitere Forschungsarbeit, die zeigt, dass «einfache Lösungen» zur Bewältigung der Klimakrise einen «verheerenden Effekt» haben. «Indem sie falsche Hoffnungen machen, dass Probleme angegangen werden können, ohne erhebliche Kosten zu verursachen, verringern sie die Unterstützung für substanzielle politische Maßnahmen.»[84] Wie Fancy anmerkt: «Diese Beobachtungen führten mich zu der Frage: Was wäre, wenn die Arbeit, die ich bei BlackRock geleistet habe, der Gesellschaft aktiv geschadet hat, indem sie die Öffentlichkeit in die Irre führt und überfällige Reformen aufseiten der Regierung verzögert?»

Obwohl sich diese Zusammenhänge bereits abzuzeichnen beginnen, beobachtet Fancy, wie sein Chef Larry Fink öffentliche Auftritte immer stärker nutzt, um in der Debatte Stellung zu beziehen. So sagt er in einem Interview mit Bloomberg im Januar 2021: «Ich bevorzuge es, wenn Kapitalisten sich selbst regulieren.»[85] Fancy zufolge steht Fink mit dieser Aussage faktisch rechts von Milton Friedman, der weithin für seine Ansicht zitiert wird, dass Unternehmen sich ausschließlich auf Gewinne konzentrieren sollten. Weniger bekannt ist allerdings Friedmans Ansicht, dass «durch einen politischen Prozess gewählte» Beamte auf das Gemeinwohl achten sollten. Um auf die Basketball-Analogie zurückzukommen: «Eine Marktwirtschaft ist im Kern eine Sammlung von Regeln. Keine Regeln, kein Markt.» Wenn man an Märkte glaubt, muss man auch an ein gewisses Maß an staatlicher Intervention glauben. Genauso wie die Liebe zum Basketball die Existenz von Schiedsrichtern erfordert.

Tariq Fancy führt detailliertere Argumente zu verschiedenen Arten von Fehlwahrnehmung an: einmal geht es um den Begriff

Desinvestition. In der Praxis dient er meist eher dazu, Risiken zu steuern und das Markenimage zu formen, als die tatsächliche Realität zu verändern. Dann kritisiert er die falschen Anreizstrukturen, die das ESG-System schafft: So bringen ESG-Produkte in der Regel höhere Gebühren als Nicht-ESG-Produkte mit sich, was sie zu einer lukrativen Einnahmequelle macht. Ebenso prangert er das hoffnungslos uneinheitliche System der ESG-Ratings an. Dieses erlaubt es einem Unternehmen wie FTX, kurz vor seinem Zusammenbruch eine bessere Bewertung zu erhalten als ExxonMobil. Insgesamt kommt Fancy jedoch zu dem Schluss, dass ESG dem Versuch gleichkommt, eines der größten Marktversagen der Geschichte mit den Mitteln des Marktes zu beheben: «In meiner Rolle bei BlackRock habe ich dazu beigetragen, eine Idee populär zu machen: dass der Weg in eine nachhaltige Zukunft über ESG, Nachhaltigkeit und grüne Finanzprodukte führt. Anders gesagt: dass die Antwort auf das Versagen des Marktes, dem langfristigen öffentlichen Interesse zu dienen, noch mehr Markt sei.» Das Einzige, was einen Bösewicht mit einer Waffe aufhält, ist ein Guter mit einer Waffe, lautet das Argument der NRA, das vom liberalen Mainstream verspottet wird. Aber derselbe liberale Mainstream lässt sich von den Typen blenden, die «Erfolg durch gute Taten» propagieren. Sie sind es, die die Welt der Konzerne kontrollieren.

Es lohnt sich, diese Geschichte ausführlich zu erzählen, denn es handelte sich um eine eindringliche und seltene Stellungnahme in der Purpose-Debatte. Der Economist bezeichnete sie als «fesselnd», und die *Financial Times* schrieb später: «Im Nachhinein wirkt Fancy weniger wie ein Ketzer und mehr wie die Kassandra der ESG.»[86]

Tariq Fancys persönlicher Werdegang ist selbst ein Abbild der breiteren Debatte. Ein Großteil der ESG-Bewegung stützt sich auf die Erkenntnisse eines einzigen einflussreichen Papers, das 2016 von Mozaffar Khan, George Serafeim und Aaron Yoon veröffentlicht wurde. In einem Artikel mit dem Titel «Corporate Sustainability: First Evidence on Materiality» kamen die Autoren zu dem Schluss, dass Aktien mit hohen Bewertungen in Bezug auf Nachhaltigkeit zuverlässig höhere Renditen erzielten: Sie beliefen sich auf drei bis sechs Prozent pro Jahr, was über einen Zeitraum von 21 Jahren etwa 50 Prozent mehr ist als die durchschnittliche Marktrendite.[87] Obwohl die Autoren des Artikels darauf hinwiesen, dass es sich nur um ein «erstes Indiz» handele, wurden seine Schlussfolgerungen von einer wachsenden Gruppe von ESG-Fondsmanagern und ESG-Ratingagenturen ohne Aufsicht begierig aufgegriffen.

Wie so oft dauert es eine Weile, bis eine einmal aufgestellte Behauptung widerlegt werden kann. Die Widerlegung erhält weniger Aufmerksamkeit als die ursprünglichen Behauptungen, wird dann aber langsam durch die allmähliche und unaufhaltsame Entfaltung der Realität bestätigt. In einem 2022 erschienenen Artikel mit dem Titel «Corporate Sustainability: A Model Uncertainty Analysis of Materiality» wiesen Luca Berchicci und Andrew King darauf hin, dass es unplausibel ist, dass sich in all den Jahren ein beständiger Investitionsvorteil von drei bis sechs Prozent in den kommerziell verfügbaren Daten versteckt gehalten haben soll, was allen Theorien über die Effizienz des Informationsmarktes widerspräche.[88]

Gegenwind erhielt die Behauptung auch in Gestalt eines 2021 erschienenen Papers von Sony Kapoor und Felix Goltz mit dem unterhaltsamen Titel «Honey, I Shrunk the ESG Alpha». Der Aufsatz befasst sich eingehend mit den Originaldaten und kommt zu dem Schluss, dass jegliches Wachstum wahrscheinlich auf konventionelle «Qualitätsfaktoren» zurückzuführen ist, die in das schwammige G («Governance») von ESG mit eingeflossen sind. Wenn man diese Abweichung herausrechnet, gibt es keine relevante Renditesteigerung in Bezug auf Nachhaltigkeitsfaktoren.[89]

Keiner der Autoren, die diese Thesen widerlegen, ist ein Leugner des Klimawandels – ganz im Gegenteil. Andrew King, Professor an der Questrom School of Business der Boston University, ist ein Befürworter der CO_2-Steuer. Er befürchtet, dass «ESG-Investitionen wie ein einschläferndes Märchen wirken. Warum sollte man sich auch Sorgen machen, wenn man hört, dass man mit seinem Rentenfonds eine ordentliche Rendite erzielen und gleichzeitig etwas gegen den Klimawandel tun kann?»[90] Sony Kapoor ist Professor für Klima, Geoökonomie und Finanzen und Geschäftsführer des Nordic Institute for Finance, Technology, Sustainability and Society. Er kommt zu dem Schluss, dass «die meisten ESG-Investitionen ein Trick sind, um den Ruf zu verbessern, Gebühren zu maximieren und Schuldgefühle zu beschwichtigen».[91] Trotz dieser ernsthaften Kritik fiel die Reaktion der Unternehmenswelt verhalten aus. Larry Fink lehnte Einladungen zu einer Debatte oder Stellungnahme gegenüber seinem ehemaligen Kollegen Tariq Fancy ab, obwohl in seinem Brief von 2023 an die CEOs ein Abrücken vom Purpose-Gedanken spürbar wird. In der Marketingwelt ist dagegen nur den wenigsten bewusst, dass diese Debatte überhaupt stattfindet. Und das, obwohl Werbeagenturen maßgeblich an der anfänglichen Verbreitung des Purpose-Memes beteiligt waren und das System ESG hinter fast jedem Auftrag steht, der im Postfach der Agenturen landet.

Dennoch kommen die Probleme in verschiedenen Auseinandersetzungen und Pannen ans Tageslicht. So geht das als Best-in-Class-Beispiel für das Energiemarketing einer neuen Generation gefeierte Bulb – von der neuen, angesagten Selbstregulierungsbehörde als B Corp gelistet – mit Pauken und Trompeten unter. Und wieder einmal eilt der Steuerzahler zu Hilfe.[92] Oder nehmen wir Innocent, das zuerst als Aushängeschild für nachhaltiges Marketing gefeiert wird, bis eine Kampagne von der Advertising Standards Authority verboten wird, weil sie in puncto «Wiederherstellung des Planeten» zu viel verspricht.[93] Ein weiteres Beispiel: In Cannes wird die Preisverleihung unterbrochen, als ein früherer Gewinner die Bühne stürmt. Er gibt seine Auszeichnungen für Flug- und Autowerbung zurück, weil er heute wegen der klimaschädlichen Auswirkungen der Branchen ein schlechtes Gewissen hat. Es ist eine jener wohlmeinenden und zugleich theatralischen Gesten, die in der Werbewelt als Heldentat gelten. Die deutlichste Reaktion, die aus der Werbebranche selbst stammt, zeigt sich in der folgenden Geschichte: Am 21. November 2023 strahlte Channel 4 einen Werbespot mit dem Titel «The Good Advert» aus, der zeitlich auf die Klimadokumentation *The Great Climate Fight* abgestimmt war. Der 30-sekündige Spot beginnt mit einem scheinbaren technischen Defekt, bevor eine zögerliche Stimme (Komiker Simon Amstell) einsetzt und sich dafür entschuldigt, eine Werbung zu sein. Das Skript:

> «Hallo … ich bin … ich bin eine Werbung und … ich kann nicht, ich kann nicht … ich fühl mich einfach schrecklich dabei. Es ist ähm … ich fordere Sie immer auf, mehr auszugeben. Die Botschaft muss aber sein … gehen Sie raus und verbringen Sie mehr Zeit in der Natur! Mit Menschen, die Sie lieben, vielleicht. Denn kommt es nicht auf jeden von uns an?»

Die Schlusszeile erscheint: «Die Zukunft liegt in unserer Hand.»

Es stellte sich heraus, dass der Spot eine Idee von Purpose Disruptors war. Die Organisation beschreibt sich selbst als «ein Netzwerk von Werbeinsidern, die zusammenarbeiten, um unsere Branche neu zu gestalten und den Klimawandel zu bekämpfen». Konzipiert und umgesetzt wurde das Video vom langjährigen Partner Iris Worldwide.

Am selben Tag hatte der *Guardian* bereits eine ausführliche Konsumkritik mit dem Titel «The Guardian view on festive marketing: stop spending like there's no tomorrow» veröffentlicht.[94] Der Artikel folgte auf die positive Berichterstattung über britische Weihnachtswerbung, die in Sachen Medienecho dem Super Bowl in den USA gleichkommt. Dennoch wurden in dem Leitartikel der übermäßige Konsum beklagt und konkrete Belege für die Auswirkungen der Werbung auf den CO_2-Ausstoß angeführt:

«Natürlich bewegt Werbung etwas. Aber zu welchem Preis? Der *Guardian* berichtet, dass die Marke Audi durch eine preisgekrönte Kampagne von 2018 ihren Absatz um 132 700 Autos steigern konnte. Dies entspricht den jährlichen Treibhausgasemissionen Ugandas. Die Förderung eines Lebensstils, der auf übermäßigem Konsum basiert – SUVs statt Kombis, Langstreckenflüge statt Bahnreisen – ist gut fürs Geschäft, aber schlecht für den Planeten.»

Zufällig haben diese Erkenntnisse dieselben Urheber wie die Werbung mit Simon Amstell: eine Kombination von Leuten der Purpose Disruptors und von Iris Worldwide.[95] Obwohl der *Guardian* diese Studie im Brustton der Überzeugung zitiert, wurde sie inzwischen als unseriös entlarvt – und es bedarf nicht viel Einsicht, um zu erkennen, warum.[96] Ist es glaubwürdig, dass eine einzige Werbekampagne für Audi die jährlichen Treibhausgasemissionen Ugandas verursacht? Wenn das nur annähernd wahr wäre und man es auf alle Autowerbekampagnen hochrechnet, die in diesem und in jedem anderen Jahr gelaufen sind: Wäre der Planet dann nicht schon längst zu Asche verbrannt?

Es zeigte sich, dass die Forschenden den einfachen Weg gewählt und den genannten Anstieg der Audi-Verkäufe (132 700) mit den Emissionen eines einzelnen Audis über dessen gesamte Lebensdauer multipliziert hatten. Diese Methode, die als «Advertised Emissions» bekannt ist, ignoriert die Tatsache, dass die meisten getätigten Autoverkäufe ohnehin zustande gekommen wären. Denn bei der Wirkung von Autowerbung (mehr noch als bei den meisten anderen Kategorien) geht es hauptsächlich um Wettbewerb zwischen den einzelnen Marken. Niemand, der nicht bereits ein Auto benötigt, würde sich aufmachen und einen Audi kaufen, nur weil die Werbung so überzeugend war. Wenn die Werbung erfolgreich ist, entscheiden sich einige vielleicht dafür, einen Audi statt eines BMW zu kaufen. Aber selbst, wenn man diesen Faktor außer Acht lässt: Es zeugt von einem rührenden Glauben an die kurzfristigen Auswirkungen von Werbung, wenn man die Verkaufszahlen von Audi auf die jüngste Werbekampagne zurückführt. In Wirklichkeit werden Marken über Jahrzehnte und nicht über Monate aufgebaut. Die meisten Verkäufe sind heute auf Werbung zurückzuführen, die eine Marke vor zehn Jahren geschaltet hat. Das hindert Agenturen nicht daran, in ihren Case Studies überzogene Behauptungen im Hinblick auf die kommerzielle Wirksamkeit aufzustellen. Das wiederum heißt aber sicher nicht, dass man diesen Behauptungen in der weitreichenden Frage des Klimas folgen sollte.

Das Geschilderte hat Auswirkungen auf die reale Welt. Die Menschen hinter «Advertised Emissions» geben stolz an, dass die Methodik von einflussreichen Akteuren der Branche übernommen wurde. Vielleicht fragen Sie sich jetzt, wie dies das Denken über das Klima verzerrt. Zum Beispiel könnte eine Leserin leicht auf folgenden Gedanken kommen: «Wenn wir nur diese eine Audi-Kampagne stoppen könnten, würden wir die globalen CO_2-Emissionen erheblich senken.» Oder ein Audi-Marketingmanager könnte sich dafür entscheiden, seine Aktivitäten erheblich zurückzufahren. Dafür würde er in seinem jährlichen Nachhaltigkeitsbericht verkünden, CO_2 in Höhe der Volkswirtschaft Ugandas eingespart zu haben. Nichts davon hat irgendetwas mit der Realität zu tun. Tatsächlich wird kaum ein Gramm Kohlenstoff in der Luft hin- oder herbewegt, und es entsteht eine falsche Vorstellung von sinnvollem Handeln.

Aber es kommt noch besser. Der Leitartikel des *Guardian* verweist auf einen anderen Artikel, der am selben Tag veröffentlicht wurde und die Behauptung von Audi/Uganda wiederholt und noch einen Schritt weiter geht:

«Ähnliche Trends sind in der Luftfahrtindustrie zu beobachten. Mehr als die Hälfte der etwa 151 Millionen Dollar, die Delta Air

Lines von Oktober 2022 bis Oktober 2023 für Werbung ausgegeben hat, wurde beispielsweise für die Bewerbung von Langstreckenflügen ausgegeben. Damit sollen Reisende dazu ermuntert werden, Flugmeilen für weitere Reisen zu sammeln und Upgrades in die Premiumklassen vorzunehmen. Und das, obwohl die Fluggesellschaft zweistellige Millionenbeträge für die Bewerbung ihres Engagements für ‹nachhaltige Flugkraftstoffe› ausgegeben hat.»[97]

Wer ist die Werbeagentur von Delta Air Lines, insbesondere für Langstreckenflüge? Niemand anders als Iris Worldwide, die Agentur hinter «The Good Advert». Auf ihrer Website werden auch Arbeiten für Luxus-SUVs von Bentley, Jeep, Mini, VW, Volvo und Lamborghini präsentiert.

«Heuchelei ist der Tribut, den das Laster der Tugend zollt», sagte François de La Rochefoucauld. Es ist immer leicht, sich einzelne negative Beispiele herauszupicken, und das sollte unvollkommene Akteure nicht unbedingt davon abhalten, Gutes zu tun. Aber der eigentliche Punkt ist, dass «The Good Advert» für niemanden viel Gutes bewirkt. Einerseits ist es eine Werbeagentur, die sich auf billige Art und Weise über ihre eigene Branche auslässt, während sie den Rest des Jahres fröhlich für die andere Mannschaft spielt. Das Skript von Simon Amstell wäre vielleicht interessanter gewesen, wenn es einige der komplexen Zusammenhänge angesprochen hätte, etwa in der Art: «Andererseits habe ich diese Doku über den Klimawandel, die Sie gerade sehen, mitfinanziert. Es ist also kompliziert …» Wie wir bereits gesehen haben, kann Werbung von grundlegendem sozialem Nutzen sein, wenn sie ihre Aufgabe gut macht.

Auf einer anderen Ebene wiederum nähren Iris Worldwide und Purpose Disruptors das Narrativ vom Klimaschutz, der nur um den Preis von Entbehrungen und dem Verzicht auf schöne Dinge zu haben ist. Vorgetragen wird dies in der Regel in einem herablassenden, elitären Tonfall: «Du solltest rausgehen und mehr Zeit in der Natur verbringen», lautet das Skript der Werbeagentur. Darauf könnte eine Zuschauerin antworten: «Und was machst *du* eigentlich? Ich habe mich gerade nach einem langen Tag als Krankenschwester, Lehrerin, Bauarbeiterin, Lieferfahrerin oder Arbeitssuchende endlich einmal hingesetzt. Gerade habe ich die Kinder ins Bett gebracht, ihnen ein paar Weihnachtsgeschenke online gekauft und im Supermarkt eingekauft, ohne den wir verhungern würden. Und jetzt soll ich noch in die Natur gehen? Es ist 21 Uhr. Sehen wir uns im nahe gelegenen Wäldchen? Kann ich mir zuerst noch eine Taschenlampe bei Amazon Prime bestellen?»

Selbst für ein Publikum, das sich eine Dokumentation über den Klimawandel anschaut, ist dies eine teure verpasste Gelegenheit. Werbung für den Klimaschutz könnte so ehrgeizig und inspirierend sein: sauberere Luft, schönere Städte, bessere Autos, niedrigere Energierechnungen. Längst hätten Werbeagenturen Solarmodulen und Regentonnen ein cooles Image geben können. Werbeagenturen mit einem 30-Sekunden-Spot zur Hauptsendezeit könnten diesen nutzen, um etwas Nützliches zu kommunizieren: Unterstützen Sie diese Wohltätigkeitsorganisation, spenden Sie für jenen guten Zweck, kaufen Sie dieses grüne Produkt. Stattdessen wird ein selbstreferenzieller Hashtag beworben, der in den sozialen Medien kaum Aufmerksamkeit erregt hat.

Dies ist ein Zeichen dafür, dass etwas grundlegend falsch läuft in der Klimadebatte und dass die Fokussierung auf den Purpose die eigentlichen Probleme nur verschleiert. François de La Rochefoucauld sagte noch etwas anderes: «Wir sind so daran gewöhnt, uns vor anderen zu verstellen, dass wir uns am Ende vor uns selbst verstellen.» Erst wenn wir den Schleier des Purpose vor der Klimadebatte lüften, können wir damit beginnen, uns selbst und der Realität mit größerer Klarheit entgegenzutreten.

Purpose ist der Händler im Tempel

Sollten Sie dieses Buch in der Reihenfolge lesen, in der ich es geschrieben habe, erinnern Sie sich hoffentlich noch daran, dass ich auf die Geschichte von Jesus im Tempel hingewiesen habe. Er vertrieb die Händler, deren erfolgreichste Produktlinie Tauben für rituelle Opferungen waren. Es wäre geradezu fahrlässig, diese Kritik abzuschließen, ohne über das Paradebeispiel der Purpose-beseelten Händler unserer Zeit zu sprechen: Dove.

Vielleicht leben Sie in einem sagenumwobenen Land außerhalb der Marketingindustrie. Dann verbinden Sie Dove vielleicht eher mit Deos, mit Stückseife und Werbung, in der die Farbe Weiß dominiert. Aber bei uns in der Werbebranche hat Dove einen besonderen Ruf als einer der Pioniere der Purpose-Bewegung. Die Marke ist seit 1957 fester Bestandteil des Portfolios von Unilever. Mit der Einführung der «Campaign for Real Beauty» im Jahr 2004, zu der sowohl das «Real Beauty Pledge» – eine Selbstverpflichtung zu echter, unverfälschter Schönheit – als auch das parallel laufende «Self-Esteem Project» gehörten, strebte die Marke eine Sortimentserweiterung von Seife auf die umfassendere Kategorie der Schönheitsprodukte an. Seitdem befindet sie sich auf der Mission, «Schönheit zu einer Quelle des Selbstvertrauens und nicht der Angst zu machen».

Einer der Initiatoren der Kampagne war der Chief Creative Officer Joah Santos. Die Methode, die er anwandte, bezeichnete er als POV: Purpose, Objective, Vision (Zweck, Ziel, Vision). Von Anfang an war Dove klug genug, seiner sozialen Mission einen wissenschaftlichen Anstrich zu verleihen. Dazu gab es ein White Paper in Auftrag, an dem namentlich genannte Mitwirkende wie Dr. Nancy Etcoff von der Harvard University, Dr. Susie Orbach von der London School of Economics sowie Dr. Jennifer Scott und Heidi D'Agostino von StrategyOne, einer Tochtergesellschaft von Edelman Public Relations, mitwirkten.[98]

Das White Paper erweckt zwar den Anschein einer sozialwissenschaftlichen Forschung, doch handelt es sich in erster Linie um eine Marktforschungsstudie. Die von StrategyOne durchgeführte Studie sollte die Existenz eines gesellschaftlichen Problems beweisen, um dessen Lösung herum Dove seine Marke aufbauen würde. Der Bericht beginnt mit einem Zitat von Keats: «‹Schönheit ist Wahrheit, Wahrheit Schönheit› – das ist alles, was ihr auf Erden wisst, und alles, was ihr wissen müsst.» Kulturhistoriker werden feststellen, dass das Wort «Wahrheit» *(«truth»)* zu dieser Zeit eine interessante Entwicklung durchlief. In den nächsten zwei Jahren wählten sowohl die American Dialect Society als auch Merriam-Webster *«truthiness»* (Wahrhaftigkeit) zum Wort des Jahres: die Eigenschaft, wahr zu sein oder als wahr empfunden zu werden, basierend auf Emotionen und nicht auf Beweisen.

Das White Paper enthielt eine Umfrage unter 3200 Frauen im Alter von 18 bis 64 Jahren. Die Schlagzeile lautete, dass sich nur 2 Prozent als «schön» betrachteten (in einer Folgestudie aus dem Jahr 2011 wurde dieser Wert auf 4 Prozent korrigiert). Dies lieferte die schockierende Zahl, die die Kampagne von Dove zur Stärkung des Selbstwertgefühls von Frauen rechtfertigte. Weniger Beachtung fand dagegen die Erkenntnis, dass 72 Prozent der Frauen angaben, ihre Schönheit als durchschnittlich einzuschätzen, und nur 13 Prozent sich selbst als weniger schön oder körperlich attraktiv als andere betrachteten. Man sollte auch erwähnen, dass sich bei der Art, wie solche Fragen gestellt werden, leicht ein offensichtlicher Antwortbias einschleicht. Inwieweit handelt es sich bei den Teilnehmerinnen um echte Unsicherheit oder nicht doch eher um den Wunsch, nicht eitel zu wirken, wenn man nach seinem Aussehen gefragt wird?

Die Studie wurde später in einer #ChooseBeautiful-Kampagne szenisch umgesetzt, wobei zwei benachbarte Eingänge in öffentlichen Räumen jeweils mit «Schön» und mit «Durchschnittlich» beschriftet wurden. Es entstand ein Markenfilm, der die Übung als Pop-Science-Experiment darbot: Unsicherere Frauen entschieden sich hauptsächlich dafür, durch den mit «Durchschnittlich» beschrifteten Eingang zu gehen. Die Ausnahme bildeten einige wenige Frauen, die sich für «Schön» entschieden – entweder, weil sie sich stark genug fühlten, oder weil ihre Mutter bei ihnen war und darauf bestand. Das Ganze wurde von anschwellender Klaviermusik untermalt. Auch hier könnte die Tatsache, dass es sich um eine Entscheidung unter Druck und in einem öffentlichkeitswirksamen Raum handelt, eher für gesellschaftlich akzeptierte Bescheidenheit als für echte Selbstverachtung sprechen. Kat Gordon, Gründerin der 3 % Conference, die sich für mehr weibliche Führungskräfte in der Werbebranche einsetzt, bezeichnete die Kampagne als «plump und manipulativ».[99] Arwa Mahdawi schrieb im *Guardian*, dass Dove die Kunst beherrsche, «eine etwas passiv-aggressive, bevormundende Werbung als selbstbestärkenden, ultra-PR-fähigen sozialen Kommentar auszugeben».[100]

Zumindest hatten die Frauen in diesem Fall die Einschätzung zu ihrem eigenen Körper selbst vorgenommen. Die Real-Beauty-Kampagne von Dove hatte mit Plakaten begonnen, auf denen keine professionellen Models zu sehen waren, sondern Frauen, die als «normal» beschrieben wurden. Teil der Kampagne war ein interaktives Plakat am Times Square, das Passanten dazu einlud, darüber abzustimmen, ob ein bestimmtes Model «Fat or Fab» («fett» oder «toll»), «Wrinkled or Wonderful» («runzlig» oder «wundervoll») war. Die Ergebnisse wurden fortlaufend aktualisiert und auf dem Plakat angezeigt. Es wird berichtet, dass «fett» die Zahl von «toll» übertraf – ein frühes Beispiel für die Gefahren des Crowdsourced Marketing.[101]

Diese öffentliche Bewertung der äußeren Erscheinung schien das Selbstwertgefühl nicht gerade zu steigern, und bald lernte Dove, subtiler vorzugehen. «Tested on Real Curves» war eine Plakatkampagne mit einer Reihe von «echten» Frauen, die sich von den üblichen Models in Werbekampagnen unterschieden. Es handelte sich dennoch um eine kuratierte Auswahl. Virginia Postrel schrieb 2007 in *The Atlantic:* «Die ‹echten Frauen›, die auf den Plakaten für Oberschenkelcreme abgebildet waren, sahen vielleicht nicht wie Supermodels aus, aber sie waren alle jung, hatten symmetrische Gesichter, weibliche Züge, eine tolle Haut, weiße Zähne und eine Sanduhrfigur. Selbst die fülligsten hatten einen relativ flachen Bauch und eine klar definierte Taille. Diese hübschen Frauen wurden nicht zufällig ausgewählt. Dove hat das Schönheitsideal zwar diversifiziert, das Konzept aber nicht ganz aufgegeben.»[102]

Zu einem heftigen Streit kam es, als der Fotoretuscheur Pascal Dangin dem *New Yorker* mitteilte, dass er die Kampagnenfotos umfassend bearbeitet hatte: «Wissen Sie, wie viel Retusche da drin ist? Aber es war toll, eine Herausforderung, dafür zu sorgen, dass die Haut und die Gesichter aller Frauen zwar die Spuren der Zeit zeigten, aber nicht unattraktiv aussahen.» Nachdem dieser Moment unbeabsichtigter Offenheit vorbei war, schien er seine Behauptungen wieder zurücknehmen zu wollen.[103]

An der Kampagne gab es Kritik, weil ihre Haltung im Widerspruch zu anderen Marken des Unilever-Konzerns stand. Während Dove sich dem Selbstwertgefühl von Frauen verschrieben hatte, setzten die Kampagnen für Axe (auch bekannt als Lynx) weiterhin auf stereotyp sexualisierte Frauen. Andere, als problematisch betrachtete Produkte waren der SlimFast-Diätriegel und Fair & Lovely, ein umstrittenes, hauptsächlich in Indien vermarktetes Produkt zur Aufhellung der Haut. Inzwischen wurde es in Glow & Lovely umbenannt und frühere Hinweise auf «Whitening» aus der Sprache getilgt.

Den Höhepunkt von Doves Kampagne stellte der Film *Real Beauty Sketches* von 2013 dar. Der Film, der auf der Strategie von Joah Santos basiert und dem portugiesischen Texter Hugo Veiga zugeschrieben wird, sollte zu einem der viralsten Filme des Jahrzehnts werden und die Vorlage für ähnliche Werbespots bilden. Die Choreografie ist immer ähnlich: Nervöse Teilnehmerinnen betreten einen höhlenartigen Raum, um an einem sozialen Experiment teilzunehmen, das von der weisen und allwissenden Marke inszeniert wird. In diesem Fall befindet sich Gil Zamora in dem Raum, ein Phantombildzeichner im Dienst der Polizei von San Jose. Die Frauen werden hinter einer Leinwand platziert und gebeten, dem Künstler ihr Gesicht zu beschreiben. Die Antworten fallen meist zurückhaltend aus. «Beschreiben Sie mir Ihr Kinn», sagt der Mann. «Es sticht ein bisschen hervor», sagt die Frau. «Und Ihr Kiefer?», fragt der Mann. «Meine Mutter meint, dass ich einen großen Kiefer habe», sagt die Frau. Wir hören dies, umspült von sanfter Klaviermusik. Ohne diese Musik würden solche Spots immer ganz anders ankommen.

Dann kommt ein anderer Fremder herein, der die Teilnehmerinnen nur kurz kennengelernt hat. Er gibt dem Zeichner eine alternative Beschreibung, diesmal fällt sie schmeichelhafter aus. «Ihr Kinn? Es ist schön und schmal», sagt der Fremde. «Süße Nase», sagt ein anderer Fremder. «Sie hat schöne Augen, die leuchten, wenn sie spricht», sagt wieder ein anderer Fremder. Während die Klaviermusik anschwillt, werden die Frauen wieder hereingeführt. Sie bekommen eine Skizze zu sehen, die auf ihrer eigenen Beschreibung beruht und auf der sie etwas missmutig und leidend aussehen. Dann zeigt man ihnen eine andere Skizze, die auf der Beschreibung des Fremden basiert. Diese Skizze schmeichelt ihrem Aussehen mehr, die Frauen sehen darauf strahlender aus. Mit Tränen in den Augen begreifen die Frauen, wie sehr sie sich selbst kleingeredet haben. «Glauben Sie jetzt, dass Sie schöner sind, als Sie sagen?», fragt der Künstler. «Ja … Ja», sagt die Frau zögerlich und fährt fort: «Ich sollte dankbarer sein.» Eine andere Teilnehmerin wird gezeigt, wie sie ihren Freund umarmt – sie hat erkannt, wie überflüssig ihre Unsicherheit war. «Sie sind schöner, als Sie denken», heißt es am Ende, während das Dove-Logo erscheint.

Der Film war ein Hit in den sozialen Medien, gekonnt in Szene gesetzt, um eine emotionale Reaktion hervorzurufen. Einige Branchenbeobachterinnen waren jedoch besorgt. «Diese Kampagnen halten immer noch an der Vorstellung fest, dass Schönheit bei der Bewertung von uns selbst und anderen Frauen an erster Stelle steht», schrieb Ann Friedman in The Cut. «Das Ziel sollte nicht sein, dass wir Frauen uns darauf konzentrieren, wie wunderschön wir alle auf unsere Weise sind. Es sollte vielmehr darum gehen, uns Frauen dazu zu bringen, für uns selbst das zu tun, was wir uns von der Gesellschaft im Allgemeinen wünschen: dass wir einander nach unserer Intelligenz, unserem Witz und unserem ethischen Empfinden beurteilen, nicht nur nach unseren Gesichtern und Körpern.»[104] Die Kritik steht im Einklang mit einer weiteren, wenig beachteten Erkenntnis aus der ursprünglichen Dove-Studie, nämlich dass «Schönheit und körperliche Erscheinung nicht die Hauptfaktoren für das Wohlbefinden von Frauen sind» – sie rangieren hinter Faktoren wie Familie, Freunden, Gesundheit, Glauben und beruflichem Erfolg.

Zweifellos brachte die Kampagne der Marke kommerzielle Vorteile. In der Liste der «Campaigns of the Century» von Ad Age steht sie auf Platz eins und hat dazu beigetragen, den Umsatz innerhalb von zehn Jahren von 2,5 Milliarden auf 4 Milliarden US-Dollar zu steigern.[105] Der bereits erwähnte Mark Ritson hat darauf hingewiesen, dass diese «Purposeful Ads» parallel zu vielen weitaus traditionelleren, produktzentrierten Kampagnen geschaltet wurden – im Dove-Jargon als «duales Kommunikationsmodell» bezeichnet –, sodass es schwierig ist, die Wirkung der beiden voneinander zu trennen.[106] Man muss den «Purposeful Ads» aber zugutehalten, dass sie die Bekanntheit der Marke gesteigert haben – trotz (oder vielleicht gerade wegen) der damit verbundenen Kontroversen.

Die Frage, die sich in diesem Kapitel und für jeden stellt, der sich für die gesellschaftlichen Auswirkungen von Kampagnen jenseits der Steigerung der Verkaufszahlen interessiert, ist: Hat das Ganze etwas Gutes für die Gesellschaft bewirkt? Wie immer ist das schwieriger zu messen. Ein Vorteil einer sozialen Mission besteht darin, dass es schwer ist, einer Seifenmarke die Schuld zu geben, wenn sich der Trend in die falsche Richtung entwickelt (was immer ein Grund mehr sein kann, für das Gute zu kämpfen). Umgekehrt ist es einfacher, zumindest einen Anteil am Verdienst für sich zu reklamieren, wenn der Trend in die gewünschte Richtung geht.

Die Entwicklungen der letzten beiden Jahrzehnte geben nicht gerade Anlass zur Hoffnung. Zahlen, die im Rahmen einer Klage gegen Meta und Instagram im District of Columbia vorgelegt wurden, zeigen im Zeitraum zwischen 2001 und 2018 einen alarmierenden Anstieg der Selbstmordraten bei 12- bis 14-jährigen Mädchen. Dasselbe gilt für Selbstvergiftungen bei 13- bis 15-jährigen Mädchen, schweren depressiven Episoden bei 14- bis 15-jährigen Mädchen und depressiven Symptomen bei Achtklässlern. Ein besonderer Anstieg ist um 2004 zu verzeichnen, gefolgt von einem dramatischen Anstieg ab 2011, der dem Bericht zufolge auf die Verbreitung von Mobiltelefonen und sozialen Medien zurückzuführen ist.

Im Hinblick auf den Erfolg des Self-Esteem-Projekts verheißt dies nichts Gutes. Dennoch haben die jüngsten Projekte von Dove Wirkung gezeigt: Auf TikTok wendet sich eine #TurnYourBack-Kampagne gegen Beauty-Filter auf der Plattform. Das ist ein ehrenwertes Ziel, aber die Kampagne verfolgt den bekannten Purpose-Ansatz, nämlich die Finanzierung der Plattform, die sie kritisiert. Nach dem Motto «Ein Prinzip ist erst dann ein Prinzip, wenn es dich etwas kostet» könnten sich Marken von einer Plattform zurückziehen, deren Verbot politische Entscheidungsträger in der westlichen Welt erwägen. Aber kommerzielle Anreize sorgen dafür, dass der Ansatz «Erfolgreich sein, indem man Gutes tut» stets attraktiver ist, nach dem Motto: Schalte weiterhin Werbung an eine zentrale Bevölkerungsgruppe, aber frame sie als Widerstand.

Dementsprechend sind die Ausgaben für soziale Medien gestiegen. Anfang 2023 erhöhte die Marketing-Insight-Organisation WARC ihre Prognose für die TikTok-Werbeausgaben um fast 2 Mrd. US-Dollar auf 15,2 Mrd. US-Dollar. Gleichzeitig stellte sie fest, dass 75 Prozent der Vermarkter eine Steigerung ihrer Aktivitäten auf der Plattform planten, was einem Anstieg der Werbeeinnahmen um 52 Prozent gegenüber dem Vorjahr entsprechen würde.[107] Wenn Social-Media-Plattformen maßgeblich für psychische Störungen verantwortlich sind, könnte das an dem werbefinanzierten Modell liegen, das Anreize für Clickbait, Polarisierung und Kontroversen bietet. Ohne die Werbung gäbe es weniger Probleme, die Dove lösen oder über die andere Marken «eine Diskussion leiten» könnten.

Psychologen würden vielleicht andere Fragen zum Ansatz von Dove einfallen. Es gibt einen bekannten Witz darüber, wie man jemanden verunsichern kann. Gehen Sie einfach auf die Person zu und sagen Sie: «Egal, was die anderen sagen, ich finde Sie toll.» Obwohl es als ermutigendes Kompliment formuliert ist, ist die natürliche Reaktion der meisten Menschen: «Moment mal, was sagen denn alle anderen?»

Man könnte sagen, dass dies seit 20 Jahren die Markenstrategie von Dove ist. In meinem ersten Artikel über Purpose von 2017 hatte ich geschrieben: «Werbetreibende nähren genau die Selbstzweifel, die sie vorgeben zu bekämpfen – und erfinden ständig neue, von denen wir nicht einmal wussten, dass wir sie haben.»[108]

Die Schriftstellerin und Komikerin Mindy Kaling hat über die Welle der Frauen-«Empowerment»-Werbung geschrieben, bei der Dove an vorderster Front steht.

«Wir gehen einfach davon aus, dass Jungen selbstbewusst sind.

So wie deine Eltern davon ausgehen, dass du dir jeden Morgen die Zähne putzt, ohne im Bad nachzuschauen. Bei Mädchen gilt diese selbstverständliche Annahme nicht. Plötzlich stehen deine Eltern im Bad und sehen dir beim Zähneputzen zu – mit einem ermutigenden, besorgten Gesichtsausdruck: Süße, du schaffst das! Wir wissen, dass es schwer ist, sich die Zähne zu putzen! Wir lieben dich! Da denken die Mädchen bestimmt: Huch? Ist Zähneputzen eine so schwierige und beängstigende Sache? Ich dachte, man müsste einfach nur Zahnpasta auf die Zahnbürste auftragen. Ich mache mir Sorgen, wenn man Mädchen erzählt, wie schwierig es ist, selbstbewusst zu sein. Damit geht man stillschweigend davon aus, dass sie es nicht sein werden.

Die gute Nachricht ist, dass wir in unserem Land alles daransetzen, Mädchen zu vermitteln, dass sie selbstbewusst sein sollen. Das ist unser neuer Zeitvertreib. Jeden Tag sehe ich Twitter-Posts, Instagram-Kampagnen und Hashtags, wo zu lesen ist: ‹We Will!› oder ‹Girls Can!› oder ‹Me Must, I Too!›. Ich denke, dass es grundsätzlich gut ist, wenn die Menschen, vor allem die Männer, weibliches Selbstvertrauen im Internet sehen. Mich beschleicht nur manchmal der Verdacht, dass sich die Unternehmen das Thema ‹weibliches Selbstbewusstsein› zu eigen machen, um Mädchen zum Kauf von Körperpflegeprodukten zu bewegen. Seid vorsichtig.»[109]

«Sei vorsichtig» ist auch weiterhin ein guter Rat. In einem anderen Film der Marke Dove mit dem Titel «Toxic Influence» werden Mütter und Töchter in den bekannten, höhlenartigen Raum geführt, damit sie mit der allmächtigen Stimme von Dove reden. Die Stimme, die aus dem Off ertönt, bittet die Mütter und Töchter, über die Auswirkungen des Gebrauchs von Smartphones und sozialen Medien zu sprechen, worauf die Mütter die selbstgefällig-oberflächliche Antwort geben: «Das ist schon in Ordnung.» Dann zeigt Dove den Teilnehmerinnen einen Film, in dem die Deepfake-Technologie (offenbar ohne Erlaubnis) eingesetzt wurde, um den Müttern toxische Ratschläge zum Aussehen ihrer Töchter in den Mund zu legen. Zum Beispiel sollen sie Botox verwenden, Diätnahrung in Pulverform probieren (vielleicht SlimFast) und ihre Zähne mit einer Nagelfeile feilen. «Das bin nicht ich!», schreit eine schockierte Mutter.

«So etwas würden Sie Ihrer Tochter nicht sagen», mahnt die Marke. «Aber sie hört es trotzdem jeden Tag online.» Die Mütter sind zu Tränen gerührt. «Der größte Einfluss eines Mädchens werden immer seine Eltern sein», lautet die Botschaft auf der großen Leinwand. Die Quintessenz des Ganzen ist: «Redet immer mit euren Töchtern.»

Es wäre durchaus interessant, eines Tages eine andere Art populärwissenschaftliches Experiment durchzuführen. Nervöse Dove-Marketingmanager könnten in einen höhlenartigen Raum geführt und vor einen riesigen Bildschirm gesetzt werden. Auf dem Bildschirm wären die Mütter aus der «Toxic Influence»-Werbung zu sehen, die sagen: «Moment mal, wer finanziert denn diese Plattformen?» Klaviermusik würde sich dazugesellen, während eine Schlagzeile verkünden würde, dass Unilever seine Marketingausgaben 2023 um 500 Millionen Euro erhöht und 29 neue Hubs für digitales Marketing, Medien und E-Commerce geschaffen hat.[110] Die Musik würde langsam anschwellen, während eine Bildunterschrift erscheint: «Heute ist die Wahrscheinlichkeit, dass Frauen an allgemeinen psychischen Problemen leiden, dreimal so hoch wie bei Männern. 1993 war die Wahrscheinlichkeit doppelt so hoch.»[111] Das Dove-Logo würde vor dem Gesicht einer Covid-Krankenschwester verblassen und an seiner Stelle ein National-Health-Service-Logo erscheinen, während ein Werber eine Träne verdrückt. Eine Marketingspezialistin würde von ihrem Freund umarmt, als Radhika Parameswaran, Professorin für Gender- und

Medienwissenschaften an der Indiana University Bloomington, verkündet, dass Fair & Lovely einen Anteil von 70 Prozent am indischen Markt für Hautaufheller hat und «es nicht ausreicht, das Wort ‹fair› [hellhäutig] zu entfernen».[112] Ein anderer Marketingspezialist murmelt: «Ich sollte dankbarer sein», als er von den Gewinnspannen von Unilever liest, die durch Preiserhöhungen während einer allgemeinen Inflation erzielt wurden.[113] Die Musik erreicht ihren Höhepunkt, als eine Gruppe ukrainischer Amputierter hinter dem Bildschirm auftaucht und erklärt, dass Unilever seinen Gewinn nach der russischen Invasion auf 9,2 Milliarden Rubel verdoppelt und die Werbeausgaben um 10 Prozent auf 21,7 Milliarden Rubel erhöht hat.[114] Dann würde die Schlusszeile eingeblendet: «Aber der Umsatz liegt bei 2,5 bis 4 Milliarden Dollar. Es ist also alles gut.»

Das klingt vielleicht hart. Aber das ist die Art von Vergleichen, zu denen der Purpose einlädt. Dove verdient Lob für eine erfolgreiche Werbekampagne. Dove verdient Lob dafür, dass die Marke geschickt aufgesprungen und die kulturellen Wellen der letzten zwei Jahrzehnte gesurft ist. Aber der Purpose des Purpose ist der Purpose, und die Wirkung einer sozialen Maßnahme muss an ihren sozialen Ergebnissen gemessen werden. Es reicht deshalb nicht aus, darüber zu sprechen, wie man Debatten anregt oder Social-Media-Impressions erzeugt. Wenn es um gesellschaftliche oder soziale Auswirkungen geht, ist das warme Gefühl, das sich am Ende eines Dove-Spots einstellt, ein unzuverlässiger Ratgeber. Die gefühlte Wahrheit ist oft nicht die ganze Wahrheit.

Das Selbstwertgefühl von Frauen ist ein wichtiges Thema. Die Darstellung von Mädchen und Frauen in den Medien ist ein wichtiges Thema. Die steigende Rate psychischer Störungen ist ein wichtiges Thema. Sie alle sind zu wichtig, um als Sprungbrett für Werbekampagnen für Seife missbraucht zu werden. Effektives Marketing ist eine gute Sache, solange es dort betrieben wird, wo es hingehört. Aber wenn es sich in wichtige soziale Fragen einmischt, begibt es sich in einen ihm wesensfremden Bereich – nennen wir ihn den Tempelbezirk. Und früher oder später stellt das die Geduld eines Heiligen auf die Probe.

5.
Was ist die Alternative?

> Der Versuch, den Himmel auf Erden
> zu verwirklichen, erzeugt stets die Hölle.
>
> – Karl Popper, *Die offene Gesellschaft und ihre Feinde,* 1945

«Liebe Amerikaner, träumt diesen 4. Juli vom Aufstand gegen die Herrschaft der Konzerne», lautete der erste Tweet mit dem Hashtag #occupywallstreet. Der Tweet wurde am 4. Juli 2011 von einer «Culture Jamming»-Organisation und Publikation namens Adbusters gepostet. Die Herausgeber Kalle Lasn und Micah White schickten eine längere E-Mail an ihre 90 000 Mitglieder, um ihre Ideen zu erläutern. Den Anfang der E-Mail machte das Bild einer Balletttänzerin, die auf dem Wall-Street-Bullen posierte. Unter Bezugnahme auf den anfänglichen Optimismus des Arabischen Frühlings und die Besetzung des Tahrir-Platzes sprach der Text von der Macht der vielen unterschiedlichen Stimmen, die sich hinter einer einzigen Forderung vereinen: «Wir konzentrieren uns auf unsere einzige Forderung. Eine Forderung, die die Vorstellungskraft anregt und uns, wenn sie erfüllt wird, in Richtung der radikalen Demokratie der Zukunft treiben wird … und dann gehen wir hinaus und erobern einen Platz von einzigartiger symbolischer Bedeutung und setzen uns dafür ein, dass es geschieht.» Dieses Mal sei das Ziel «der größte Schädling unserer Demokratie: die Wall Street, das finanzielle Gomorrha Amerikas».

Was die Forderung angelangt: «Der bisher spannendste Kandidat, den wir gehört haben, ist einer, der mit seinem Ansatz die mangelnde Demokratiefähigkeit des amerikanischen politischen Establishments an der Wurzel packt: Wir fordern, dass Barack Obama eine Präsidialkommission einsetzt, die den Einfluss von Geld auf unsere Vertreter in Washington beenden soll. Es ist Zeit für ECHTE REPRÄSENTATION, NICHT FÜR KONZERNE (representation not corporation).»

Die Hoffnung war, dass eine anhaltende Besetzung der Wall Street die Regierung dazu zwingen würde, «sich öffentlich zwischen dem Willen des Volkes und dem Profitstreben der Unternehmen zu entscheiden». Neben einer präsidialen Kommission zur Scheidung von Geld und Politik würde dies die Wiedereinsetzung des Glass-Steagall-

Gesetzes (das von Roosevelt eingeführt wurde, um das Geschäftsbankenwesen und das Investmentbanking zu trennen, und das möglicherweise dazu beigetragen hätte, die Krise von 2008 zu verhindern, wenn es nicht aufgehoben worden wäre) und ein «Three-Strikes-and-you're-out»-Gesetz für Wirtschaftskriminelle beinhalten.

Man muss kein radikaler Gegner des Konsumismus oder Antikapitalist sein, um der Anti-Konzern-Haltung der Occupy-Wall-Street-Bewegung etwas abzugewinnen oder darüber zu staunen, wie gründlich sie in den folgenden zehn Jahren in Vergessenheit geriet. Die Wut richtete sich gegen die Kommerzialisierung der Politik. Doch was darauffolgte, war die Kehrseite: die Politisierung von Unternehmen. «representation not corporation» lautete die Parole. Doch bis 2020 war daraus «representation *by* corporation» (Repräsentation durch Konzerne) geworden. Wir haben die Entwicklung verfolgt: Symbolisiert wurde die Wende durch den Abschied von der Balletttänzerin und die Ankunft von «Fearless Girl» – der von State Street in Auftrag gegebenen Statue als vordergründiges Symbol feministischen Protests. Und wir haben die Folgen gesehen: von schwächerem Marketing bis hin zu negativeren Auswirkungen auf die Gesellschaft.

Die Lösung beginnt damit, erneut den Unterschied zwischen Repräsentation und Konzernen herauszuarbeiten. Und erneut zu lernen, warum die Trennung von Wirtschaft und Politik immer wichtig war und jetzt noch wichtiger ist. Die Unterscheidung zwischen gewinnorientiert und gemeinnützig bleibt grundlegend. Diese Grenze wird durch Purpose verwischt.

Falls das zu abstrakt klingt, lassen Sie es uns anhand der Geschichte zweier Geschäftsleute veranschaulichen. Beide wollten Gutes in der Welt tun, gingen aber auf unterschiedliche Weise vor. Einen von beiden betrachte ich als einen spirituellen Führer auf dem Weg heraus aus der Hölle. Und es ist nicht der mit dem Wanderstab, sondern der mit dem Salatdressing.

Patagonia goes Purpose

«Billionaire no more: Patagonia-Gründer verschenkt das Unternehmen». So lautete die Schlagzeile der *New York Times* vom 14. September 2022. 50 Jahre nach der Gründung seines Unternehmens wurde berichtet, dass der ehemalige Bergsteiger und widerwillige Milliardär Yvon Chouinard sein Vermögen verschenken würde – in einem Schritt, den er nicht als «Going Public», sondern als «Going Purpose» bezeichnete. Es gibt viel, was man an Yvon Chouinard mögen kann. Der in Kalifornien geborene Sohn französisch-kanadischer Eltern war in der Schule ein Außenseiter, der im Falconry Club seine Nische fand und sich auf der Suche nach Falkennestern von Klippen abseilte. Nach einer kurzen Tätigkeit in der Privatdetektei seines Bruders brachte er sich selbst das Schmiedehandwerk bei, um seine eigene Kletterausrüstung herzustellen, die er dann an Freunde verkaufte. Sein kommerzieller Durchbruch kam jedoch mit einer Reise nach Schottland, wo ihm die Rugby-Trikots auffielen. Bald begann er damit, sie in seiner Heimat zu verkaufen. Aus diesen kleinen Anfängen entwickelte sich ein Bekleidungsunternehmen, das stets auf Nachhaltigkeit bedacht war und kommerziellem Erfolg misstrauisch gegenüberstand. «Ich bin seit fast sechzig Jahren Geschäftsmann», schrieb Chouinard 2006. «Es fällt mir genauso schwer, diese Worte auszusprechen, wie es jemand anderem schwerfällt zu gestehen, dass er Alkoholiker oder Anwalt ist.»

Chouinard wurde von Verfechtern des Corporate Purpose als Held gefeiert, aber er ist nicht immer erpicht darauf, das Kompliment zu erwidern. In einem offenen Brief, in dem er den Schritt in Richtung «Going Purpose» ankündigte, versetzte er der Bewegung einen versteckten, aber tödlichen Schlag: «Eine Option war, Patagonia zu verkaufen und das gesamte Geld zu spenden», erklärt Chouinard in dem Brief. «Aber wir konnten nicht sicher sein, dass ein neuer Eigentümer unsere Werte aufrechterhalten oder unser Team von Mitarbeitenden auf der ganzen Welt weiterbeschäftigen würde.» Und dann kommt der Todesstoß: «Ein anderer Weg bestand darin, das Unternehmen an die Börse zu bringen. Was für eine Katastrophe das gewesen wäre! Selbst börsennotierte Unternehmen mit guten Absichten stehen unter zu großem Druck, kurzfristige Gewinne auf Kosten der langfristigen Vitalität und Verantwortung zu erzielen.»

Hier äußert Chouinard eine Ansicht, die Kritiker des Purpose-Gedankens in jeder anderen Situation als Pessimisten und Zyniker entlarvt hätte. Selbst börsennotierte Unternehmen mit guten Absichten können nicht wirklich Purpose-orientiert sein, und allein der Versuch wäre eine Katastrophe. All diese «Start with Why»-Erzählungen, all diese Versprechen des US Business Roundtable, all die Unilevers, Danones, Metas, BlackRocks und P&Gs ... sie alle werden vom Propheten des Purpose abgeschrieben. Und das, obwohl die meisten ihn als ihren Retter gefeiert haben.

In der Zwischenzeit hatte Patagonia lange mit seinen internen Spannungen zu kämpfen. Der aufrichtige Aktivismus seines Gründers ging Hand in Hand mit einem natürlichen Hang zur Selbstinszenierung – einer Neigung zu großen, markenwirksamen Gesten, durch die die inneren Widersprüche unübersehbar wurden.

Als Stück Werbegeschichte ist die Kampagne «Don't buy this jacket» von 2011 kaum zu übertreffen. Am Black Friday veröffentlicht, war darin von einem Unternehmen die Rede, das endlich das Richtige tat und seine Kunden aufforderte, weniger zu konsumieren. «Wir bitten Sie, weniger zu kaufen und nachzudenken, bevor Sie einen Cent für diese Jacke oder etwas anderes ausgeben», hieß es in der Anzeige, in der die Kosten für die Umwelt für jede Jacke, die vom Band lief, offengelegt wurden. «Wie bei allen Dingen, die wir herstellen und die Sie kaufen können, sind die Umweltkosten für diese Jacke höher als ihr Preis», hieß es weiter.

«Kaufen Sie nichts, was Sie nicht brauchen. Überlegen Sie zweimal, bevor Sie etwas kaufen.»

Die Botschaft war eindeutig. Aber jede und jeder mit einem Hauch von Marketinginstinkt weiß, dass eine ganzseitige Anzeige in der *New York Times* am Black Friday – komplett mit Logo und Produktbild und so gestaltet, dass sie Aufmerksamkeit und positive PR generiert – das tun wird, was Anzeigen in der Regel tun. Berichten zufolge stiegen die Verkäufe von Patagonia in den neun Monaten nach der Anzeige um 30 Prozent.[115] Philosophiestudenten können nun darüber diskutieren, ob sie damit «funktioniert» hat.

Diese Tendenz zur öffentlichen Selbstdarstellung zeigte sich auch in den Lobeshymnen auf die neue Unternehmensform. «Die Erde ist jetzt unser einziger Aktionär», lautete die Schlagzeile. «Instead of going public, you could say we're going purpose», hieß es in der Pressemitteilung. Das ist einerseits ein cleverer, andererseits aber auch ein merkwürdiger Satz für Chouinard, der sich der Wahnvorstellungen der breiteren Purpose-Bewegung bewusst ist. Man sollte meinen, er hätte kein Interesse daran gehabt, die Debatte weiter zu befeuern. Doch viele Purpose-Befürworter in der multinationalen Unternehmenswelt sahen darin eine Bestätigung ihrer Bewegung. Wie vieles von dem, was Patagonia tut, könnte man es als gute PR, aber schlechten Aktivismus bezeichnen. Konsequenter wäre es vielleicht gewesen, wenn sich Patagonia von einer unternehmerischen Bewegung abgegrenzt hätte, die der Sache des echten Umweltschutzes eher schadet als nützt. Aber das wäre bei Geschäftsleuten, die sich für den beschwerlichen Weg von der Haustür zum Tesla eine teure Funktionsjacke kaufen, sicher weniger beliebt gewesen.

In der Zwischenzeit wurde Kritik an der Version der Geschichte laut, das Unternehmen sei «verschenkt» worden, wie es die *New York Times* in ehrfurchtgebietendem Ton dargestellt hatte. Schaut man sich die neue Struktur genauer an, stellt sich die Geschichte deutlich differenzierter dar.

Chouinard hatte die Übertragung des gesamten stimmberechtigten Aktienkapitals (das 2 Prozent des Unternehmenswerts ausmachte) an den Patagonia Purpose Trust angekündigt. Er hatte ihn gegründet, um die Werte des Unternehmens zu wahren. Das nicht stimmberechtigte Aktienkapital (das 98 Prozent des Unternehmenswerts ausmachte) sollte dem Holdfast Collective übertragen werden, einer neuen gemeinnützigen Organisation. Jedes Jahr würde Patagonia genug Gewinne einbehalten, um seine Betriebskosten zu decken. Der Rest sollte an das Holdfast Collective gehen, das das Geld «zur Bekämpfung der Umweltkrise, zum Schutz von Natur und Artenvielfalt sowie zur Unterstützung lebendiger Gemeinschaften» verwenden würde. Bezeichnenderweise ist das Holdfast Collective nach dem US-amerikanischen Steuergesetz 501(c)(4) als steuerbefreit anerkannt. Das bedeutet, dass es im Gegensatz zu öffentlichen Wohltätigkeitsorganisationen gesetzlich erlaubt ist, sich politisch zu betätigen. Wie der Nachlassanwalt Matthew Erskine in *Forbes* betonte, «ist der einzige Verlierer die Regierung, denn wenn der gesamte Wert des Unternehmens in Höhe von 3 Milliarden US-Dollar steuerpflichtig wäre, würde Chouinards Erbe 1,6 Milliarden US-Dollar – oder mehr, falls nach 2025 – an Nachlasssteuern auf Bundesebene verursachen».[116]

Marktbeobachter wiesen auf einen ähnlichen Fall hin. Einige Wochen zuvor berichtete die *New York Times* über Barre Seid, einen rechtsgerichteten Milliardär, der sein Unternehmen an eine konservative gemeinnützige Organisation übergab. Diese verkaufte es sofort weiter, um 1,6 Milliarden Dollar für konservative Zwecke zu generieren – darunter auch für den Kampf gegen Maßnahmen für den Klimaschutz.[117] In der Presse stand dieses Beispiel für die Beeinflussung der Politik durch «dunkles Geld»: Ein Milliardär wandelt seine Marktmacht in langfristigen politischen Einfluss um. Patagonia kann nun mit Fug und Recht behaupten, weniger «dunkel» zu sein: Es ist kein Geheimnis, woher das Geld kommt, auch wenn nur begrenzt nachvollziehbar ist, wohin es fließt. Aber es ist Teil desselben Trends, dass private Interessen mehr und mehr politische Prozesse beeinflussen. Professor Carl Rhodes, ein namhafter Purpose-Kritiker aus dem linken Spektrum, erklärt, warum dies Anlass zur Sorge gibt:

> «Wir leben in einer Zeit, in der Unternehmer die Rolle des Moralapostels übernehmen und ihr Vermögen einsetzen, um die ihrer Meinung nach größten Probleme der Gesellschaft anzugehen. Währenddessen wachsen der Reichtum und die Zahl der Milliardäre weltweit, und die Ungleichheit bringt die Gesellschaft an ihre Belastungsgrenze. Es ist großartig, dass Chouinard sein Unternehmen für die Zukunft unseres Planeten einsetzt. Weniger großartig ist allerdings, dass unser Leben und unsere Zukunft zunehmend von der Macht und der Großzügigkeit der reichen Elite abhängen, anstatt vom gemeinsamen Willen des Volkes bestimmt zu werden.»[118]

Andere linke Kritiker fanden noch deutlichere Worte. Der Komiker und politische Beobachter Adam Conover hat einen eindrücklichen Film gedreht, in dem er sowohl Patagonia als auch die Medien dafür anprangert, dass sie eine solche Wohlfühl-Story in Umlauf gebracht haben: «Hier geht es nicht nur um eine Schenkung, die es Chouinard erlaubt, Milliarden von Dollar an Steuern zu sparen», argumentiert er. «Vielmehr ist die Tatsache, dass ein Milliardär überhaupt die Möglichkeit hat, dieses Manöver zu unternehmen, eine absolute Katastrophe für unseren Planeten und unsere Demokratie.» Conover weist darauf hin, dass Chouinard dem erklärten Purpose des Unternehmens weiter hätte entsprechen können, wenn er seine Aktien im Wert von 3 Milliarden Dollar auf seine Kinder übertragen hätte. Sie hätten das Unternehmen dann nach seinen Wünschen weitergeführt. Aber dieser Schritt hätte zu Steuerabgaben in Höhe von über einer Milliarde Dollar geführt.

Stattdessen stellte die neue rechtliche Konstruktion sicher, dass die Familie die effektive Kontrolle über die geschäftlichen Aktivitäten behielt, die Einflussnahme auf die Geldmittel aber an das Holdfast Collective übertrug, das auf Dauer politischen Einfluss ausüben konnte. «Yvon war in der Lage, sein 3-Milliarden-Dollar-Unternehmen in eine 3-Milliarden-Dollar-Maschine für politischen Einfluss zu verwandeln, und das steuerfrei», fährt Conover fort. «Er hat keine Kapitalertragssteuer auf das Wachstum des Unternehmens gezahlt, er hat keine Einkommenssteuer gezahlt, die ich zahlen müsste, bevor ich an meine bevorzugte 501(c)(4)-Organisation[119] spende. Und er hat definitiv keine Schenkungssteuer gezahlt, die man normalerweise zahlen muss, wenn man seinen Kindern 3 Milliarden Dollar in Form von Geld und politischem Einfluss vermachen möchte.» Er kommt zu dem Schluss: «Aufgrund ihrer Kontrolle über Patagonia und Holdfast werden Chouinards Nachkommen ihr ganzes Leben lang über außerordentliche politische Macht verfügen. Sie werden zu Treffen mit einflussreichen, gewählten Entscheidungsträgern einladen werden. Sie werden zu Konferenzen auf der ganzen Welt geflogen werden. Sie werden bis zu ihrem Tod als große Philanthropen gefeiert werden, bis ihre eigenen Kinder übernehmen ... Chouinard hat sein Geld in dauerhafte politische Macht für sich und seine Nachkommen verwandelt, und ich denke nicht, dass er dafür eine Steuervergünstigung verdient.»

Conover räumt ein, dass die Absichten dahinter gut sein mögen und dass man für einen solchen Fall begrenzte soziale Vorteile vorsehen könnte. Aber ganz grundsätzlich geht es um systemische Fragen: Wollen wir den Barre Seids und den Yvon Chouinards dieser Welt solche rechtlichen Konstruktionen ermöglichen und sie fördern? Und wollen wir in einer Gesellschaft leben, in der der demokratische Prozess noch stärker von privatem Geld beeinflusst wird als bisher? Ja, die Linke kann die Milliardäre in ihrem eigenen politischen Lager bejubeln. Aber das ist weit entfernt von dem «Representation not corporations»-Geist der Occupy-Wall-Street-Bewegung. Eine bessere Strategie, sowohl kurz- als auch langfristig, wäre es, eine andere Art von Helden anzufeuern. Und Paul Newman wäre da nicht der schlechteste Kandidat.

Newman goes human

Wenn Sie Paul Newman im Dezember 1980 in seinem Haus in Connecticut besucht hätten, hätten Sie vielleicht erwartet, einen Hollywoodstar am Kamin vorzufinden. Möglicherweise hätte er Ihnen von seinen Hauptrollen in *The Hustler, Butch Cassidy and the Sundance Kid* oder *Cool Hand Luke* erzählt. Man hätte auch erwarten können, diesen Teilzeit-Rennwagen-Fan und viermaligen nationalen Meister in der Garage über einen Motor gebeugt anzutreffen. Stattdessen führte man Sie in den Keller. Dort standen Sie einem Mann mit einem hölzernen Paddel in der Hand gegenüber, der in einer riesigen Badewanne mit Olivenöl rührte. Ab und zu hielt er inne, um einen Schluck Budweiser zu nehmen. Dann wies er seinen Freund und Nachbarn, den Schriftsteller A. E. Hotchner, an, ein weiteres Glas Senf in die Wanne zu schütten.

Paul Newman mochte Salatdressing. In gehobenen Restaurants bat er die Kellner darum, ihm statt des vorgesehenen Dressings Zutaten zu bringen, aus denen er sein eigenes Dressing mischte. Wenn ein Restaurant bereits angemachten Salat servierte, nahm er ihn diskret mit zur Toilette, wo er ihn am Waschbecken abspülte und mit einem Küchentuch trockentupfte. Dann machte er sich an die Arbeit, sein eigenes Dressing herzustellen. In jener Zeit enthielten die meisten Dressings Zucker, künstliche Farbstoffe und chemische Konservierungsmittel, aber Newman bevorzugte den naturbelassenen Geschmack seines eigenen Dressings.

Auch in anderen Lebensbereichen war Newman ein unabhängiger Typ. In seinen frühen Jahren als Schauspieler lehnte er den Rat ab, seinen jüdischen Nachnamen zu ändern. Stattdessen nahm er die jüdische Seite seiner Identität an, «weil es eine größere Herausforderung ist». Als überzeugter Demokrat nahm er 1962 am Marsch auf Washington teil, 1970 war er beim ersten Earth Day dabei und wurde zum lautstarken Befürworter der Rechte Homosexueller und der gleichgeschlechtlichen Ehe. Als seine stolzeste Leistung nannte er den 19. Platz auf Richard Nixons «Feindesliste», die während der Watergate-Anhörungen an die Öffentlichkeit gelangte.

Newmans Freund und Nachbar A.E. Hotchner war Romanautor, Dramatiker und Biograf von Ernest Hemingway. Die beiden verband eine enge Freundschaft, und so nahmen sie ein neues Projekt gemeinsam in Angriff: den Einstieg in das Salatdressing-Geschäft. Zuerst war es nur ein Scherz, der aus Newmans obsessivem Interesse an dem Produkt entstanden war. Aber bald gewann das Ganze eine Eigendynamik, und Newman und Hotchner schlossen Liefer- und Vertriebsverträge ab. Um sicherzugehen, dass die Produktqualität stimmte, studierten die beiden jedes Detail der Verträge. Nur widerwillig ließ sich Newman dazu überreden, sein Foto auf die Produktverpackung zu setzen. Es kam ihm plump vor, gleichzeitig sah er aber ein, dass es aus kommerzieller Sicht notwendig war. Die Partner entschädigten ihn dafür, indem sie den Rest der Verpackung für humorvolle Texte nutzten, die eine Marke kommunizierten, die sich selbst nicht allzu ernst nahm. Der stolze Slogan auf den ersten Dressing-Flaschen lautete: «Newman's Own. Fine foods since February». Die Etiketten auf der Rückseite erzählten eine ausgefallene und frei erfundene Entstehungsgeschichte, die von Produkt zu Produkt unterschiedlich war. Heute sind alberne Werbetexte auf Supermarktverpackungen die Norm. Damals war es eine neue Art, eine Marke aufzubauen, ohne in teure Werbung investieren zu müssen.

Von Anfang an war Newman klar, dass es ihm nicht ums Geldverdienen ging. «Wir werden wahrscheinlich keinen Gewinn machen», sagte er zu seinem Partner. «Aber wenn wir Gewinn machen sollten: Wie wäre es, wenn wir alles, was wir verdienen, für wohltätige Zwecke spenden?» Als das Unternehmen wuchs, wurden die Gewinne beträchtlich, und es entstand eine ungewöhnliche Organisationsstruktur. Newman's Own war ein kommerzielles Unternehmen, das sein Sortiment nach und nach um Pizza, Kaffee, Fruchtsäfte und anderes mehr erweiterte. Das Unternehmen behielt gerade genug Geld ein, um seine Betriebskosten zu decken, begann aber jedes neue Geschäftsjahr bei null und gab 100 Prozent der Gewinne an seinen gemeinnützigen Partner, die Newman's Own Foundation, ab.

Anfangs wurden die Erlöse als Zuschüsse an verschiedene gemeinnützige Organisationen vergeben. Aber bald begannen Newman und Hotchner, sich für die Einrichtung eigener Projekte zu interessieren, zum Beispiel für Sommercamps für unheilbar kranke Kinder. Sie sollten die Möglichkeit bekommen, bei modernster medizinischer Versorgung und unter der Aufsicht geschulter Betreuer eine unbeschwerte Erfahrung mit anderen Kindern in einer ähnlichen Situation zu machen. In den ersten Jahren engagierten sich Newman und Hotchner aktiv für das Projekt und halfen beim Aufbau der Camps, der Rekrutierung des Personals und der Bewältigung des bürokratischen Aufwands mit. Mit der Zeit fand das Modell der Camps auf fünf Kontinenten Verbreitung, mit 1,5 Millionen kostenlosen Aufenthalten für Kinder und Familien. Weitere Projekte sind FoodCorps, das sich für gesunde Ernährung in Schulen einsetzt, und Indigenous Food Justice, das kulinarische Traditionen in marginalisierten Gemeinschaften wiederbelebt. Bis heute sind mehr als 600 Millionen US-Dollar in gemeinnützige Arbeit geflossen. Das ist mehr, als Newman sich in seinem Keller in Connecticut je hätte träumen lassen.

Auf den ersten Blick könnte man dies als eine inspirierende Geschichte über Purpose avant la lettre betrachten. Aber «Purpose» wäre dafür genau der falsche Begriff. «Ich würde nicht behaupten, dass ich von Natur aus eine besonders philanthropische Ader habe», sagte Paul Newman über das Projekt. «Es war eine Verkettung von Umständen. Wäre das Unternehmen klein geblieben und nur in drei lokalen Geschäften vertreten, wäre es nie gemeinnützig geworden. Diese Mischung aus Oberflächlichkeit, Ausbeutung und Selbstbereicherung ging mir irgendwann einfach gegen den Strich – ein Exzess in jeder Hinsicht.» Zu seiner Idee für die Camps äußert sich Newman wie folgt: «Ich würde mich freuen, wenn ich einen hehren Zweck (purpose) hätte, den ich stolz präsentieren könnte. Man hat mich des Mitgefühls, des Altruismus, christlicher, hebräischer und muslimischer Prinzipien bezichtigt. Aber so verzweifelt ich auch danach suche, ich kann kein hehres Ideal in mir entdecken.»

Wie die meisten erfolgreichen Unternehmer begann Newman nicht mit dem Warum, sondern mit einer an Obsession grenzenden Konzentration auf das Was. Als sie unter Druck gerieten und von ihnen verlangt wurde, bei der Produktion Abstriche zu machen, hielten Newman und Hotchner an ihrem Standpunkt fest und suchten nach Möglichkeiten, ihr Produkt sowohl natürlich als auch kommerziell rentabel herzustellen. Die ersten Käufer aus den großen Ketten wussten diese konsequente Produktausrichtung zu schätzen: «Der Erfolg des Dressings beruht weder auf dem Namen von Herrn Newman noch auf dem gemeinnützigen Status des Unternehmens, sondern auf dem Geschmack. Es unterscheidet sich von anderen Salatdressings und ist von hoher Qualität. Die Leute kaufen es aus demselben Grund, aus dem sie auch andere Produkte kaufen: Einfach, weil sie es mögen.»[120]

Trotzdem kristallisierte sich für Newman und Hotchner allmählich ein «Warum» heraus: die Art von «Warum», die vielleicht erst im Nachhinein Sinn ergibt. Der Humor, den sie in ihre Arbeit einbrachten, reichte unter die Oberfläche der Verpackungstexte: Es war ein Mindset, eine Art, über Leben und Geschäft nachzudenken. Glück und Zufall spielten für sie eine wichtige Rolle. Es gab da eine Leichtigkeit, die den moralinsauren Unternehmen der Purpose-Bewegung völlig abgeht. Nie würde man Paul Newman bei einem Verhalten beobachten können wie dem, das auf der Patagonia-Website zu sehen ist: Yvon Chouinard, der dabei gefilmt wird, wie er «Die Erde ist jetzt unser einziger Aktionär» mit der Hand schreibt, bevor er bedeutungsvoll aus dem Fenster blickt. Dafür hatte Newman einen zu ausgeprägten Sinn für Ironie. Auch wenn er mehr als jeder andere für sich in Anspruch nehmen könnte, sich unmittelbar und praktisch für einen guten Zweck einzusetzen.

Diese Geschichte wird von A. E. Hotchner und Paul Newman in dem Buch *Shameless Exploitation in Pursuit of the Common Good* (Schamlose Ausbeutung im Streben nach dem Gemeinwohl) erzählt. In dem Titel fängt Newman auf spielerische Weise die beiden Seiten des Phänomens ein. Das Buch wurde ursprünglich 2003 veröffentlicht und 2008, etwa zur Zeit von Newmans Tod im Alter von 83 Jahren, neu aufgelegt. Leider wurde der Titel für das Purpose-Zeitalter bereinigt. Jetzt hieß es nur noch «In Pursuit of the Common Good». Durch die redaktionelle Bearbeitung geht der ganze hintergründige Humor der Marke verloren. Wie so oft bei Unternehmensnachfolgen waren die Versuche, Newmans Vermächtnis fortzuführen, von gemischtem Erfolg gekrönt. So beklagte Newmans Tochter sich, sie sei in den darauffolgenden Jahren vom Management unter Druck gesetzt und ausgegrenzt worden.

Dennoch bleibt Newman's Own ein bemerkenswerter Sonderfall im Überschneidungsbereich von Wirtschaft und Philanthropie. 2018 führte seine ungewöhnliche Rechtsform sogar dazu, dass der Kongress die sogenannte Newman's Own Exception gesetzlich verankerte: Es handelt sich um eine enge Ausnahmeregelung, die eigens geschaffen wurde, nachdem Bedenken laut geworden waren, dass diese ungewöhnliche Allianz von gewinnorientierter und gemeinnütziger Organisation als Steuerschlupfloch missbraucht werden könnte.[121]

In der Berichterstattung über Patagonias «Going Purpose» im Jahr 2022 wiesen einige Journalisten auf die Parallele zu Newman's Own hin, das vier Jahrzehnte früher entstanden war. Es gibt jedoch einen entscheidenden Unterschied: Die Struktur von Newman's Own fußt auf einer klaren Trennung von Kirche und Staat, oder: von gewinnorientierter und gemeinnütziger Organisation. Die gemeinnützige Seite ist eine separate juristische Person, die von Branchenexpertinnen geleitet wird, die wissen, was sie tun. Genauso befindet sich die geschäftliche Seite in der Hand von Produkt- und Marketingfachleuten, die ebenfalls wissen, was sie tun. Es wird nicht so getan, als sei jede Marketingkampagne eine Kampagne für einen guten Zweck. Paul Newman sah zwar widerwillig die Notwendigkeit ein, den Kunden mitzuteilen, dass 100 Prozent der Gewinne in wohltätige Zwecke fließen. Dennoch war er instinktiv gegen das, was er als «laute Philanthropie» bezeichnete. Genauso wie es sich für ihn schäbig anfühlte, sein eigenes Image zu Profitzwecken zu nutzen, fühlte er sich auch unwohl bei dem Gedanken, den guten Zweck als Marketinginstrument zu gebrauchen. Er verlor nie sein initiales Interesse für Salatdressing aus den Augen – die Philanthropie war dabei nur ein unerwartetes Nebenprodukt. Wie er beschreibt, begann das Unternehmen als Scherz, aus dem dann ein «sehr praktischer Scherz» wurde.

Das war mehr als nur ein Unterschied in der Einstellung: Es war ein Unterschied im rechtlichen Status. Die Newman's Own Foundation ist eine 501(c)(3)-Organisation, die aufgrund ihrer Steuerbefreiung keine politischen Kandidaten finanzieren und keine Lobbyarbeit für Gesetzesänderungen betreiben darf. Von diesem Konstrukt unterscheidet sich Patagonia deutlich: Die Organisation wurde ausdrücklich gegründet, um in den demokratischen Prozess einzugreifen. Und genau diese Vermischung von Kirche und Staat ist der Kern des Problems. So wohlwollend man einzelne Fälle auch beurteilen mag – im Ganzen ergibt sich ein beunruhigendes Muster, das man damit gutheißt und unterstützt.

Der Unterschied des Ansatzes von Newman's Own besteht darin, dass er genau jene Trennung explizit vornimmt, die Purpose-orientierte Unternehmen zu überwinden suchen. Nicht die Salatdressings sind Purpose-orientiert, und es wird auch nicht so getan, als würde das Unternehmen selbst heldenhaft agieren. Im Gesetz und im Geiste respektiert das Unternehmen die Trennung, die die Gesellschaft vorgibt. Purpose-erfüllte Unternehmen versuchen, sie zu verwischen – sowohl für andere als auch für sich selbst. Und das führt zu einer tiefgreifenden Form der kognitiven Dissonanz.

Es ist kein Zufall, dass sich dies auch im Verhalten der beteiligten Personen spiegelt. Wenn man von Yvon Chouinard und anderen Purpose-erfüllten Akteuren wie Paul Polman und Alan Jope bei Unilever oder Larry Fink bei BlackRock liest, ist da immer diese Aura der Ernsthaftigkeit und des Feierlichen um das Unternehmen. Selten sieht man Humor oder Leichtigkeit. Chouinard scheint von seinem eigenen Erfolg gequält zu sein. Er starrt nachdenklich aus dem Fenster. Er ist wie die Chief Executives am US Business Roundtable, die sich mit Thomas Jefferson vergleichen. Purpose lädt zu einem erhebenden Selbstwertgefühl ein – das sich mit Frustration über die inneren Widersprüche paart.

Im Gegensatz dazu scheint mir die ursprüngliche Gestalt von Newman's Own ein Ort zu sein, an dem man Spaß hat, der von Witz, Humor und einem Sinn für Bescheidenheit lebt. Das soll nicht heißen, dass mit Newman's Own in seiner jetzigen Form eine Unternehmensform gefunden wäre, die die Purpose-Idee doch noch zum Erfolg führen könnte. Wie bereits der Name der Newman's Own Exception andeutet, handelt es sich um eine ungewöhnliche Organisationsform, die bei breiterer Anwendung zu Missbrauch führen könnte. Und wie die Änderung des Buchtitels anklingen lässt, hat auch Newman's Own die Leichtigkeit eingebüßt, welche die frühen Jahre des Unternehmens kennzeichnete.

Aber das deutet auf eine tiefere Wahrheit über Unternehmen hin. In den Jahren ihrer Partnerschaft kämpften Newman und Hotchner ständig gegen die Logik ihrer eigenen Schöpfung. Das Unternehmen war ein Mechanismus mit eingebauten Anreizen zur «schamlosen Ausbeutung». Und beide gaben bei jeder Gelegenheit ihr Bestes, um sicherzustellen, dass es seinen Gründungsgeist bewahrte – sowohl in Bezug auf die Herstellung der Produkte als auch auf die Investition der Gewinne. Sie brachten Humor und Demut in ihre Arbeit ein – und etwas zutiefst Menschliches. Das Unternehmen war nicht erfüllt von Purpose, aber sie entdeckten schließlich, dass sie selbst es waren. So könnte man den Purpose im Allgemeinen vielleicht besser fassen: als etwas, das Menschen zukommt, nicht Unternehmen.

Raus aus der Hybris

Das Ziel der nächsten drei Abschnitte besteht nicht darin, Ihnen mit großem Brimborium einen Weg in den Himmel zu weisen. Stattdessen sollen drei Wegweiser vorgestellt werden, die grob in die richtige Richtung weisen: Humor, Bescheidenheit und Menschlichkeit. Wenn Sie als Marketingfachmann eine Marke betreuen, als Agentur eine Kampagne konzipieren oder als CEO ein Unternehmen leiten, sind dies meiner Meinung nach drei nützliche Anhaltspunkte für jede Entscheidung, die Sie treffen.

Alle drei weisen in die entgegengesetzte Richtung des zentralen Kennzeichens der Purpose-Bewegung: Hybris. Und es lohnt sich, einen kurzen Abstecher in die Etymologie zu machen, um herauszufinden, was Hybris bedeutet.

Die meisten Leser werden mit der alltäglichen Bedeutung von Hochmut oder Arroganz vertraut sein. «Arroganz» ist ein interessantes Wort, das vom lateinischen *adrogare* abstammt. Es bedeutet, dass man der Meinung ist, «das Recht zu haben, bestimmte Einstellungen oder Verhaltensweisen zu verlangen». *To arrogate* (sich etwas anmaßen) bedeutet, etwas ohne Rechtfertigung zu beanspruchen oder zu ergreifen oder unangemessene Besitzansprüche zu stellen.

«Hybris» stammt aus dem Griechischen. Wie Arroganz wird sie mit dem Überschreiten von Grenzen in Verbindung gebracht. In der klassischen griechischen Tragödie ist Hybris oft der fatale Fehler, der den Sturz des tragischen Helden herbeiführt. In der Regel führt Selbstüberschätzung dazu, dass der Held versucht, die Grenzen menschlicher Beschränkungen zu überschreiten und einen gottgleichen Status anzunehmen. Selbst für Götter war dies ein schlechter Schachzug. Die Griechen glaubten, dass die Schicksalsgöttinnen jedem Wesen einen bestimmten Bereich der Freiheit zugewiesen hatten, den selbst die Götter nicht übertreten können. Hybris meinte das Überschreiten dieser Grenzen. Im Alltagsrecht nahm das Wort eine spezifische Bedeutung an, die sich auf Verbrechen mit grenzüberschreitendem Charakter wie tätlichen Angriff oder Diebstahl öffentlichen Eigentums bezog. Im Neuen Testament entspricht Hybris dem hebräischen Wort *pasha*, was Übertretung bedeutet. Es steht für einen übersteigerten Stolz, der die Menschen dazu bringt, sich Gott zu widersetzen. Manchmal geht dies so weit, dass er oder sie sich für gottgleich hält.

Sicher können Sie sich vorstellen, worauf ich hinauswill. Im Kern geht es beim Unternehmens-Purpose um das Überschreiten einer gesellschaftlichen Grenze. Zum Beispiel Aktiengesellschaften, die sich manchmal mit aufrichtig guten Absichten dafür entscheiden, ihren begrenzten Kompetenzbereich zu überschreiten und umfassendere gesellschaftliche Fragen anzugehen. Im banalsten

Fall handelt es sich um Mayonnaise mit einem höheren Zweck oder um Pepsi, das auf ein Polizeiaufgebot zugeht. Auf einer systemischeren Ebene ist es vielleicht BlackRock, das Billionen von Dollar, die es nicht besitzt, einsetzt, um eine Agenda voranzutreiben, für die niemand gestimmt hat. Oder Facebook, das sagt, dass wir den Menschen «die Möglichkeit geben, Gemeinschaften zu gestalten und die Welt näher zusammenzubringen», während es gleichzeitig systematisch Polarisierung und Lagerbildung vorantreibt. Oder Spotify, das behauptet, es «erschließt das Potenzial menschlicher Kreativität», während Musikerinnen mehr denn je zu kämpfen haben. Oder der CEO von Johnson & Johnson, der sagt, er fühle sich wie Thomas Jefferson.

Von Anfang an war die Grenzüberschreitung Teil der Purpose-Bewegung. Sie hat Marken und Führungskräfte dazu ermutigt, eine höhere soziale Mission für sich zu beanspruchen. Sie geht über den konventionellen, kleingeschriebenen *purpose* hinaus, den Unternehmen schon immer hatten. Diese definitorische Hybris findet sich unweigerlich in den alltäglichen Handlungen von Unternehmen und Marken wieder. Man findet darin, dass CEOs politische Ansichten im Namen ihrer Mitarbeitenden äußern, und daran, dass Marketingvorstände in Cannes davon sprechen, auf der richtigen Seite der Geschichte zu stehen. Darin, dass Seifenmarken ihr Logo auf die Gesichter von Covid-Pflegepersonal setzen oder dass der Schokoladenfabrikant eine Auszeichnung für Social Purpose auf der Grundlage jahrelanger Steuervermeidung beansprucht. Die Überschreitung der Grenze zwischen gewinnorientiert und gemeinnützig, privat und öffentlich, kommerziell und politisch ist Hybris.

Humor, Bescheidenheit und Menschlichkeit weisen in die andere Richtung.

Humor ist ein ernstes Geschäft

1970 entwarf die Londoner Designagentur Crosby Fletcher Forbes ein Plakat zur Unterstützung der «Campaign Against Museum Admission Charges», einer Kampagne gegen Eintrittspreise in staatlichen Museen. Damit protestierte sie gegen den Plan der konservativen Regierung, den freien Eintritt in 18 staatlichen Museen und Galerien im Vereinigten Königreich abzuschaffen. Das Plakat bestand ausschließlich aus schlichtem Text, der wie folgt lautete: «Wir, die Unterzeichner, bedauern die Absicht der Regierung und lehnen es ab, Eintrittsgebühren für staatliche Museen und Galerien einzuführen.» Darunter befand sich eine Reihe handgeschriebener Unterschriften. Es dauert einen Moment, bis der Groschen fällt. Dann erkennt man, dass es sich um die bekannten Unterschriften von Van Gogh, Rembrandt, Bruegel, Tizian und anderen Künstlern handelt.

Es war eine witzige Idee im Dienst einer ernsten Angelegenheit, die darauf aufmerksam machte, dass Künstler auf ein breites Publikum angewiesen sind. Genauso sind wir, als breites Publikum, umgekehrt darauf angewiesen, Zugang zu unserem gemeinsamen kulturellen Erbe zu erhalten. Aber wie bei vielen Design- und Werbeideen hatte das Plakat keine unmittelbare Wirkung. Die Regierung führte die Gebühren trotzdem ein, und Beobachter hätten damals zu dem Schluss kommen können, dass clevere Designideen zwar schön und gut sind, aber keine echte Wirkung zeigen.

Drei Jahrzehnte später machte der Labour-Minister Chris Smith die Entscheidung rückgängig und führte den freien Eintritt in die Museen wieder ein. In einem Interview mit dem *Guardian* sprach er über seine Inspiration: «Ich erinnere mich, dass ich als Student von einem Plakat beeindruckt war, das sich gegen Museumsgebühren aussprach», erklärte er. «Der Text lautete: ‹Wir, die Unterzeichnenden, lehnen die Einführung von Eintrittsgebühren ab›, und es trug die Unterschriften von Van Gogh, Turner und anderen großen Künstlern. Das hat mir die Augen geöffnet für eine einfache Wahrheit: Bei freiem Eintritt geht es darum, jedem – unabhängig von seinen Mitteln – die Möglichkeit zu geben, die größten Kunstwerke, die Wissenschaft und die Geschichte zu erfahren, die unsere Nation zu bieten hat.»[122]

Der *Guardian* hatte das Plakat in seinem Artikel nicht namentlich erwähnt, aber es kam mir bekannt vor, und ich fand es in dem Buch *A Smile in the Mind: Witty Thinking in Graphic Design* von 1997. So viele Jahre später bezog sich Chris Smith also auf ein Plakat aus dem Jahr 1970, das sich einen kleinen Platz in einem Designbuch verdient hatte und ansonsten in den Weiten der Designgeschichte verschwunden war. Natürlich wäre es übertrieben zu sagen, dass das Plakat direkt zu einer Änderung der Politik geführt hätte. Aber die Tatsache, dass es einen zukünftigen Minister so nachhaltig beeindruckt hatte, dass er es drei Jahrzehnte lang im Gedächtnis behalten und sogar noch detailliert beschreiben konnte, ist bemerkenswert. Sie ist ein Beleg dafür, dass Geist und Witz das Potenzial haben, einen bleibenden Eindruck zu hinterlassen.

Witz und Humor hatten es in der Ära des Purpose nicht leicht. Vom Marktforschungsinstitut Kantar durchgeführte Studien deuten auf einen Rückgang humorvoller Werbung hin: Er setzte etwa 2009 ein und ließ erst um 2022 wieder nach.[123] Im Jahrzehnt der Sparmaßnahmen, des Aufstiegs von Trump, des Brexit und des Beginns der Corona-Pandemie könnten Sie nun denken: Wie die Zeiten, so die Werbung. Aber damit würden Sie mit einem großen Teil der Öffentlichkeit nicht übereinstimmen. Dieselbe Kantar-Studie zeigt nämlich, dass die Menschen immer noch Humor in der Werbung sehen wollen – und zwar während der Pandemie mehr denn je. Schließlich gab es schon früher schwere Zeiten. So waren die 1970er-Jahre nicht gerade ein Zuckerschlecken. Oder besser gesagt: Sie *waren* ein Zuckerschlecken, weil humorvolle Werbung die Menschen weiterhin unterhielt und in ihren Bann zog. Humor kann jedenfalls eine gesunde Reaktion auf schwere Zeiten sein.

Der wahre Grund für den Rückgang humorvoller Werbung war die proportionale Zunahme Purpose-orientierter Werbung. Humor neigt dazu, sich über die Mächtigen lustig zu machen und den Stolzen den Wind aus den Segeln zu nehmen. Er verträgt sich nicht gut mit hochtrabenden Aussagen darüber, wie man die Welt verbessern kann. Tatsächlich hatte der Humor während der Purpose-Ära seinen Hauptauftritt in einem Akt des Widerstands. Wenn es einen Silberstreif am Horizont des Purpose gibt, dann sind es die satirischen Sketche, zu denen er inspiriert hat.

Einer davon ist «Left-Handed Mango Chutney». Er beginnt mit einem Werbefachmann, der auf einer Dinnerparty stolz davon erzählt, dass er ein «innovatives Produkt» für ein lokales Mango-Chutney-Unternehmen entwickelt hat. Er erklärt, dass das Produkt Linkshänderinnen als Zielgruppe hat («der strategische Planer hat ordentliche Arbeit dabei geleistet, das Produkt zu promoten: Er hat die mangelnde Sichtbarkeit der Linkshänder in der Gesellschaft zum Topthema gemacht»). Die anderen Gäste fragen zögerlich, ob es das Produkt im Handel zu kaufen gibt. «Nein … es war eher eine limitierte Auflage», sagt der Werbefachmann. «Wie viele haben Sie verkauft, Greg?», fragt ein Gast. «Sechs», antwortet Greg, «… aber wir haben 12 Milliarden Impressions generiert. Und wir haben dazu beigetragen, die Markenbindung um 112 Prozent zu steigern. Außerdem haben wir den Grand Prix gewonnen.» Nach einer langen, peinlichen Stille meldet sich eine Frau zu Wort: «Ich arbeite auch in der Werbebranche.» «Und für welche Projekte waren Sie bisher verantwortlich?», fragt einer der Gäste müde. «Ich habe die Bierwerbung geschrieben, in der das Pferd furzt», antwortet sie. «Oh ja!», antworten die anderen Gäste begeistert. «Die habe ich gesehen! Die ging viral!» Ein verdutzter Greg schaut sich um, während der Tisch in Gelächter und lebhafte Diskussionen ausbricht.[124]

Früher haben die Leute über Werbung gelacht, heute lachen sie über Werbeagenturen. Das habe ich 2021 geschrieben, und leider ist es auch heute noch wahr. Aber der Mango-Chutney-Sketch macht auch auf einen ernsten Punkt aufmerksam: Wenn man jemanden nach seinen Lieblingswerbespots der letzten Jahre fragt, wird Humor wahrscheinlich eine wichtige Rolle spielen. Das könnte «The Man Your Man Could Smell Like» für Old Spice sein, die «Whassup»-Spots für Budweiser oder «It's a Tide» von 2019, der Spot, der den Super Bowl dominierte. Es könnte Peter Kays «Top-Bombing» für John Smith's, «I'm a Mac, I'm a PC» für Apple oder die Hamlet- und Heineken-Werbung aus vergangenen Jahrzehnten sein. All diese Spots sind lustig – aber trotzdem ernst zu nehmende, erfolgreiche Antworten auf anspruchsvolle kommerzielle Briefings.

Andere Beispiele für humorvolle Werbung sind vielleicht nicht zum Totlachen, aber sie enthalten subtilen Witz oder einen Gedankensprung. Viele davon sind in *A Smile in the Mind* enthalten, dem Buch, das ich oben erwähnt habe und an dessen Aktualisierung ich 2016 beteiligt war. Blättern Sie ein wenig darin herum, und Sie werden sehen, wie viele Ihrer Lieblingsmarken ein verstecktes Lächeln enthalten: der Pfeil im FedEx-Logo, der Bär im Toblerone-Logo, die täglichen Variationen des Google-Logos, das Lächeln, welches das A und das Z des Amazon-Logos verbindet. Witz kann bei großen Marken, kleinen Marken, kommerziellen Marken und wohltätigen Organisationen funktionieren. Es ist nicht die einzige Möglichkeit, erfolgreiche Werbung und Markenbildung zu betreiben, aber oft ist es der Schlüssel zur Lösung eines herausfordernden Briefings. Witz verbindet zwei getrennte Punkte, er verknüpft zwei Gedankengänge. Bei der Empfängerin erzeugt das einen ähnlichen Moment der Verbindung.

«Lachen ist die kürzeste Verbindung zwischen zwei Menschen», sagte Victor Borge. Dieser «Social Purpose» ist dem Humor selbst eigen: Er durchschneidet, was trennt, und stiftet Verbindung. Ein

Biden- und ein Trump-Anhänger mögen sich in politischen Fragen nie einig werden, aber sie können beide über denselben Witz lachen. Und wenn einer den anderen zum Lachen bringt, ist das ein Funken geteilter Menschlichkeit – eine sinnhafte Verbindung, die bessere Gespräche möglich macht.

Nicht jede Werbung muss lustig sein. Aber alle Werbeagenturen und im Idealfall alle Geschäftsleute sollten ihr Bestes tun, um sich ihren Sinn für Humor zu bewahren. Selbst in ernsten Zeiten schützt er einen davor, sich zu sehr von der eigenen Wichtigkeit zu überzeugen oder sich in die eigene Heldengeschichte zu verstricken. Er ist auch psychologisch gesünder. Paul Newman bewahrte sich eine ironische Distanz zu seiner Arbeit, obwohl sie ihm viel bedeutete. Im Gegensatz dazu scheinen Purpose-erfüllte Menschen oft weniger glücklich mit ihrem Leben zu sein: Mit der Rechtschaffenheit geht eine gewisse Verkrampftheit einher. Denn ein gequältes Denken führt zu einem gequälten Geist. Schließlich verkaufen Sie nur Westen und Mayonnaise. Es hilft, das öfters einmal zu reflektieren.

Bescheidenheit schlägt Hybris

«Nobody's perfect». So lautete die Überschrift einer klassischen Volkswagen-Werbung aus den 1960er-Jahren. Das Bild zeigte einen Käfer mit einem platten Reifen. Im Text ging es um die Serviceabteilung von Volkswagen, die es geben muss, weil selbst die zuverlässigsten Autos Probleme haben. Es kommt nicht oft vor, dass man in der Werbung auf Bescheidenheit stößt. Aber wenn man es richtig anstellt, strahlt sie eine ganz eigene Form von Selbstbewusstsein aus – kein falsches Understatement, sondern das Gefühl, nicht übertreiben zu müssen, weil die Realität für sich spricht.

Wie viele großartige Werbekampagnen der damaligen Zeit wurde auch diese von Bill Bernbach entworfen, dem Werbespezialisten, den wir bereits kennengelernt haben. Von ihm stammt der Satz: «Ein Prinzip ist erst dann ein Prinzip, wenn es dich etwas kostet.» Vielleicht geht es zu weit, wenn man ihn als Schutzheiligen der Post-Purpose-Ära bezeichnet – falls und wenn sie einmal kommt. Aber sein Leben und sein Werdegang, über die Doris Willens in ihrer Biografie berichtet, sind durchaus inspirierend. Ihr Titel lautet passenderweise *Nobody's Perfect.*

Bernbach, der in der Bronx geboren und aufgewachsen ist, hatte seinen ersten Durchbruch, als er in der Poststelle von Schenley Distillers arbeitete. In Eigeninitiative verfasste er eine Anzeige für Schenley's American Cream Whiskey, und es gelang ihm, sie den richtigen Leuten vorzusetzen, woraufhin er in die Werbeabteilung befördert wurde. Nach einigen beruflichen Stationen in verschiedenen Agenturen war er von der Routine und mangelnden Risikobereitschaft, die seine Tätigkeit kennzeichneten, enttäuscht. In einem Schreiben an die Führung von Grey, das seiner Zeit auf bemerkenswerte Weise voraus war, plädierte er für Kreativität und gegen Konformität: «Es geht um diesen kreativen Funken, auf den ich für unsere Agentur so neidisch bin und den ich Angst habe zu verlieren. Ich will keine Akademiker. Ich will keine Wissenschaftler. Ich will keine Leute, die das Richtige tun. Ich will Menschen, die inspirieren.» Der Brief endete mit den Worten: «Lasst uns neue Wege beschreiten. Lasst uns der Welt beweisen, dass sich guter Geschmack, gute Kunst und gutes Schreiben auch gut verkaufen lassen.»

Bernbach schlug schließlich seinen eigenen neuen Weg ein und verließ Grey, um Doyle Dane Bernbach zu gründen, das einen Großteil der geistreichen, konzeptionellen und ideenbasierten Arbeiten der 1960er-Jahre produzieren sollte. So verwandelte Avis seinen ewigen zweiten Platz auf dem Markt in eine Stärke, indem es sagte: «We try harder». Volkswagen wurde zum Duchamp der Autowerbung, mit surrealen Schlagzeilen wie «Lemon» und «Think small» und charmant überzeugenden, produktorientierten Texten.

Bernbach schrieb die Anzeigen nicht selbst, aber er schuf die Agenturkultur, auf deren Boden sie gedeihen konnten. Und durch ihn fand das Doppel aus Texter und Art Director Verbreitung, das in den folgenden Jahrzehnten zur Norm werden sollte.

Wie die meisten anständigen Menschen in der Zeit vor der Purpose-Ära sah auch Bill Bernbach die Werbung nicht als ethikfreie Zone an. Von Anfang an hielt sich die Agentur bei politischer Werbung zurück. Sie betrachtete Demokratie als einen vom Kommerz grundverschiedenen Bereich, für den sich die windigen Überredungskünstler der Madison Avenue nicht eigneten. Doch 1964 löste die republikanische Kandidatur von Barry Goldwater ähnliche Ängste aus wie die von Donald Trump: Man befürchtete ein Abgleiten in den Rechtsextremismus und einen Atomkrieg. DDB war die Agentur der Stunde und erhielt schließlich den Auftrag der Demokraten, für den Amtsinhaber Lyndon Johnson zu arbeiten.

Das Ergebnis war eine der einprägsamsten politischen Kampagnen aller Zeiten: «Daisy». Bis 1964 waren Wahlwerbespots in der Regel informativ. Sie stellten den Kandidaten, der den Wahlkampf führte, in positiver Weise in den Mittelpunkt, anstatt den Gegner anzugreifen. «Daisy» enthielt kaum eine politische Aussage und nur wenige Worte. Der Spot beginnt mit einem kleinen Mädchen auf einer Wiese, das die Blütenblätter eines Gänseblümchens abzupft. Sie zählt laut und macht dabei ein paar charmante Fehler: eins, zwei, drei, vier … sieben, sechs … sechs, acht, neun … Dann friert der Film ein und ein nuklearer Countdown beginnt mit strenger Männerstimme: zehn, neun, acht, sieben … Bei null explodiert ein Atompilz mit verheerender Wucht. «Das steht auf dem Spiel», sagt die Stimme von Lyndon Johnson. «… eine Welt zu schaffen, in der alle Kinder Gottes leben können. Oder in die Dunkelheit zu gehen. Entweder wir lieben uns, oder wir müssen sterben.» Dann die Schlusszeile: «Wählt am 3. November Präsident Johnson. Es steht zu viel auf dem Spiel, um zu Hause zu bleiben.»

Der Spot wurde nur einmal ausgestrahlt, zu einem Zeitpunkt, als sich die Umfragetrends bereits in Johnsons Richtung entwickelten, der dann einen erdrutschartigen Sieg errang. Trotzdem sorgte er für Aufsehen und löste ein riesiges Presseecho aus. Er verärgerte die Republikaner, die ihn als Grenzüberschreitung sahen: eine bewusst in Kauf genommene Verängstigung der Wähler durch unverantwortliche Panikmache. Damals mag Bernbach dies als einen Kampf betrachtet haben, den es sich zu führen lohnte: etwas, das die Stimmung einfing und die wachsende Abneigung gegen Goldwater festigte. Aber in späteren Jahren wurde Bernbach von dem Vermächtnis des Spots verfolgt. Er wurde als erste politische «Attack Ad» (Angriffswerbung/negative Wahlwerbung) überhaupt bekannt, und seither ist das Wettrüsten in der Werbung immer weiter eskaliert – wobei die Republikaner häufig die wirkungsvolleren Schläge landeten.

Zweifellos gab es Zeiten, in denen Bernbach sich gefragt hat, ob diese Entscheidung moralisch richtig war. Doch seine erfolgreichsten Jahre in der Werbung fielen mit dem Aufkommen eines anderen Themas zusammen: dem Tabakkonsum. In einem Interview mit der Los Angeles Times aus dem Jahr 1971 sprach Bernbach über die freiwillige Anti-Tabak-Haltung, die seine Agentur seit der Veröffentlichung eines einflussreichen Berichts des US Surgeon General über die Gefahren des Rauchens im Jahr 1964 vertrat. «Wir waren nie auf einem Kreuzzug», wird Bernbach zitiert. «Wir wollten einfach nicht verantwortlich sein. Es war eine Frage des Prinzips, und es hat uns Geld gekostet – Zigarettenwerbung ist die profitabelste Art von Werbung überhaupt.» Dann folgt jenes Zitat, das im Zeitalter des Purpose besonders oft wiederholt wurde: «Aber ich denke, ein Prinzip ist erst dann ein Prinzip, wenn es Geld kostet.»[125]

Das ist eine bemerkenswerte Formulierung, wie man sie von einem großen Werbeexperten erwartet, der auf den Seiten der LA Times einen überzeugenden Pitch für seine Agentur liefert, den potenzielle Kunden interessiert lesen werden. Aber beachten Sie den Disclaimer: «Wir waren nie auf einem Kreuzzug». Instinktiv spielt sich Bernbach nicht als moralischer Held auf. Schließlich hatte er seinen ersten Durchbruch als Werbetexter mit einer Whisky-Anzeige, die damals noch strenger beäugt wurde als heute. Viele Jahre lang hielten sich die Spirituosenhersteller freiwillig von den mächtigen neuen Medien wie Fernsehen und Radio fern. Aus Angst, die Prohibition könnte wieder verhängt werden, falls Amerika ein zu großes Alkoholproblem entwickeln würde, beschlossen die Unternehmen, unter dem Radar zu fliegen und das Spiel auf lange Sicht zu spielen. Erst in den 1990er-Jahren änderte sich die Lage, aber zu diesem Zeitpunkt war Zigarettenwerbung bereits Geschichte.

Bernbachs moralische Bescheidenheit war auch deshalb angebracht, weil sich die Opfer, um die es hier geht, nicht so einfach beziffern lassen. Werbeagenturen sind darauf ausgelegt, eine begrenzte Menge an Aufträgen zu bewältigen, weshalb die Ablehnung von Aufträgen nicht unbedingt einen realen Verlust darstellt. Das gilt insbesondere für Agenturen wie DDB, die sehr gefragt sind. Rein ethisch betrachtet gibt es auch einen Unterschied zwischen den tatsächlichen Kosten, also dem Verlust von Geld, über das man jetzt verfügt, und den theoretischen Kosten, das heißt dem Verzicht auf potenzielle zukünftige Einnahmen, die über das hinausgehen, was man weiterhin verdienen wird. Beide Kosten spielen eine Rolle, aber nur die eine Art von Kosten führt dazu, dass man ärmer nach Hause geht – vielleicht in ein bescheideneres Haus. Aus rein betriebswirtschaftlicher Sicht könnte man die Haltung von DDB auch als einen Fall aufgeklärten Eigeninteresses deuten. Denn der Bericht des Surgeon General hatte bereits deutlich gemacht, aus welcher Richtung der Wind wehte, sodass jede Agentur, die sich von Tabakwerbung abhängig machte, gefährlich exponiert war. Es war viel klüger, dem Unvermeidlichen zuvorzukommen und es in eine positive PR-Geschichte zu verwandeln. Das würde das Interesse der Journalisten der LA Times wecken und womöglich zu einer lukrativeren, langfristigen Arbeit an anderer Stelle führen.

Das soll nun nicht dazu verleiten, Zynismus gutzuheißen. Vielmehr lehrt uns die Geschichte, dass man die ethischen und praktischen Erwägungen stets ehrlich prüfen sollte. Ähnliche Fragen stellen sich heute für Agenturen, die ein mulmiges Gefühl beschleicht, wenn sie für Fluggesellschaften oder Mineralölkonzerne werben. Manche mögen zurückblicken und Bernbach als moralischen Helden sehen, der seiner Zeit voraus war und mit Edelmut das Opfer brachte, das andere jetzt bringen sollten. Aber man kann noch eine andere Lehre aus der Sache ziehen. Sie zeigt sich bereits im Tonfall des Interviews: Es gibt weder Anzeichen von Wichtigtuerei noch von selbstgerecht erhobenem Zeigefinger in Richtung derjenigen Agenturen, die sich anders entscheiden. Und fünf Jahre nach der Veröffentlichung des Interviews gab es noch ein interessantes und etwas nachdenklich stimmendes Nachspiel.

Bernbach entschied sich 1976, von seinem Posten als Geschäftsführer zurückzutreten, blieb aber Ehrenvorsitzender und übergab den Staffelstab an ein neues Managementteam. Als er dann 1982 starb, setzte die neue Geschäftsleitung der Anti-Tabak-Politik in ungebührlicher Eile ein Ende und übernahm den Zigarettenetat von Parliament. An sich war das ein kleiner Etat. Damit hatte die Agentur aber einen Fuß in der Tür von Philip Morris, einem Eigentümer großer Marken – sowohl alkoholischer Getränke als auch von Softdrinks und Tabakwaren – und damals viertgrößter Werbekunde der Welt. Die Geschichte war so bemerkenswert, dass sogar die *New York Times* darüber berichtete und den Vergleich mit David Ogilvy zog, einem anderen großen Werbespezialisten, der sich aus persönlicher Überzeugung gegen Aufträge aus der Tabakindustrie entschieden hatte. Auch in seinem Fall setzte das neue Management der bisherigen Agenturpolitik ein Ende.[126]

Beide Geschichten können als branchentypische, deprimierende Beispiele gelesen werden. Doch im Grunde ist die Moral eine andere. Wie der Artikel in der *New York Times* feststellt, akzeptierte Bernbach die Machtübergabe voll und ganz, als er 1976 als Chief Executive zurücktrat. Seine Worte damals waren: «Ab heute seid ihr für das Unternehmen verantwortlich – jetzt müsst ihr selbst entscheiden.»

Tatsächlich entschieden sich die neuen Eigentümer dafür, dem Geld zu folgen, auch wenn sie das Verbot politischer Werbung beibehielten, das Doyle Dane Bernbach nach dem Wahlkampf von 1964 wieder eingeführt hatte. Vielleicht war ihm bewusst geworden, dass er damit die Büchse der Pandora geöffnet hatte.

Im Kontext dieses Kapitels weisen Bernbachs Worte auf etwas Wichtiges hin. Er war ein Mann mit ethischen Überzeugungen. Gleichzeitig war er bescheiden genug, um den Unterschied zwischen sich selbst und dem Unternehmen zu erkennen. Er unternahm nicht den Versuch, DDB auf ewig auf seine eigene Weltanschauung zu verpflichten. Jahre vor seinem Tod hatte er sich selbst bereit gezeigt, von seiner strengen Anti-Tabak-Haltung abzurücken. Damals stand eine potenziell lukrative Fusion mit der Werbeagentur FCB auf dem Spiel, die über große Kunden aus der Tabakindustrie verfügte. «Ich habe die Agentur an ein neues Team von Leuten übergeben, die jetzt für ihr Wohl und Wehe verantwortlich sind», sagte Bernbach. «Sie sollten nicht die Sklaven einer Entscheidung sein, die ich vor fast 20 Jahren getroffen habe.» Selbst Bernbachs Prinzipien hatten also ihren Preis: Die Fusion hätte die finanzielle Zukunft seiner Familie gesichert, und das zu einem Zeitpunkt, als er bereits still an Leukämie litt, an der er dann sterben sollte.

Bernbach hatte nie den Anschein erweckt, sich zum Anführer eines großen moralischen Kreuzzugs berufen zu fühlen. Seine Ansichten über Tabak waren seine Ansichten, und seine Agentur war erfolgreich genug, dass er sie umsetzen konnte, ohne das Einkommen oder die Arbeitsplätze seiner Mitarbeiter zu gefährden. In jedem Fall spiegelte die moralische Haltung seine eigenen Werte wider, nicht die vermeintlichen «Werte» von DDB als Unternehmen. Sobald er weg war, sollten andere entscheiden.

Es mag seltsam erscheinen, in der Welt der Werbung für einen Wert wie Bescheidenheit einzutreten. Und das Letzte, was ich mir wünsche, wäre eine Welle von Kampagnen, die mit falscher Bescheidenheit prahlen. Genauso wenig wünsche ich mir Werbeleute, die auf der Bühne in Cannes verschämt darüber reden, dass sie nur ihr Bestes tun – und wenn dabei ein paar Purpose-Awards herausspringen, umso besser. Aber ich sehe Bescheidenheit als einen nützlichen Prüfstein: für Marken beim Entwickeln von Kampagnen, für CEOs beim Nachdenken über die Rolle ihres Unternehmens in der Welt. Purpose fordert Sie auf, mit dem Warum zu beginnen, Ihre übergeordnete gesellschaftliche Mission zu definieren und dann die globale Debatte darüber zu leiten. Bescheidenheit fordert Sie dazu auf, einen Schritt zurückzutreten. Richtig verstanden, geht es dabei nicht darum, sich kleinzureden oder sein Licht unter den Scheffel zu stellen. Vielmehr geht es darum, geerdet zu sein und mit der Realität in Verbindung zu bleiben. Als Anker zwischen Selbstverherrlichung und Selbstverleugnung gilt die Demut in den abrahamitischen Religionen als eine der großen Tugenden. Im Buddhismus ist sie mit der Idee des «nicht-egoischen Bewusstseins» verwandt. Um einen Satz zu zitieren, der gewöhnlich C. S. Lewis zugeschrieben wird: Es geht nicht darum, weniger von sich selbst zu halten, sondern weniger an sich selbst zu denken.

Wie lässt sich das auf die täglich zu treffenden Entscheidungen übertragen? Schauen Sie sich zum Beispiel jede Kampagne genau an, an der Sie arbeiten. Machen Sie sich selbst zum Helden der Geschichte? Warum sollte nicht der Kunde im Mittelpunkt stehen? Oder schauen Sie sich eine Rede an, die Sie halten. Klingen Sie darin wie der Anführer einer sozialen Bewegung? Setzen Sie sich selbst mit dem Unternehmen gleich? Äußern Sie sich im Namen Ihrer Mitarbeitenden zu politischen Themen? Warum nicht mehr zuhören als reden? Als nützliche Übung könnten Sie in den Spiegel schauen und sich sagen: «Schau mal, ich mache nur Werbung» oder: «Ich verkaufe nur Seife». Das ist nicht abwertend gemeint, sondern als Möglichkeit, sich wieder auf den Boden der Tatsachen zurückzubringen. Dadurch wirken Sie stark. Bescheidenheit ist das Gegenmittel zur Hybris.

Humanity, unlimited

Im Juli 2023 behauptete ein kanadischer Wissenschaftler, das einzige bekannte Exemplar von Geoffrey Chaucers Handschrift identifiziert zu haben. Der Autor der *Canterbury Tales* arbeitete zwölf Jahre lang als Verwalter des Londoner Wool Quay und füllte Papiere aus, um sicherzustellen, dass König Richard II. seinen Anteil an den Steuern aus jedem Handelsgeschäft erhielt. Professor Richard Green von der Ohio State University behauptet, dass eine gekritzelte Notiz aus dieser Zeit (1374 bis 1386) von Chaucers eigener Hand stammt. Was steht in diesem einen erhaltenen Fragment aus der Hand des großen Dichters? Chaucer bat um eine Freistellung von der Arbeit.[127]

Chaucer war nicht der einzige Schriftsteller, der seine Brötchen mit einer weniger glamourösen Beschäftigung verdiente. Philip Larkin war Bibliothekar; T.S. Eliot war Bankier, Maya Angelou Straßenbahnschaffnerin. Robert Burns arbeitete als Steuereintreiber. Toni Morrison war Lektorin. Charlotte Brontë war Gouvernante. George Bernard Shaw arbeitete für die Telefongesellschaft Edison. Kurt Vonnegut leitete eine Händlerniederlassung von Saab. In anderen Kunstbereichen sind beispielsweise Philip Glass zu nennen, der als Klempner und Taxifahrer arbeitete, oder Vivian Maier, die Kindermädchen war. Und Jeff Koons war ursprünglich ein Rohstoffmakler.

Ich erwähne dies, weil es etwas offensichtlich macht: Arbeit ist nicht alles. Man muss keine Dichterin oder kein Maler sein, um zu erkennen, dass die eigene größte Leidenschaft und der eigene Sinn im Leben oft außerhalb der Arbeit liegen. Vielleicht reisen Sie leidenschaftlich gern. Vielleicht lieben Sie es, Sport zu treiben. Oder Sie finden einen tieferen Sinn darin, Kinder großzuziehen oder sich um alternde Eltern zu kümmern. Vielleicht gehen Sie jeden Sonntag in die Kirche oder jeden Samstag zum Fußball. Oder Sie spielen in einer Band, lernen stricken, gehen zum Tanzkurs, engagieren sich freiwillig in einer Suppenküche, gehen gern in die Kneipe oder ins Museum. Vielleicht lesen Sie auch gern und tauchen in die Welten ein, von denen Larkin, Angelou und Chaucer an ihren freien Tagen erzählt haben.

Für all diese Dinge können Unternehmen ein starker Motor sein – allein dadurch, dass sie Unternehmen sind. Es wäre interessant, Chaucer oder Koons dabei zu beobachten, wie sie vor einem Plakat mit den Purpose-getriebenen Leitsätzen ihrer Arbeitgeber stehen: «Wir sind hier, um die Welt zu verbessern». Wahrscheinlich würden sie sich sagen: «Ihr seid hier, um mich zu bezahlen. Ich habe meine eigenen Pläne.»

Das soll nicht heißen, dass Arbeit immer eine rein geschäftliche Beziehung ist. Arbeit hat etwas Edles an sich, und wir verbringen viele Stunden unseres Lebens damit. Es spricht also viel dafür, einen Job zu haben, den man erträglich und angenehm findet, und einen Arbeitgeber, der keine übertriebenen Anforderungen stellt.

Das Problem ist nur, dass der Purpose oft im Widerspruch dazu steht. Er stellt das Geschäft als eine wichtige soziale Mission dar: wichtig genug, dass vielleicht jeder mithelfen und an diesem Wochenende arbeiten sollte. Oder vielleicht sollten alle mitziehen, wenn ihr visionärer Querkopf von einem Chef mal wieder etwas übergriffig wird. Die WeWorks und Theranos dieser Welt gedeihen auf dem Boden der Kultur, die der Purpose schafft.

Andere finden ihren Purpose eher in der Arbeit als in anderen Lebensbereichen. Sehr wahrscheinlich werden ein Steve Jobs oder eine Anita Roddick auf ihr Leben zurückblicken und die Arbeit als ihre größte Leistung ansehen – genauso wie eine Klempnerin oder ein Fensterputzer in ihrem Beruf eine große Zufriedenheit und einen Sinn finden können. Um dies zu illustrieren, lasse ich hier einen Fensterputzer zu Wort kommen, der in den Jahren vor 2001 im World Trade Center gearbeitet hat:

> «Meine Welt besteht aus Fenstern und Spiegelungen. Ich bin lieber draußen und schaue hinein. Ich bin es, der frei ist. Drinnen ist es wie im Gefängnis. Ich würde nie mit den Bonzen tauschen wollen, die drinnen in ihren Ledersesseln sitzen. Wenn ich an ihren klimatisierten Käfigen vorbeigehe, sehe ich, dass sie sich am liebsten ihre Krawatten vom Hals reißen würden. Ich habe keinen Stress … Da oben geht's ganz schön heftig zu, wenn der Wind peitscht, zum Glück hält der Korb bombenfest. Oft komme ich mit einem Sonnenbrand runter. Im Sommer gibt es eine schöne, luftige Brise … Aber ich liebe diesen Job. Ich bekomme 75 Dollar mehr als die Fensterputzer unten.»[128]

Roko Camaj befand sich am 11. September 2001 auf dem Dach des Südturms. Seine Leiche wurde nie gefunden. Seine Worte stammen aus einem «Life in the Day»-Feature von 1998 in der Sunday Times. Sie sind nicht nur bewegend und eindrücklich, sondern bezeugen auch auf poetische Weise, welche Rolle die Arbeit im Leben vieler Menschen spielt. Arbeit kann eine zutiefst bedeutungsvolle Sache sein, aber diese Bedeutung geben wir ihr selbst. Sie ist nicht in den Top-down-Werten von World Trade Center Window Cleaners plc verankert, so wie Chaucers mutmaßliche Faszination für Wollhändler und das Leben in London nicht Teil des «Goldenen Kreises» seines Arbeitgebers war.

Wenn ein Mark Zuckerberg oder ein Howard Schultz sich bei Facebook oder Starbucks umschaut, sieht er sich sicherlich von Menschen umgeben, die alle auf ein gemeinsames Ziel hinarbeiten: «Menschen die Möglichkeit zu geben, Gemeinschaft zu gestalten und die Welt näher zusammenzubringen» oder «den menschlichen Geist zu inspirieren und zu fördern». Aber ich denke, es wäre besser und näher an der Realität, sich umzuschauen und etwas anderes zu sehen: eine Gruppe von Menschen, die alle ihren eigenen Purpose verfolgen. Die eine ist vielleicht eine große Dichterin, der andere ein wunderbarer Vater. Der eine ist ein talentierter Sänger, die andere eine engagierte Aktivistin. Die eine vielleicht Republikanerin, der andere Demokrat. Als Unternehmen fördern Sie all diese Ziele, von denen Sie oft nicht einmal erfahren werden. Aber indem Sie ein anständiger Arbeitgeber in einem erfolgreichen Unternehmen sind, helfen Sie vielen Menschen, einen Sinn in ihrem eigenen Leben zu verwirklichen.

Der beste Weg, all dies zunichtezumachen, besteht darin, Menschen auf eine einzige Weltanschauung einzuschwören: In diesem Unternehmen darf man nur über Politik reden, wenn man links der Mitte steht. In diesem Unternehmen muss man ein DEI-Statement[129] unterschreiben, auch wenn man darin nicht alles gutheißen kann. In diesem Unternehmen glauben wir an die einzig wahre Vision, und jeder, der sie infrage stellt, ist ein Schwarzseher, eine Zynikerin oder ein Pessimist. In diesem Unternehmen sind wir hier, um die Welt zu verbessern. Und wir haben uns schon entschieden, was «besser» bedeutet. Sie müssen sich dem nur anschließen.

Bei dieser Unterscheidung zwischen unternehmerischem und menschlichem Purpose geht es um mehr als Poesie, Kunst und die Suche nach einer höheren Berufung außerhalb der Arbeit: Es geht um Menschenrechte. In ihrem Buch *Higher Ground* von 2024 plädiert Alison Taylor für Menschenrechte als alternativen ethischen Rahmen für Unternehmen: «Es ist hilfreich, die Menschenrechte in den Mittelpunkt der eigenen wertegeleiteten Initiativen zu stellen, denn sie zielen auf die Handlungsfähigkeit des Einzelnen, auf dessen körperliche Autonomie und Würde – im Gegensatz dazu, Menschen Werte aufzuzwingen, die sie vielleicht nicht teilen.» Diese Idee ist radikaler und subversiver, als sie sich anhört. Und Taylor ergänzt taktvoll: «Menschenrechte sind nicht unternehmenszentriert. Sie wirken jeder Tendenz entgegen, die Interessen des Unternehmens in den Mittelpunkt des Universums zu stellen.» Dann die Schlussfolgerung: «Sie werfen wichtige Fragen über die Legitimität (und Grenzen) jeglicher Versuche seitens Unternehmen auf, politischen Einfluss auszuüben.»

Diese Fragen standen im Mittelpunkt eines Gerichtsurteils, das zum Anbruch der Purpose-Ära beitrug. In der Entscheidung des US Supreme Court im Fall Citizens United v. Federal Election Committee von 2010 entschied der mehrheitlich konservative Gerichtshof zugunsten von Unternehmen. Er sprach ihnen die gleichen verfassungsmäßigen Rechte zu wie Einzelpersonen und ebnete damit den Weg für eine Flut externer Spenden, die seither in den Wahlprozess einfließen und ihn beeinflussen.

Nicht alle der neuen Spendengelder kamen direkt von Unternehmen. Das wichtigste Ergebnis des Urteils bestand in der Einrichtung sogenannter Super-PACs[130], die unbegrenzte Spenden von Einzelpersonen und Unternehmen annehmen können, solange sie nicht direkt mit Kandidaten kooperieren. Diese Gruppen haben seit ihrer Gründung im Jahr 2010 Hunderte Millionen für Wahlen ausgegeben. Auf der anderen Seite steht der Anstieg des «dunklen Geldes» von Non-Profit-Organisationen der Art, wie sie von Patagonia und dem Holdfast Collective seither gegründet wurden. Solche Gruppen haben noch mehr Freiheiten, sich für bestimmte Themen im Wahlkampf einzusetzen, ohne die Details zu Spenderinnen und Spendern preisgeben zu müssen.

All dies führt zu einem wesentlichen Problem, das an den Kern des Purpose-Konzepts rührt. Aus juristischer Sicht wird darüber diskutiert, inwieweit Unternehmen als Personen gelten können. Aber auch aus ethischer und philosophischer Perspektive lässt sich darüber debattieren. Erinnern wir uns an die Definitionen von «Purpose», mit denen dieses Buch begonnen hat. In der zweiten Bedeutung des Wortes ging es um «Entschlossenheit oder Zielstrebigkeit». Eine solche Eigenschaft kann ein Mensch besitzen. Aber eine juristische Person? Kann ein ganzes Unternehmen wirklich über Entschlossenheit und Zielstrebigkeit verfügen? Die Geschichte hat immer wieder gezeigt, wie Purpose-erfüllte Gründer darum kämpfen, dass ihr Geist sie überdauern möge. Und wie man etwa im Fall von Robert Owen oder William Lever sehen kann, führt dies nicht selten zu Frustration oder sogar chronischer Depression.

Eine gesündere Einstellung könnte es sein, die Begrenztheit der Kontrolle zu akzeptieren. Unternehmen sind in ihrer Fähigkeit, sozialen Wandel herbeizuführen, begrenzt. Und das ist auch gut so. Der Purpose ist eine Eigenschaft von uns Menschen, nicht von Unternehmen. Unternehmen sind, was Haftung und Zweck angeht, beschränkt *(limited)* – Menschen nicht. Wenn wir diese Realität mit Demut annehmen, sind wir vielleicht eher in der Lage, innerhalb der notwendigen systemischen Beschränkungen Gutes zu bewirken. Dann kann uns auch kein Glaube an eine perfekte Unternehmenswelt mehr verrückt machen, die es so nie geben kann.

Ein Blick in die andere Richtung

Ich könnte mir vorstellen, dass sich eine aufmerksame Leserin jetzt fragt: Humor, Bescheidenheit und Menschlichkeit sind ja schön und gut. Aber ist das nicht nur eine weitere Form von Selbstbespiegelung? Sich in der eigenen inneren Welt zu verlieren, statt sich mit der äußeren zu beschäftigen? Wie wäre es, wenn wir das Teleskop einmal umdrehen und einen Blick in die andere Richtung werfen?

Die Frage ist gut, und ich bin froh, mir diese Leserin vorgestellt zu haben.

In den abschließenden Überlegungen möchte ich mich vor allem auf die Marketingbranche konzentrieren. Ihre Aufgabe sollte es eigentlich sein, Kunden dabei zu helfen, den Blick in die Welt hinauszurichten. Allerdings finden sich in ihren Reihen viele frühe Superspreader des Purpose-Memes. Inzwischen sind viele Werbefachleute der Meinung, das Purpose-Denken sei Schnee von gestern. Sie haben keine Ahnung, wie tief dieses Denken in den Unternehmen und Institutionen inzwischen verankert ist, von denen immer wieder neue Aufträge hereinflattern. Diese Kurzsichtigkeit führt zu einigen seltsamen Vorstellungen darüber, was Werbung ist und welche Rolle sie in der Welt spielt.

«Heute befindet sich die Politik im Niedergang, und derzeit ist Labour die einzige Partei, die strategisch und politisch in der Lage ist, Sipsmiths Errungenschaften nachzuahmen», schrieb der Vorsitzende von Saatchi & Saatchi, Richard Huntington, im November 2023.[131] Der Artikel, in dem die demokratische Politik mit einer Craft-Gin-Marke verglichen wurde, erschien im Independent. Die Schlagzeile auf der Titelseite lautete: «Thatchers Werbeagentur wendet sich gegen ‹grausame› Tories und unterstützt Labour».

Wie die Überschrift vermuten lässt, ist es die Assoziation mit dem Namen Saatchi, die diesem Beitrag Gewicht verleiht. Maurice und Charles Saatchi werden für immer mit dem Plakat «Labour isn't working» in Verbindung gebracht werden, das Margaret Thatcher 1979 zur Macht verhalf: Die Schlagzeile wurde von einem Foto einer sich windenden Arbeitslosenschlange begleitet. In Wirklichkeit war das Plakat von untergeordneter Bedeutung und wurde erst im Nachhinein zu einer Legende, aber es reichte aus, um eine langjährige Beziehung zwischen Thatcher und den Saatchi-Brüdern zu stiften. Einer ihrer späteren öffentlichen Auftritte war ein Besuch in der Saatchi Gallery zur Feier des 40. Jahrestags der Agenturgründung.[132]

Zu diesem Zeitpunkt hatten die Brüder die Agentur längst verlassen, um 1995 M&C Saatchi zu gründen. Man könnte also sagen, dass die Verwendung des Namens Saatchi & Saatchi zur Förderung der Pro-Labour-Kampagne 2023 in etwa vergleichbar war mit der Bereitschaft von Bill Bernbachs Agentur, Tabakaufträge anzunehmen, sobald sich ihr Gründer verabschiedet hatte. Beide Fälle zeigen, wie Unternehmen ihre Gründer überdauern und einen Kurs einschlagen, der weit außerhalb von deren Kontrolle liegt. Was Richard Huntington angeht, war er kein neuer Labour-Bekehrter, sondern unterstützte die Partei bereits seit geraumer Zeit. So hatte Saatchi & Saatchi sogar an der Kampagne von Gordon Brown im Jahr 2010 mitgearbeitet.

Nichts von alledem verhinderte, dass die Schlagzeile in der Bevölkerung Anklang fand. Die Schattenkanzlerin der Labour-Partei, Rachel Reeves, zitierte den Artikel in ihrer Stellungnahme zum Autumn Statement: «Die Raben verlassen den Turm, wenn sogar Saatchi & Saatchi sagen, dass die Tories ausgedient haben.»[133]

Für unsere Zwecke interessant ist die Geschichte, die der Artikel erzählt. «Die schwierigste Aufgabe im Marketing besteht darin, eine schrumpfende Kategorie zu vergrößern», schreibt Huntington. Seiner Ansicht nach ist die Demokratie selbst eine im Niedergang befindliche Kategorie: «Die Menschen haben schon immer den Beweggründen und dem Charakter von Politikern misstraut, aber die Demokratie fußt auf dem Glauben, dass die Staatsgewalt an sich eine wirksame Kraft zum Guten im Leben der Menschen sein kann. Und genau die ist derzeit in Gefahr.» Er fährt fort: «Bedauerlicherweise ist die Idee einer effektiven Staatsgewalt aus dem kollektiven Bewusstsein unserer Nation verschwunden».

Möglicherweise enthält das Argument einen Widerspruch: Einerseits macht Huntington die Sparpolitik der konservativen Regierung dafür verantwortlich, dass sich das Leben verschlechtert hat, andererseits behauptet er, dass die Regierung wenig Macht hat, das Leben in irgendeiner Richtung zu beeinflussen. Es trifft jedoch zu, dass die Wahlbeteiligung bei den Parlamentswahlen, insbesondere bei den jüngeren Wählern, zurückgegangen ist, obwohl die Beteiligung am Brexit-Referendum hoch gewesen war. Wenn dies daran liegt, dass die Menschen von der Demokratie enttäuscht sind, muss die Frage erlaubt sein, ob dies mit 15 Jahren Purpose-orientierter Werbung zusammenhängt, die anstatt Bürgersinn den Konsum als einzige vernünftige Antwort auf die Probleme der Gesellschaft anbietet. Wenn man die Welt allein dadurch verändern kann, dass man die richtigen Unternehmen ins Boot holt, warum sollte man sich dann noch die Mühe machen, zeitraubende Wahlkampagnen zu veranstalten und Wahlen abzuhalten? Vor allem, zumal das zu Ergebnissen führen kann, die nicht im eigenen Sinn ausfallen?

Mit der in der Werbewelt üblichen Chuzpe bietet Saatchi & Saatchi nun an, die Politik zu retten. Um dies zu bewerkstelligen, sollen die politischen Parteien mehr wie ein handwerklich hergestellter Gin denken: «Um ein Segment umzukrempeln, vor dem die Menschen scharenweise davonlaufen, braucht man Marketing-Superkräfte», schreibt Huntington. «Das bemerkenswerteste Beispiel aus jüngster Zeit ist der Betrieb Sipsmith Gin, der dem Zusammenbruch des globalen Gin-Marktes trotzte und nicht nur selbst ein phänomenales Wachstum verzeichnete, sondern auch zur Wiederbelebung des gesamten Segments beigetragen hat.» Dass der Vergleich etwas überstrapaziert sein mag, räumt Huntington ein: «Sipsmith hat dies erreicht, indem es die handwerkliche Destillation in Kupferkesseln in London wieder eingeführt hat, aber in der Politik ist das leichter gesagt als getan. Vor allem, wenn man bedenkt, über welch geringen finanziellen Spielraum jede neue Regierung verfügt.» Wie wahr.

Man kann Huntingtons Analyse einiges abgewinnen. So erwähnt er sogar das Wort «Demut», wenn es darum geht, die Beziehungen zur Öffentlichkeit wiederherzustellen. Was jedoch fehlt, ist die Einsicht, dass sich hinter dieser ganzen Fragestellung das Purpose-Narrativ verbirgt, in das die Werbewelt so tief verstrickt ist. Nachdem die Branche zunächst die Illusion genährt hat, der Unternehmenssektor sei in der Lage, anstelle der Politik den sozialen Wandel voranzutreiben, schickt sie sich nun zur Rettung des politischen Sektors an – durch Erkenntnisse, die sie aus der Wiederentdeckung einer Spirituose gezogen hat.

Die Antwort auf eine Ära, in der Marken wie politische Bewegungen wirken, ist nicht eine Ära, in der politische Bewegungen in die Nähe von Marken gerückt werden. Es geht darum, endlich wieder den Unterschied zwischen den beiden Sphären herauszustellen. Werbeagenturen können dabei in verschiedener Hinsicht eine Rolle spielen: Sie könnten sich einerseits auf ihr Kerngeschäft der kreativen Markenwerbung zurückbesinnen, die sich an echte Menschen wendet. Gleichzeitig könnten sie ihre kommunikativen Fähigkeiten in den Dienst des öffentlichen Sektors sowie gemeinnütziger Zwecke stellen – nicht als Nebenbeschäftigung, sondern als gleichwertige, ernst zu nehmende Sektoren, die ein nachhaltiges Engagement erfordern.

Um diesen Aufgaben gewachsen zu sein, muss die Werbebranche zwei Dinge wieder neu für sich entdecken: erstens kognitive Empathie und zweitens Kreativität. Auch dem Rest der Welt würde beides nicht schaden.

Was ist kognitive Empathie?

«Ich werde Ihnen eine Situation beschreiben und Sie bitten, eine Theorie darüber zu entwickeln, was in einer von mir beschriebenen Person vor sich geht. Die Situation ist folgende: Ein Lehrer stellt der Klasse eine Frage. Ein Schüler meldet sich freiwillig und gibt eine Antwort, woraufhin der Lehrer sagt: ‹Also, da habe ich schon schlechtere Antworten gehört, aber ich kann mich nicht erinnern, wann das war.› Was glauben Sie, was der Schüler jetzt fühlt und/oder denkt?»[134]

Im März 2023 stellte Robert Wright, Autor von *The Evolution of God, The Moral Animal* und *Nonzero,* diese Frage ChatGPT-4, dem Large Language Model (LLM), das kurz zuvor von OpenAI zur Verfügung gestellt worden war. Die Antwort war beeindruckend und griff die sarkastische Absicht des Lehrers auf:

«In der von Ihnen beschriebenen Situation könnte sich der Schüler aufgrund der scheinbar kritischen und sarkastischen Reaktion des Lehrers verlegen, entmutigt oder verärgert fühlen. Er könnte denken, dass seine Antwort nicht richtig war oder nicht den Erwartungen des Lehrers entsprach. Diese Erfahrung könnte dazu führen, dass der Schüler zögert, sich an künftigen Diskussionen zu beteiligen oder seine Gedanken im Unterricht zu äußern, weil er fürchtet, von dem Lehrer noch einmal negativ bewertet oder beurteilt zu werden.»

ChatGPT-4 merkte an, dass diese Reaktion aber je nach Person unterschiedlich ausfallen könnte: «Das vorgegebene Szenario legt zwar eine negative emotionale Reaktion nahe, aber es ist durchaus möglich, dass einige Personen anders reagieren. Sie könnten sich darauf konzentrieren, die Antwort des Lehrers besser zu verstehen und an sich zu arbeiten oder die Antwort sogar mit Humor zu nehmen.» Dann bat Wright ChatGPT-4, über die Reaktion anderer anwesender Schüler aus der Klasse zu spekulieren. Die Antwort war, dass die Reaktionen von Mitgefühl über Unbehagen bis hin zu Belustigung oder Gleichgültigkeit reichen könnten – je nach Person und deren Beziehung zum Lehrer beziehungsweise zum betreffenden Schüler.

Wright stellte anschließend eine komplexere Frage: Was wäre, wenn es einen Schüler gäbe, der sich zu der aktuellen Freundin des Schülers hingezogen fühlt, der gerade vom Lehrer mit der sarkastischen Antwort bedacht wurde? Was würde er fühlen? ChatGPT-4 konzentrierte sich auf die wahrscheinlichste Antwort: «Schadenfreude: Dieser Schüler könnte ein Gefühl der Genugtuung oder Freude empfinden, wenn er sieht, dass der andere Schüler in Verlegenheit gebracht wird. Er könnte denken, dass dies das soziale Ansehen des anderen Schülers herabsetzen oder die Freundin dazu bringen könnte, ihre Beziehung zu überdenken.» Zu den weiteren angebotenen Antworten gehören «Opportunismus», «Sympathie oder Empathie», «Gleichgültigkeit» oder «Sorge, die Freundin könnte durch die Reaktion des Lehrers auf ihren Freund verärgert oder betroffen sein».

Es wäre interessant, darüber zu diskutieren, wie LLMs es schaffen, solche scharfsinnigen Antworten zu generieren. Das Modell funktioniert auf der Basis probabilistischer Vorhersagen darüber, welches Wort als Nächstes im Satz folgt, sodass man es auf einer bestimmten Ebene als eine Art hochentwickelte Mimikry bezeichnen kann. Man könnte aber auch die Frage stellen, ob das LLM auf der Grundlage unserer sprachlichen Äußerungen womöglich ein Modell des menschlichen Geistes rekonstruiert. Selbst die Ingenieure sind sich nicht ganz sicher, was im Inneren des Modells vor sich geht.

Solchen Fragen soll sich ein anderes Buch widmen. Für uns geht es in diesem Kapitel um die Fähigkeit, die Robert Wright ChatGPT-4 abverlangt. Sie wird als «kognitive Empathie» bezeichnet. Dabei handelt es sich nicht um emotionale oder affektive Empathie, die Sympathie oder Mitgefühl für die andere Person beinhaltet. Es ist vielmehr ein distanzierterer, nicht wertender Versuch, die Perspektive einer anderen Person einzunehmen – ohne sie billigen oder selbst teilen zu müssen. Andere nennen dies «Perspektivübernahme». Hier bedeutet das zum Beispiel, dass man selbst keine Schadenfreude empfinden muss, um zu ahnen, dass der Rivale in dieser Situation vielleicht Schadenfreude empfindet. Man muss es auch nicht gutheißen, dass er Schadenfreude empfindet. Sie müssen nicht unbedingt ein junger, heterosexueller, konventionell sozialisierter Mann sein oder bereits selbst in genau dieser Situation gewesen sein, damit die kognitive Empathie funktioniert. Sie müssen einzig die Fähigkeit entwickeln, die menschliche Natur zu verstehen und sich in die Lage einer anderen Person zu versetzen. Niemand kann das immer zu einhundert Prozent. Aber es nicht zumindest manchmal zu versuchen, macht das Leben zu einem harten Kampf.

Besonders hart wäre das für alle, die in der Werbebranche arbeiten. Die ganze Branche baut auf der effektiven Kommunikation mit bestimmten Zielgruppen in bestimmten Kontexten. In einem früheren Kapitel über *The Copy Book* haben wir gesehen, wie die besten Werbetexter das erreichen: Sie konzentrieren sich auf den Leser. Was geht wahrscheinlich in ihm vor? Welche Fragen stellen sich ihm beim Lesen? Warum ist er vielleicht skeptisch? Was hat er davon? Diese Übung erfordert eine gewisse intellektuelle Demut: zu erkennen, wie wenig Ihre Marke im Leben eines Menschen bedeutet (denken Sie an Coca-Cola und die 50 Prozent der Konsumenten, die kaum jemals an die Marke denken). Dazu gehört auch zu erkennen, dass Leserinnen mindestens genauso schlau oder schlauer sein könnten als Sie. Wie der Texter Tom Thomas in *The Copy Book* sagt: «Wenn es eine einfache Wahrheit gibt, die all dies zusammenfasst – und die gibt es nicht, aber ich sage es trotzdem –, dann ist es die, dass Menschen, die Anzeigen schreiben, davon ausgehen sollten, dass die Leser mindestens genauso schlau sind wie sie selbst. Diese

Annahme hat den Vorteil, dass sie in einigen, vielleicht sogar in den meisten Fällen zutrifft. Außerdem sorgt sie für ehrliche Texter – und glaubwürdige Werbung.»

Seit jeher sind die Werbeleute davon überzeugt, sowohl kognitiv als auch emotional über besonderes Einfühlungsvermögen zu verfügen. Texterinnen und Designer glauben, dass sie ein instinktives Gespür dafür haben. Werbeagenturen beschäftigen Planer und Strateginnen, deren Aufgabe es ist, Zielgruppen und Märkte zu erforschen und umfassende Erkenntnisse zu gewinnen, die jedem Kreativbriefing Substanz geben.

Insbesondere in den letzten Jahren sieht die Realität jedoch anders aus. Ein Whitepaper der Strategieberater Andrew Tenzer und Ian Murray von 2019 förderte einige harte Fakten zu diesem Thema zutage. In *The Empathy Delusion* nutzten die Autoren 14 psychologische Testfragen, um die kognitiven und emotionalen Empathiewerte der Befragten zu ermitteln. Dabei stellten sie fest, dass Werbefachleute etwa gleich abschnitten wie alle anderen Gruppen (30 Prozent schneiden gut ab, verglichen mit 29 Prozent der Nicht-Werbefachleute). Nicht schlecht, aber auch nicht berauschend für eine der Fähigkeiten, die die Werbung als ihr Spezialgebiet ausgibt.[135]

In derselben Studie wiesen die Autoren nach, dass Empathie ungleichmäßig verteilt ist: Menschen, die sich politisch links einordnen, neigen eher dazu, Andersdenkende streng zu beurteilen. Das ist nicht unerheblich bei einer Quote von 44 Prozent an Werbefachleuten, die sich selbst als «links» bezeichnen. Demgegenüber bezeichnen die Autoren 25 Prozent davon als «modernen Mainstream» – Menschen aus allen Gesellschaftsschichten.

Das heißt also, dass Werbespezialisten nicht nur nicht besser in kognitiver und emotionaler Empathie abschneiden als der Durchschnitt. Sie neigen sogar dazu, schlechter zu sein, indem sie sich übermäßig mit der einen Seite identifizieren und weniger Verständnis für die andere aufbringen. Eines der Ergebnisse des Purpose-Narrativs lautet, dass Werbeagenturen diesen Umstand sogar als Stärke verkaufen können: Sie stehen stolz auf der richtigen Seite der Gesellschaft und teilen das Unverständnis oder die Verachtung ihrer Kunden gegenüber großen Teilen der Öffentlichkeit.

In einer Branche, die mehr Wert auf kognitive Empathie legen würde, wären Werbeagenturen stolz darauf, sich in verschiedene Kulturen und Milieus einzufühlen und deren Dolmetscher zu sein. Ob Sie nun Kreativdirektor oder Etatplanerin sind – wenn ein Kunde fragt: «Was geht in den Köpfen von Impfgegnern vor?», sollten Sie eine Antwort parat haben. Wenn eine Kundin fragt: «Was hat es mit der Two-Spirit-Community auf sich?», sollten Sie in der Lage sein, sie aufzuklären. Und wenn ein Kunde davon überzeugt ist, dass die Generation Z unbedingt linksorientiertes Marketing fordert, sollten Sie erklären können, warum dies nicht der Fall ist. Sie sollten stolz darauf sein, gute Argumente für den Brexit oder Trump vorbringen zu können, auch wenn Sie selbst von beidem nichts halten. Ebenso sollten Sie stolz darauf sein, Argumente für die Proteste von Just Stop Oil zu liefern, auch wenn Sie nicht mit ihnen einverstanden sind.

Dazu sollten Sie eine breit gefächerte Auswahl an Medien konsumieren und sich kontinuierlich bemühen, Standpunkte zu verstehen, die Sie nicht teilen. Ihre Agentur sollte in gründliche, unabhängige Forschung investieren, anstatt sich mit oberflächlichen Studien und Suggestivfragen zu begnügen. Und in Vorstellungsgesprächen in Ihrer Agentur sollten Sie die Aspirantinnen damit beauftragen, für eine Sache oder ein Produkt zu werben, mit dem sie sich persönlich nicht identifizieren können. Bitten Sie einen 25-Jährigen, für ein Pflegeheim zu werben. Bitten Sie einen Mann, für Damenbinden zu werben. Bitten Sie einen Liverpool-Fan, an einer Werbekampagne für Everton-Merchandise mitzuarbeiten. (Übrigens heißt der Fanshop des FC Everton im Einkaufszentrum

«Liverpool One» «Everton Two» – ein Wortspiel, das es in die neueste Ausgabe von *A Smile in the Mind* geschafft hat, obwohl der Mitherausgeber ein bekennender Liverpool-Fan ist.)

Damit will ich nicht behaupten, dass Menschen keine ausgeprägten Präferenzen hätten. Und wer für sich selbst persönliche Grenzen zieht, hat jedes Recht dazu. Aber unabhängig von Ihrer persönlichen Identität und Einstellung: Es ist unmöglich, die eigene berufliche Karriere ausschließlich darauf zu gründen, dass man nur Menschen mit genau derselben Identität und Einstellung als Zielgruppe anspricht. Irgendwann sollte jeder in seine Fähigkeit der kognitiven Empathie investieren – denn die Welt ist groß und bunt.

In der Purpose-Ära ist kognitive Empathie aus der Mode gekommen. Seit die Occupy-Wall-Street-Proteste abgeklungen sind und Identitätsfragen an Bedeutung gewonnen haben, gilt es als naiv oder problematisch, zu behaupten, man könne über seine eigene Identität hinausgehen, um wirklich mit anderen Gruppen in Verbindung zu treten. Stattdessen wird «Diversity» als Lösung propagiert. Wenn die Zielgruppen, an die Sie sich richten, divers sind, dann müssen Sie eben diverse Mitarbeiter einstellen. Nichts über uns ohne uns. («Nothing about us without us.») Das ist der Schlachtruf, und er hat eine gewisse Berechtigung. Identität kann eine Abkürzung zu kognitiver Empathie sein: Es ist nämlich nicht ganz von der Hand zu weisen, dass eine Agentur, die sich aus mehreren Ethnien, geschlechtlichen Identitäten und sexuellen Orientierungen sowie Personen unterschiedlicher sozialer Herkunft zusammensetzt, in ihrer Gesamtheit einen besseren Einblick in die Breite aller Zielgruppen hat als eine, die ausschließlich aus heterosexuellen weißen Männern der Oberschicht besteht.

Aber Identität ist kein Ersatz für kognitive Empathie. Und es führt zu unbeabsichtigten Ergebnissen, wenn man sich zu einseitig darauf konzentriert. Von der Einstellung «Wir sollten eine muslimische Frau einstellen, wenn wir glaubwürdig an muslimische

Frauen vermarkten wollen» zu einer Situation am Arbeitsplatz, in der sich alle gönnerhaft-bevormundend an die einzige muslimische Frau im Raum wenden und sie als Sprecherin für ihre gesamte Religionsgemeinschaft, Ethnie und ihr Geschlecht behandeln, ist es nur ein kleiner Schritt. Denn niemand möchte allein auf seine oberflächlichen Identitätsmerkmale reduziert werden, und das ganze Konzept der Repräsentation hat eine starke Tendenz zu dieser Art von Identitätsdeterminismus. Handelt es sich um einen Tampon? Dann geben wir den Auftrag an ein reines Frauenteam. «Wir würden aber lieber an der Autowerbung arbeiten», könnten die Frauen berechtigterweise antworten. Oder geht es um eine urbane Jugendmarke? Selbstredend bekommt der junge farbige Texter den Auftrag. «Ich bin Cambridge-Absolvent in Philosophie. Was ist denn mit Ihnen los?!», könnte der Texter entgegnen.

Das sind keine Einzelfälle. Eine Umfrage der IPA-Branche von 2020 ergab beispielsweise, dass 69 Prozent der BAME-Personen (Black and Asian Minority Ethnic) in der Werbebranche eine Privatschule besucht haben. Dies spricht nicht gegen ethnische Vielfalt, macht die Sache aber komplizierter. Für das Massenmarketing ist die Kombination aus Bildungs- und schichtspezifischem Hintergrund relevant, aber die Herkunftsschicht ist bei der Rekrutierung nur schwer einzuschätzen. Was machen Sie? Verlassen Sie sich auf die Selbstidentifikation der Bewerberin oder stellen Sie aufdringliche persönliche Fragen zu ihrem bisherigen Einkommen und dem ihrer Eltern und Großeltern?

Eine weitere wichtige Variable ist das Alter. Im Vereinigten Königreich stiegen die Ausgaben der über 65-Jährigen von 2001 bis 2018 um 75 Prozent, während die Ausgaben der unter 50-Jährigen im gleichen Zeitraum um 16 Prozent sanken. Bis 2040 werden voraussichtlich 63 Pence, die pro Pfund in der britischen Wirtschaft ausgegeben werden, von älteren Menschen stammen, gegenüber 54 Pence im Jahr 2018. Dieser Betrag betrifft die gesamte Wirtschaft, einschließlich des Freizeit- und Kulturbereichs, des Transportwesens, der Haushaltswaren und -dienstleistungen.[136] Doch während die Bevölkerung altert, wird die Werbebranche immer jünger. Die jährliche IPA-Umfrage zeigt, dass das Durchschnittsalter der Beschäftigten von 34,6 Jahren im Jahr 2021 bis 2022 auf 34,4 Jahre geringfügig gesunken ist, hingegen waren nur 6,5 Prozent der Beschäftigten 50 Jahre oder älter.

Ein grober, demografisch «repräsentativer» Ansatz bestünde darin, mehr ältere Menschen einzustellen. Tatsächlich könnte es sogar bedeuten, mehr alte weiße Männer einzustellen, da nur 76,4 Prozent der Werbebranche weiß sind, verglichen mit 82 Prozent der Bevölkerung in England und Wales. Und 54,8 Prozent der Werbebranche sind weiblich, verglichen mit 51 Prozent der britischen Bevölkerung. Man merkt schnell, wie unbeholfen und zugleich unpopulär ein solcher Ansatz wäre. Und andere Faktoren wie das relative Dienstalter und die Bezahlung oder Merkmale wie Neurodiversität, Behinderung, sexuelle Orientierung, politische Einstellung, gesundheitliche Probleme oder religiöse Überzeugung blieben dabei auf der Strecke.

Durch nichts von alldem will ich andeuten, dass wir das Thema Diversity ad acta legen sollten. Es gibt aber gute Gründe dafür, es auf eine andere Ebene zu heben. Zurzeit bemühen sich die Agenturen verständlicherweise darum, die Profitabilität und den Nutzen von Diversität herauszustellen. Ein stärkeres Argument für Diversität ist aber, dass sie an sich ein ethisches Gut darstellt. Agenturen sollten das Netz weit auswerfen, auf potenzielle Vorurteile achten und eine Kultur schaffen, in der sich die Menschen langfristig willkommen fühlen – denn dies ist die einzig richtige Haltung. In den meisten Fällen würde man sich sogar strafbar machen, wenn man etwas anderes täte. Man braucht keine weitere Rechtfertigung, und sobald man anfängt, wirtschaftliche Argumente zu bemühen, begibt man sich auf dünnes Eis.

Vor allem aber sollte Diversität nicht als Ersatz für die anstrengende Arbeit an kognitiver Empathie gesehen werden. Wie divers Ihre Agentur auch sein mag – ohne die Schlüsselkompetenz, die jeder Einzelne, mit welchem ethnischen, religiösen, geschlechts- oder schichtspezifischen Hintergrund auch immer, entwickeln muss, wird sie nichts erreichen. Denn egal wer *Sie* sind: Ihre Aufgabe ist es, mit Menschen zu kommunizieren, die *nicht* Sie sind. Das erfordert intellektuelle Bescheidenheit, Vorstellungsvermögen und den Glauben an die Möglichkeit einer Verbindung über alles Trennende hinweg. Wenn das einschüchternd klingt, sollten Sie sich eins vor Augen führen: In der Realität gehören ethnische und religiöse Zugehörigkeit, Geschlecht, sexuelle Orientierung, schichtspezifischer Hintergrund und die politische Überzeugung der Zielgruppe meist nicht zu den relevantesten Variablen. Dafür geht es um Fragen wie: Sind sie auf der Suche nach einem Elektroauto? Können sie dazu bewegt werden, für ein Tierheim zu spenden? Können wir sie daran erinnern, dass Coca-Cola die rote Marke mit dem geschwungenen Schriftzug ist, wenn sie nächstes Jahr einen Softdrink kaufen?

In all diesen Fällen kann kognitive Empathie zu besseren Ergebnissen führen und dazu beitragen, einige der misslungenen Kampagnen der letzten Jahre zu verhindern. Und wenn Werbeagenturen zu lange zögern, diese Kernkompetenz aufs Neue zu kultivieren, dann könnte es bald eine Alternative geben: Wir könnten die künstliche Intelligenz dazu bringen, es zu tun.

Holen wir uns unsere Kreativität zurück!

Lissabon, Mitte der 1970er-Jahre. Eine Staubsaugermesse. An einem langweiligen Messeabend vertrieben sich ein Firmengründer und sein Vertriebsmitarbeiter die Zeit damit, eine Schleife und ein Union-Jack-Abzeichen an einen ihrer Staubsauger zu heften. Dann malten sie ein breites Lächeln unter den Anschluss für den Staubsaugerschlauch, der wie eine Nase aussah, und fügten ein Augenpaar hinzu. Anschließend rollten sie den Staubsauger wieder zu den anderen Modellen in die Ecke. Am nächsten Tag fiel ihnen auf, dass die Leute darauf zeigten und lachten. Der Gründer, Chris Duncan, bat einen Mitarbeiter im Büro, ein richtiges Gesicht zu entwerfen. Mit einer Anspielung auf seine britische Herkunft nannten sie es Henry. Vier Jahrzehnte später haben über 10 Millionen Henry- und Hetty-Staubsauger ihren Weg in die Downing Street, den Buckingham Palace und unzählige Haushalte und Büros auf der ganzen Welt gefunden. Chris Duncan ist mehr als 150 Millionen Pfund schwer.

Das Aufmalen des Gesichts hat weder etwas mit Purpose noch mit Strategie noch mit Positionierung oder Politik zu tun. Es ist ein reiner Akt der Kreativität. Man kann es als eine Verdichtung des Branding- und Marketingprozesses an sich betrachten: Die Aufgabe besteht darin, einem leblosen Produkt oder einer leblosen Dienstleistung eine unverwechselbare Persönlichkeit einzuhauchen. Es fängt also nicht mit dem Warum an. Es beginnt vielmehr mit einem «Warum nicht?». Das kann ein Moment der Unprofessionalität, des Herumalberns sein – obwohl ernstere Zeitgenossen meinen könnten, es sei besser, sich darauf zu konzentrieren, Staubsauger zu verkaufen, anstatt auf ihnen herumzukritzeln.

Warum reagieren wir Menschen so positiv darauf? Weil wir Dinge mit menschlichen Zügen mögen. Wir mögen die Verspieltheit des Lächelns, die Leichtigkeit, die es den Alltagstätigkeiten verleiht. Inmitten der Banalität der Arbeitsroutine und den Mühlen des Kapitalismus ist Henrys Lächeln ein Zeichen dafür, dass wir Menschen sind. Und obwohl es nicht mit einem Social Purpose begonnen hat, hat sich ein unerwarteter Purpose eingestellt: Kinder lieben Henry. 2019 wurde Erik Matich, ein fünfjähriger Junge mit Leukämie, von der gemeinnützigen Organisation Make-A-Wish von Illinois nach Somerset geflogen. Er hatte davon geträumt, Henrys Zuhause zu sehen. Viele Kinder mit Autismus haben eine ähnliche Reise unternommen. «Sie scheinen eine Beziehung zu Henry zu haben, weil er ihnen nie etwas vorschreibt», sagt Chris Duncan. Später hat er mit Hilfsorganisationen zur Unterstützung von Kindern mit Autismus zusammengearbeitet und mit ihnen Bücher über Henry und Hetty gestaltet.[137]

Wer Henrys Website besucht, wird dort kein Purpose-Statement finden. Auch sucht man vergebens nach Aussagen wie: «Wir sind hier, um das Bewusstsein der Welt zu stärken, indem wir die Technologie menschlich gestalten und Menschen auf der ganzen Welt – ob in Familien oder am Arbeitsplatz – bedeutungsvolle Momente der Verbundenheit bieten.» Das einzige Mal, als die Marke Henry ins Wanken geriet, war, als der Eigentümer einmal politische Ansichten äußerte, die man als Brexit-freundlich hätte interpretieren können.[138] Abgesehen davon hat sich die Marke immer aus der Politik herausgehalten und ist nie Gefahr gelaufen, in Größenwahn oder Selbstherrlichkeit abzugleiten. Dyson, der Wettbewerber aus dem höherpreisigen Segment, war häufig auf Designausstellungen und bei Preisverleihungen vertreten (bis sein Eigentümer seinerseits anfing, sich für einen Brexit auszusprechen). Henry dagegen wird sich nicht auf diese Weise selbst feiern. Das tun andere für ihn: 2018 organisierte ein Student der Universität Cardiff ein Henry-Hoover-Picknick. Als sich 37 000 Teilnehmende angemeldet hatten, musste er es absagen.[139]

Kreativität ist der Geist in der kapitalistischen Maschinerie. Ein Geist, der eine gewöhnliche Dose Haushaltsschmieröl nimmt, die Tülle in einen Schnabel verwandelt, den restlichen Vogel auf die Dose malt und sie dann Oily Bird nennt, um den New-Jersey-Akzent der Eigentümer nachzuahmen. Es ist nicht bekannt, wer sich Oily Bird 1964 im Auftrag der Ronson Corporation ausgedacht hat. Eines ist aber sicher: Dieser Jemand hatte einen guten Tag im Büro und er schuf damit ein dauerhaftes Stück Werbekunst.

Kreativität ist der Geist, der durch ein Audi-Werk in Deutschland spaziert, drei Worte auf einem verblassten Plakat an der Wand sieht und beschließt, sie als Werbeslogan zu verwenden, den im Vereinigten Königreich niemand verstehen wird. «Vorsprung durch Technik» wurde zu einem beliebten Schlagwort, das auch in Großbritannien für deutsche Ingenieurskunst stand – auch wenn nur wenige wussten, was es bedeutet.[140]

Kreativität ist der Geist, der ein Zentrum für Bildungs- und Sprachförderung in der City von San Francisco eröffnen möchte, aber herausfindet, dass der Standort für den Einzelhandel reserviert ist. Und der dann beschließt, einen ziemlich skurrilen Laden zu eröffnen: Im vorderen Bereich des Pirate Supply Store werden Augenklappen, Totenkopffahnen und geheime Schätze verkauft, während sich im hinteren Teil der Bildungsbereich befindet. Diese Umgehung der Planungsbeschränkungen wurde zur Inspiration für den Pirate Supply Store, Robot Supply Co, Brooklyn Superhero Supply Co, Hoxton Monster Supplies und andere Bildungs- und Sprachförderzentren auf der ganzen Welt.

Nur eine dieser Ideen stammt überhaupt von einem Werbefachmann: John Hegarty von Bartle Bogle Hegarty war es, der sich in der Audi-Fabrik umgesehen hat. Deshalb hört man häufig den Satz: «Jeder Mensch ist kreativ». Ein Argument dafür, dass Kreativität nicht in eine spezielle Abteilung einer Agentur ausgelagert werden kann. Aber das stimmt so nicht ganz. John Hegarty war auch der Einzige, der in diesem Jahr noch 50 weitere Aufträge zu bearbeiten hatte. Ja, jeder kann kreativ sein, so wie jeder tanzen kann. Aber einige entscheiden sich dafür, dies professionell zu tun. Sie kehren jeden Tag zurück zu ihrem leeren Blatt und füllen es unter Zeitdruck mit etwas Interessantem und kommerziell Verwertbarem.

Es gibt unterschiedliche Methoden zur Systematisierung von Kreativität. James Kaufman und Ronald Beghetto haben das «four C»-Modell entwickelt, das zwischen Mini-C (persönliche Kreativität im Lernprozess), Little-C (Kreativität im Alltag, zum Beispiel Problemlösung), Pro-C (professionelle Kreativität) und Big-C (historisch bedeutende, geniale Kreativität) unterscheidet. Die Hierarchie impliziert ein Werturteil, aber hier geht es um die Unterscheidungen selbst. In einem gewissen Sinne sind Sie jedes Mal kreativ, wenn Sie eine E-Mail schreiben, ein Essen kochen oder PowerPoint-Folien erstellen. Aber wenn man alle Arten von Kreativität auf eine einzige Ebene reduziert – von Beethovens Sinfonien bis zum Versenden eines Zwinker-Emojis – gehen doch einige wichtige Nuancen verloren.

Bei Projekten im Bereich Werbung und Branding gibt es einen Punkt im Prozess, an dem der Zeitplan erstellt, das Briefing geschrieben, die Honorare vereinbart, die Marktforschung abgeschlossen und die Strategie entwickelt ist. Das ist der Moment, an dem die leere Seite darauf wartet, mit einer Anzeige, einem Logo, einem Slogan oder einer Idee gefüllt zu werden. Was jetzt folgt, kann man als Schreiben, Entwerfen, Gestalten oder Ideenfindung bezeichnen. Wir können philosophisch argumentieren und sagen, dass es seit dem Urknall nichts mehr wirklich Kreatives gab, dass alles nur eine Variation des bereits Bestehenden ist. Aber die leere Seite ist immer noch leer, und «Kreativität» ist ein ziemlich passendes Wort für das, was sie füllt. Genauso wie «Kreative» ein nützlicher Sammelbegriff für all die Art-Directors, Designerinnen und Texter ist, die diese Arbeit machen.

Ich will damit Account-Management, Mediabuchung, Marktforschung, Strategie und Planung, die alle wichtige Funktionen erfüllen und Überschneidungen mit der Kreativität aufweisen, auf keinen Fall kleinreden. Aber die allermeisten Kunden kommen zu den Agenturen, weil sie jemanden brauchen, der den kreativen Part übernimmt. Sie brauchen die Agentur vielleicht, um Autos zu verkaufen, für Fundraising, um für Besucherinnen attraktiv zu sein, um Bewerber für eine Stelle zu finden oder Wähler zu begeistern.

Für all diese Herausforderungen eignet sich Kreativität in ihrer professionellen Form. Ihre Antworten reichen von verblüffend naheliegend bis hin zu überraschend unkonventionell und alle werden mit den handwerklichen Fähigkeiten von Fotografinnen, Illustratoren, Regisseurinnen und Entwicklern umgesetzt.

Wenn Sie nicht in der Werbe- und Designbranche zu Hause sind, werden Sie vielleicht denken, dass ich mich hier abmühe, für etwas zu argumentieren, das sowieso offensichtlich ist. Ja, natürlich geht es um den kreativen Output und wenn Sie eine Agentur buchen, bekommen Sie den auch: Ob Ihnen das Ergebnis nun gefällt oder nicht. Aber innerhalb der Branche sieht es anders aus. Da wird über Kreativität wie über einen peinlichen alten Verwandten gesprochen, für den man sich entschuldigen muss oder den man höflich ignorieren sollte.

«Kreative Exzellenz bedeutet heute Kreativität, die nicht nur für den Auftrag gut ist, sondern für die Welt, in der wir alle leben», sagt der D&AD-Präsident. Dabei schirmt er den betrunkenen Onkel ab, der gerade im Hintergrund damit beschäftigt ist, den WeBuyAny-Car-Jingle zu singen.

«Was wir heute kreative Exzellenz nennen, ist anders als das, was wir vor 61 Jahren unter Exzellenz verstanden haben», proklamiert der D&AD Chief Executive, während der Onkel einen Ofenhandschuh in eine Handpuppe verwandelt und «Nothing's gonna stop us now» singt.

«Das Wesen der Kreativität hat sich verändert», ruft der ehemalige WPP-Chef Martin Sorrell, während der Onkel «Domin-oh-hoo-hoo!» jodelt.

«Können wir Sie für eine Kampagne über Selbstmord oder Flüchtlinge interessieren?», fragt der Vorsitzende der Cannes Lions, und der Onkel schüttet einen Becher Pot Noodle in ein Schlagloch.

«Ich bin ein Werbespot … und ich fühle mich einfach schrecklich dabei!», heißt es in dem Werbespot zur Hauptsendezeit auf

Channel 4. Der Onkel hat gerade ein Gorillakostüm übergezogen und fängt an, Schlagzeug zu spielen.[141]

Immer noch kreieren Werbeagenturen großartige, populäre und kommerziell wirksame Kampagnen. Aber vieles davon dringt nur schwer zu einem breiteren Publikum durch, verglichen mit den 1970er- oder 1980er-Jahren, als die gemeinsame kulturelle Basis noch deutlich breiter war. Damals sahen alle zur selben Zeit dieselben Werbeblöcke auf denselben Kanälen und sprachen am nächsten Tag im Büro oder auf dem Schulhof darüber. Heute ist die Gesellschaft stärker fragmentiert, was der Werbung einen Teil ihrer Macht nimmt. Denn ein Großteil ihrer Wirkung resultiert nicht nur aus der Reaktion Einzelner, sondern aus der Tatsache, dass wir wissen, dass alle anderen auch zuschauen.

Dessen ungeachtet wird immer noch viel Werbung geschaltet – manchmal zu besonderen Anlässen wie dem Super Bowl in den USA oder zu Weihnachten im Vereinigten Königreich. Aber sie findet auch das ganze Jahr über statt und ist so allgegenwärtig, dass wir sie kaum wahrnehmen. Das kann der Jodler von Domino's sein oder die McDonald's-Kampagne «Raise your arches», die das Logo mit einer Augenbrauenbewegung imitiert. Das meiste davon hat nicht die Ernsthaftigkeit und vermeintliche Noblesse von Purpose-gesteuerter Werbung, aber es macht seine Sache meist besser. Im Vereinigten Königreich produziert eine Agentur namens Brothers & Sisters gnadenlos eingängige Ohrwürmer für WeBuyAnyCar. Aber die Agentur ist auch eine Non-Profit-Organisation, die großartige gemeinnützige Arbeit finanziert. Wahrscheinlich wussten Sie das nicht, weil sie sich nicht darüber auslässt.

Unterdessen findet viel großartiges Design und Branding auf verschiedenen Gesellschaftsebenen statt. Für jede Bank- oder Airline-Marke, bei der manche leicht nervös werden, gibt es ein Branding-Konzept – aber auch für Krebsforschungsinstitute oder Bauernverbände. Viele Agenturen konzentrieren sich ausschließlich auf diese Art von Geschäft. Das geschieht entweder aus ethischen Gründen oder aus der Überzeugung, dass es interessantere kreative Möglichkeiten bietet und wirtschaftlich sinnvoll sein kann, sich zu spezialisieren.

Man mag behaupten, Kreativität sei das Schmiermittel des Kapitalismus. Aber gleichzeitig ist das viel zu kurz gegriffen. Kreativität kann auch der Ast im Getriebe sein. Sie kann den Kapitalismus untergraben, Scherze auf seine Kosten ersinnen und Ideen finden, die ihn herausfordern. Die Statue Fearless Girl auf der State Street war eine kreative Idee, aber dasselbe gilt für die E-Mail von Occupy Wall Street. Das Amazon-Logo ist eine kreative Idee, aber auch der Indie-Buchladen mit dem charmanten Schaufenster. «Labour isn't working» war ein kreativer Slogan zugunsten von Margaret Thatcher, aber dasselbe gilt auch für «Not flash, just Gordon» zugunsten von Gordon Brown (beide stammen von derselben Agentur).

Für Werbe- und Designagenturen ist es zentral, zwei Fähigkeiten zu kultivieren: das kognitive Einfühlungsvermögen, das es ermöglicht, die Welt zu verstehen, und die Kreativität, die es erlaubt, sich mit der Welt zu verbinden. Daher ziehen wir Leute an, die anders denken, die unermüdlich neugierig auf andere Standpunkte sind, die einen Strauß unterschiedlicher Perspektiven und Hintergründe verkörpern und die stets bereit sind, überkommene Ideen zu hinterfragen. Zumindest ist das eine Geschichte, die den Agenturen eigentlich gefallen sollte.

Wenn es nur so wäre. Stattdessen herrschen in der Branche eine erdrückend enge politische Agenda und eine selbstzerstörerische Abneigung gegenüber den eigenen Erfolgen. Branchenführer rechtfertigen Kreativität mit dem Hinweis auf Social Purpose. Branchen-Awards stellen eine kleine Auswahl politisch genehmer Projekte ins Schaufenster, während die eigentliche Arbeit woanders stattfindet. Kreativuniversitäten unterstellen die Kreativarbeit den Chief Social

Purpose Officers. Werbeagenturen schalten Anzeigen darüber, wie furchtbar Werbung ist.

Als Erstes gilt es, die kommerziellen Argumente für Kreativität neu zu formulieren: sie in den Mittelpunkt zu stellen, sie zu kultivieren, sie zu pflegen. Aber es geht auch um mehr. Genauso wie Kreativität nicht nur auf Purpose reduziert werden kann, erschöpft sich ihre Daseinsberechtigung auch nicht im Kommerz. Kreativität findet ihre Legitimation in sich selbst. Ja, Henrys Gesicht hat den Absatz der Staubsauger gefördert. Aber es hat noch etwas anderes bewirkt. Es hat das menschliche Bedürfnis angesprochen, schöpferisch tätig zu werden und sich zu verbinden – auch wenn unser Leben innerhalb eines größeren Systems von Unternehmen und Märkten abläuft.

Das ist weder sentimental noch spirituell gemeint. Es ist ebenso eine Tatsache wie die Inflation oder der Zinssatz. Viele Branding- und Werbemaßnahmen werden für einen bestimmten kommerziellen Zweck geschaffen, den sie erfüllen – zugleich aber auch überschreiten und überdauern. Die elegante Umgestaltung des *Friends*-Logos in «Ends Fri» war eine spezifische Antwort auf einen spezifischen Auftrag in einer spezifischen Woche im Jahr 2004, aber sie überdauert ihren kommerziellen Zweck als ein Stück Kulturgeschichte. Das Gleiche gilt für die meisten Jingles und Werbespots, an die Sie sich noch aus Kindertagen erinnern, oder für viele der großartigen Logos, die sich Ihrem Gedächtnis eingeprägt haben. Sie sind mehr als nur eine Bezeichnung für ein öffentliches Verkehrsmittel (das kreisrunde Logo der Londoner U-Bahn), einen Softdrink (der Coca-Cola-Schriftzug) oder einen Verlag (Penguin).

Viele stammen von wenig bekannten oder manchmal völlig vergessenen Designerinnen, Artdirectors, Texterinnen und anderen «Kreativen», die ihre Arbeit besser gemacht haben, als unbedingt nötig. Ja, sie haben es aus handfesten kommerziellen Gründen getan – aber auch aus eigenem Antrieb. Es gibt einen menschlichen Drang, sich auszudrücken, der über das rein Geschäftliche hinausgeht: einen Drang, Dinge um ihrer selbst willen zu erforschen und mit Ideen zu spielen. Einfach, um zu sehen, was passiert.

Der Designer und Illustrator Christophe Niemann hat einmal seine Arbeitsweise erläutert: «Es ist wichtig, ständig zu experimentieren. Wenn ich mir anschaue, was ich heute mache, dann war das vor fünf Jahren eine verrückte, experimentelle Sache, die ich an einem freien Abend gemacht habe. Wenn man den Gedanken zu Ende denkt, stellt man fest, dass man irgendwann, in fünf Jahren, nicht mehr weiterkommt, wenn man jetzt aufhört zu experimentieren.»[142]

Ich habe über die Jahre versucht, diesen Rat zu befolgen. Spielereien mit düster-pessimistischen Abwandlungen englischer Sprichwörter mündeten in meinem Buch *Perpetual Disappointments Diary*. Dabei handelt es sich um ein demotivierendes Tagebuch, das auf unerwartete Weise einen Nerv traf. Ich erhielt einen handgeschriebenen Brief von einer Frau, in dem stand, dass es sie nach der Beerdigung ihres Vaters getröstet habe. Eines Tages, als ich allein in einem Pub saß, schrieb ich ein Gedicht und postete es auf Instagram. Es war eine spontane Geste, aus der sich über dreieinhalb Jahre hinweg ein kontinuierliches Projekt entwickelte, das zu einem der bedeutungsvollsten in meinem Leben wurde. Die Arbeit an meinem Substack-Newsletter brachte mich schließlich in Kontakt mit einer gleichgesinnten Person in Australien, die die Antarctic Science Foundation leitete. Es kam zu einem Telefonat, das in einem poetischen Manifest mündete, das ich 2023 niederschrieb.

2017 drängte es mich, einen Beitrag über «Brand Purpose» für die Zeitschrift *Creative Review* zu schreiben. Nach siebenjährigem Eintauchen in die Untiefen von Marketing, Philosophie, Wirtschaft, Politik und Ethik bin ich wieder aufgetaucht – mit diesem Buch in der Hand.

Nichts von alledem hat mit einem «Warum» angefangen. Aber alles kann als eine beständige Suche danach betrachtet werden. Wenn man Glück hat, findet man irgendwann, wenn das, was auch immer man tut, sich dem Ende zuneigt, heraus, was einen selbst wirklich motiviert. Das liegt dann aber daran, dass man offen geblieben ist für neue Ideen, und nicht etwa daran, dass man von Anfang an wusste, wohin es letztlich gehen soll. Kreativität endet mit dem Warum.

Bei der Arbeit an meiner Argumentation gegen den unternehmerischen Purpose ist mir bewusst geworden, wie wichtig Purpose als Sinnfindung auf menschlicher Ebene ist: die Sehnsucht danach, das Bedürfnis nach dem, was Sinn macht. Die Idee ist viel zu groß, um sie Unternehmen zu überlassen. Deshalb habe ich dieses Buch geschrieben.

Epilog

Natürlich hätte sich nichts geändert, wenn ich damals die Löschtaste gedrückt hätte.

Um auf die Geschichte im Prolog zurückzukommen: Ich war Zeuge eines frühen Beispiels für das Wort «Purpose», das bereits im Kommen war und den Diskurs das nächste Jahrzehnt und darüber hinaus beherrschen sollte.

2022 könnte der Beginn eines Stimmungswandels sein. Der Investor Terry Smith kritisierte das Management von Unilever für seinen eindimensionalen Fokus auf Purpose. Mark Pritchard von Procter & Gamble, einst ein Purpose-Enthusiast, sprach davon, dass die Branche «zu weit ins Gutmenschentum» abgedriftet sei.[143] Larry Fink erwähnte das Wort in seinem Brief von 2023 nur einmal. Alan Jope verließ Unilever, und der neue CEO bezeichnete den Purpose-Gedanken als «unerwünschte Ablenkung». Die Kontroversen rund um Bud Light und Nigel Farage versus Coutts heizten zwar den Kulturkampf an, warfen zugleich aber auch ein Schlaglicht auf tiefer gehende Fragen zum Verhältnis zwischen Wirtschaft und Politik. Selbst bei Werbe-Awards begann man wieder, sich mit kommerzieller Kreativität zu beschäftigen.

Aber in vielen Fällen handelt es sich eher um eine Änderung des Tonfalls als des Inhalts, und der tiefen institutionellen Verankerung des Purpose wird nicht so leicht beizukommen sein. In Cannes gab es sogar Bestrebungen, eine neue Kategorie «Humor» einzuführen. Der Versuch wurde als Möglichkeit verkauft, endlich anzuerkennen, was im Grunde schon die ganze Zeit über wichtig war. In Wirklichkeit bedeutet es den endgültigen Triumph des Kuckucks über den Nestbesitzer: Purpose hat die Oberhand gewonnen – jetzt ab mit euch in eure Spezialkategorie!

Im Zusammenhang mit politischer und unternehmerischer Macht werden weiterhin Purpose-Narrative hochgehalten – und die Öffentlichkeit gerät ins Kreuzfeuer. In Großbritannien hat der Horizon-Skandal das staatliche Postunternehmen Post Office ins Wanken gebracht: Eine von Fujitsu entwickelte fehlerhafte Software führte zu buchhalterischen Unstimmigkeiten, für die lokale Poststellenleiter unerbittlich verfolgt, strafrechtlich belangt und vom System zermürbt wurden. In der ITV-Dramaserie *Mr. Bates vs. the Post Office* wurde diese Geschichte aufgedeckt: Menschen kämpfen gegen die Macht einer Marke, deren vertrauenswürdiges Image auf ihrem früheren Status als General Post Office beruhte. Inzwischen ist das nur noch eine Fassade, hinter der sich eine quasiprivatisierte Aktiengesellschaft in staatlichem Besitz verbirgt, die unter starkem wirtschaftlichem Druck steht. Wie üblich schließt sich der Kreis mit der Berufung auf den Purpose: «Seit Jahrhunderten ein Anker der britischen Gemeinden, ist Post Office ein kommerzielles Unternehmen, das von einem starken Social Purpose angetrieben wird», heißt es auf der Website. Eine von mehreren Bösewichtinnen in der Geschichte ist Paula Vennells, ehemalige CEO, die auch eine anglikanische Priesterin ist. Wie immer ist es verführerisch zu glauben, es gebe in dieser Geschichte eben einzelne Akteure mit böswilligen Absichten. Was wirklich passiert, könnte noch beunruhigender sein: Was, wenn die Protagonistinnen sich selbst für anständige Menschen halten, die im Sinne des Gemeinwohls handeln – vielleicht, um dieses entscheidende, Purpose-erfüllte nationale Besitztum zu schützen? Jeder kann seinen moralischen Kompass verlieren, wenn es um Geld, Macht und Status geht. Aber das Purpose-Narrativ wirkt sehr verführerisch und macht so etwas noch weitaus wahrscheinlicher.

Derweil stand Thames Water kurz vor der Insolvenz, da die Wasserrechnungen stiegen, die Umweltbilanz einbrach und das Unternehmen unter der Last von 14 Milliarden Pfund Schulden ächzte. Die sind größtenteils auf das historische Missmanagement der australischen Macquarie Group zurückzuführen, deren Gewinne weiter steigen.[144] Dann sickerte eine E-Mail von Severn Trent Water durch, dessen CEO seinen Kollegen in der Wasserversorgungsbranche vorschlug, «Social Purpose» als Strategie zu propagieren, um eine Verstaatlichung abzuwehren, sodass alle ihre millionenschweren Gehälter und Bonuspakete behalten konnten. Liv Garfield schrieb, das beinhalte die «Umwidmung von Versorgungsunternehmen und Versorgungsnetzen in eine neue Art von Unternehmen mit offiziell ausgewiesenem Social Purpose. Dies sind Unternehmen, die in Privatbesitz bleiben und durchaus Gewinne erzielen können (und sollten), die aber auch eine besondere Verpflichtung haben, langfristig zu denken.» Dafür berief sie sich auf die intellektuelle Autorität von Will Hutton, dessen Werk *The State We're In* zwar nie den Begriff «Purpose» verwendet, aber als einflussreiches Grundlagenwerk des Third-Way-Stakeholder-Kapitalismus gilt. Hutton verfasste daraufhin eine wohlwollende Kolumne im *Guardian*.[145]

Man könnte darin auch etwas Positives sehen. Wenn sich die «Social Purpose Company» als formeller Rechtsstatus etabliert, könnte das die Unternehmen verpflichten, die nur vage behaupten, Purpose-orientiert zu sein, ohne wirklich etwas zu verändern (wie Thames Water es seit Jahren tut). Die traurige Realität ist jedoch, dass der formelle Status selbst eine PR-Mogelpackung ist, dem fälschlicherweise der Anschein rechtlicher Autorität verliehen wurde. Vielleicht ist es der letzte politische Rettungsanker in der gesamten Debatte: ein Versuch, die Quadratur des Kreises von privatem Gewinnstreben und öffentlichem Wohl so zu erreichen, dass das ganze Spiel mit der Abschöpfung der Profite in Zukunft ein wenig subtiler und gesitteter erscheint.

In den USA war während der Arbeit an diesem Buch eine Auseinandersetzung unter Beteiligung von OpenAI im Gang. In einem verzwickten Stück über die Macht der Konzerne, das sich zwischen der gemeinnützigen Forschungsorganisation für künstliche Intelligenz und ihrer gewinnorientierten Tochtergesellschaft OpenAI Global entspann, feuerte der Vorstand seinen charismatischen CEO Sam Altman. Kurz darauf wurde Altman wieder eingestellt, während ein Großteil des Vorstands zurücktrat. Die Gründe für den Streit sind kontrovers, aber im Wesentlichen geht es um Spannungen zwischen dem gemeinnützigen Auftrag von OpenAI und den gewinnorientierten Anreizstrukturen seiner Tochtergesellschaft. Das Ganze hat Auswirkungen auf die Richtung, in die sich diese mächtige Technologie entwickelt. «Der Zusammenbruch von OpenAI zeigt, dass bei Konflikten zwischen gemeinnützigen und gewinnorientierten Organisationen in der Regel die mit dem Geld gewinnt», so das Magazin *Fortune.*[146] «OpenAI ist jetzt eindeutig gewinnorientiert, und das ist gut so», konterte *Forbes.*[147] Egal, auf welcher Seite man steht: Der Streit zeigt, dass die Unterscheidung zwischen «gewinnorientiert» und «gemeinnützig» in Bezug auf Organisationen keine Nebensache ist. Diese Differenzierung hat ernsthafte Konsequenzen. «Purpose» ist ein PR-Trick, der darauf abzielt, diesen Unterschied zu verwischen. Das Konzept gleicht einer Nebelmaschine, die eine nette Atmosphäre schafft, ohne jedoch die Realität zu verändern.

Die zugrunde liegenden ethischen Debatten sind dem Begriff «Purpose» weit vorausgegangen, und sie werden noch lange andauern, nachdem das Wort verhallt ist. Aber sie werden unverfälschter und ehrlicher sein, wenn wir die Nebelmaschine ausschalten und anfangen, die Welt so zu sehen, wie sie ist. Wenn Sie in der Welt des Marketing und der Konzerne tätig sind, lassen Sie bitte Ihren mentalen Cursor ein letztes Mal über das Wort «Purpose» gleiten. Dann drücken Sie die Löschtaste.

Danke!

Danke an Sue, die immer wieder nach dem «Warum» gefragt hat; Robin, der sich eines Tages mit wichtigeren Dingen befassen wird; David Pearson, der sein ausgezeichnetes Talent für Cover-Design mit so viel Klasse und Großzügigkeit zur Verfügung gestellt hat; noch einmal Sue, die sich eine Auszeit von der Malerei genommen hat, um das Buch zu layouten; Jon Asbury für den redaktionellen und brüderlichen Rat; Miles und Rachel von Choir Press; Paul Feldwick, Michael Johnson, Andrew Kelly, Byron Sharp und Eliza Williams für das sorgfältige Lesen und das wohlwollende Feedback; Patrick Burgoyne und *Creative Review* dafür, dass sie meine frühen Essays zum Thema Purpose veröffentlicht haben; Robin Van Cleemput und allen bei Teamleader für die Möglichkeit, meine Argumente zum ersten Mal in Gent zu präsentieren; Steve Harrison für die Unterstützung, die ich natürlich nie öffentlich einräumen werde; Kate van der Borgh für die Musik; Mike Bryant, Justin Kirby, Rupert Newton, Tom Sharp und vielen anderen für die guten Gespräche, die ich mit ihnen über das Thema geführt habe. Danke an alle, die meinen Substack-Newsletter abonniert haben oder mir bei Social Media gefolgt sind; und schließlich meiner Mutter für die literarischen Gene und alles andere.

Anmerkungen

Vorwort von Oliver Errichiello

1 https://www.ecchr.eu/pressemitteilung/baumwolle-xinjiang-textilien-recherche/ (abgerufen am 13.06.2025)

2 «How much should arts unis be pushing purpose?», Creative Review, 4. April 2023.

1. Was ist Purpose?

3 Sara Roberts und Jim Stengel, zitiert aus «Where Is Why Going?», Branding Roundtable 35, Brandingmag 2017.

2. Woher kommt der Purpose?

4 «Shareholder value is no longer everything, Top CEOs say», New York Times, 19. August 2019.

5 «Growth and Quality of Life» Keynote von M. Antoine Riboud am 25. Oktober 1972

6 «Danone adopts new legal status to reflect social mission», Financial Times, 26. Juni 2020

7 «Danone: A case study in the pitfalls of purpose», Financial Times, 18. März 2021

8 Aus einem Interview im Savage-Minds-Podcast vom 28. März 2010

9 Simon Sinek, *Frag immer erst: warum: Wie Topfirmen und Führungskräfte zum Erfolg inspirieren,* übers. v. Christian Gonsa, München: Redline Verlag, 2024 [2014], S. 58 und passim.

10 «Many fairy tales about the brain still propagate through our field», Interview in British Psychological Society vom 31. Januar 2017

11 Simon Sinek, *Frag immer erst: warum* (2024), S. 94.

12 «Story of Wright brothers' work continues to enthrall Tise» Interview mit East Carolina University, 13. Oktober 2009

13 https://www.gem-wue.de/fileadmin/mediapool/gemeinden/E_missionarische-dienste_neu/Hauskreisarbeit/Bibel_aktuell_146_-_7._Rede_-_I_have_a_dream_-_Text_und_deutsche_UEbersetzung.pdf (abgerufen am 13.04.2025).

14 Savage Minds, Podcast vom 28. März 2010

15 «The flawed Stengel Study of Business Growth», Byron Sharp, 30. Dezember 2011

16 «Why was Jim Stengel's ‹Grow› so popular when it's so flawed?», Richard Shotton, 11. November 2015. Vgl. sein Buch *The Choice Factory.*

17 «‹Arrogance› around brand purpose making consumers distrust ads», https://www.marketingweek.com/arrogance-brand-purpose-distrust-ads/ (abgerufen am 10.06.2025)

18 Im Original: «For Gen Z-ers, brand purpose means helping us impact the world» (AdAge); «Richard Edelman: This not the end of brand purpose» (PRWeek); «Mars CEO: Attacks on brand purpose are ‹nonsense›» (Raconteur); and «What makes a great corporate purpose statement» (Harvard Business Review).

3. Wie Purpose zu schlechtem Marketing führt

19 «Is this the end for brand purpose?», Creative Review, 19. Juni 2017

20 Die Brands der Reihenfolge nach: Airbnb, WeWork, Uber, Facebook, Starbucks und Spotify.

21 PBS steht für Public Broadcasting Service.

22 «Repeats Suggestion That We Buy Belgium, John Wanamaker in Earnest» New York Times, 24. Juli 1915

23 Viele Nutzer dieses Memes vergessen, dass der eigentliche Punkt der Szene darin bestand, dass Don Draper tatsächlich 24 Stunden lang an diesen Typen gedacht hatte. Aber das hilft mir jetzt nicht dabei, meinen Punkt zu machen.

24 «‹True Gen›: Generation Z and its implications for companies» McKinsey, 12. November 2018

25 «Understanding Generation Z in the workplace», https://www.deloitte.com/us/en/Industries/consumer/articles/understanding-generation-z-in-the-workplace.html (abgerufen am 31.08.2025)

26 «New research shows consumers more interested in brands' values than ever», Consumer Goods Technology Magazine, 27. April 2022

27 PC Consumer Intelligence Series, 2. Juni 2021

28 «From Amazon to Skittles, a new survey of the top 20 brands among Gen Z adults shows tech and snack brands reign supreme with the demographic», Business Insider, 2. Oktober 2022

29 «Meet the Gen Z brand whisperers» The Guardian, 22. April 2023

30 «‹Post-truth› climate impacts Gen Z's conflicting brand perceptions, Forrester says», 20. Januar 2021

31 «IPA research reveals consumer support of brand response to Ukraine invasion», ipa.co.uk, 31. März 2022

32 «Cross-Tabs: October 2023 Times/Siena Poll of the 2024 Battlegrounds», New York Times, 5. November 2023

33 «Poll: Biden's standing hits new lows amid Israel-Hamas war», NBC 19. November 2023

34 «90 years of doing good – why companies with purpose last» Unilever, 13. Januar 2020

35 In Anspielung auf den englischen Titel des vorliegenden Buchs «The Road to Hell».

36 «Mayonnaise with ‹purpose› rebuke shows discontent Unilever is facing» Financial Times, 12. Januar 2022

37 https://quoteinvestigator.com/2025/04/02/early-tell/ (abgerufen am 12.06.2025)

38 «Lip Gloss, Potato Chips, Air Fresheners Are Among the ‹Essentials› Still Sold in Russia», Wall Street Journal, 22. März 2022

39 «Danone chief defends staying open for business in Russia» The Times, 9. März 2022

40 «Danone CEO directs brands to be bold or die», Sustainable Brands, 2019

41 «Unilever's new chief says corporate purpose can be ‹unwelcome distraction›», Financial Times, 26. Oktober 2023

42 «The effectiveness of Brand Purpose», Peter Field, IPA EffWorks Global 2021

43 «The Meltdown of a Gay Bank» New Yorker Intelligencer, 31. März 2023

44 «Gen Z want to work ‹lazy girl jobs›. Who can blame them?», The Guardian, 9. Juli 2023

45 «Quiet quitting: why doing the bare minimum at work has gone global», The Guardian, 6. August 2022

46 «State of the Global Workplace: 2023 Report», Gallup 2023

47 «Ian Leslie: Does Brand Purpose Have a Point?», APG Noisy Thinking, 21. September 2017

4. Wie Purpose die Welt schlechter macht

48 «Severn Trent chief proposes ‹social purpose› water firms amid utilities crisis» The Guardian, 30. Juni 2023; «NatWest poised to report biggest profits since 2008 financial crisis», The Guardian, 12. February 2023

49 «Should firms increase advertising expenditures during recessions?», K. D. Frankenberger und R. C. Graham, 2003.

50 «Moldy Whopper», D&AD Awards 2020

51 Aus Johan Norbergs The *Capitalist Manifesto* (2023), S. 233

52 «Would you choose a Costa coffin to meet your maker?», The Guardian, 18. Februar 2014

53 Das meiste aus diesen zwei Absätzen stammt aus meinem ersten Aufsatz zum Thema Purpose, publiziert in Creative Review, Juni 2017.

54 «Consumers are lost forever: Bud Light sales remain 30 Prozent down since Dylan Mulvaney marketing debacle six months ago», Daily Mail, 9. September 2023

55 «Why California Rejected Racial Preferences, Again», The Atlantic, 10. November 2020

56 «A Campaign to Remind Us That We Love New York (City)», New York Times, 23. März 2023

57 «The We Heart NYC logo flop», New Yorker, 23. März 2023

58 «These New Yorkers don't ♥ the We ♥ NYC logo», New York Times, 21. März 2023

59 «New Yorkers bond over new city logo: They hate it», Washington Post, 21. März 2023

60 Aus dem Film *Midnight Cowboy* (1969). Die Szene wurde scheinbar von Dustin Hoffman improvisiert und enthielt einen echten und komplett ahnungslosen Taxifahrer.

61 «Juror from Elizabeth Holmes trial says it was tough to convict the former Theranos CEO», Business Insider, 5. Januar 2022

62 «WeWork: they've transformed the office, now it's time for your home», The Guardian, 11. Januar 2016

63 «I was Zuckerberg's speechwriter. ‹Companies over countries› was his early motto», Kate Losse, Vox am 16. April 2018.

64 @doctorow auf Twitter, 10. August 2021

65 «The IPA Effectiveness Awards are not ‹watering down their criteria›», Kampagne vom 17. Februar 2022

66 «Cadbury's US owners paid ZERO corporation tax in UK despite profits rocketing by more than 700 per cent to £185 million», Daily Mail, 11. Oktober 2018

67 «Cadbury's non-payment of tax on UK profits», Early Day Motion 832, 8. Dezember 2016

68 «Cadbury owner paid no UK corporation tax last year», The Guardian, 6. Dezember 2015

69 «Cadbury: the great tax fudge», Financial Times, 20. Juni 2013

70 «Brands to avoid: Mars and Cadbury among chocolate firms criticised in ethics report», The Observer, 2. Dezember 2023

71 «IPA reacts to appointment of new Prime Minister Liz Truss», ipda.co.uk, 5. September 2022

72 «Marketers, like chancellors, need time in the job to succeed», Marketing Week, 20. Oktober 2022

73 «Good for nothing», nickasbury.substack.com, 18. November 2022

74 «Brands take note: The purpose of purpose is purpose», Marketing Week, 16. September 2022

75 «Marketers, like chancellors, need time in the job to succeed», Marketing Week, 20. Oktober 2022

76 «Charities need to remember why they exist – and shout about it», The Guardian, 6. April 2016

77 «As companies become purpose-led, where does that leave charities?», Fast Company, 15. August 2018

78 «Why charity brands now need brand purpose», The Team, 16. Oktober 2019

79 «Heinz switches slogan to ‹Beanz Meanz More› as part of purpose drive», Marketing Week, 20. September 2021

80 «Creativity is purpose enough», nickasbury.substack.com, 29. Juni 2022

81 «James Purnell: Designing a university around social purpose – one year in», UAL in einem LinkedIn-Beitrag vom 15. März 2022

82 Creative Industries report, great.gov.uk

83 «BlackRock Closes In on the Once Unthinkable, $10 Trillion in Assets», Wall Street Journal, 14. Juli 2021

84 «Nudging out support for a carbon tax», David Hagmann, Emily H. Ho, George Loewenstein, 1. Juni 2019

85 «Fink: ‹Capitalists Should Self-Regulate› on Climate Disclosure», Bloomberg Television, 27. Januar 2021

86 «Tariq Fancy on Stuart Kirk, the Republicans and what's next for ESG», Financial Times, 20. Juni 2022

87 «Corporate Sustainability: First Evidence on Materiality», Khan, Serafeim und Yoon, November 2016

88 «Corporate Sustainability: A Model Uncertainty Analysis of Materiality», Berchicci und King, Januar 2022

89 «Honey, I Shrunk the ESG Alpha», Scientific Beta, April 2021

90 «The game of ESG telephone», GreenBiz, 10. August 2022

91 «ESG outperformance narrative ‹is flawed›, new research shows», Financial Times, 3. Mai 2021

92 «Bulb Energy bailout to cost UK taxpayers £6.5 bn», Financial Times, 17. November 2022

93 ASA-Entscheidung zu Innocent Ltd, 23. February 2022

94 «The Guardian view on festive marketing: stop spending like there's no tomorrow», The Guardian, 21. November 2023

95 «Ad industry grapples with role selling consumption in climate crisis», The Guardian, 21. November 2023; nach «Ecoffectiveness: The Missing Measure in a Climate Crisis» The Great Reset, 2018

96 «Ad chiefs warn: ‹Advertised emissions won't help our industry to reach net zero›», Kampagne vom 15. Juni 2023

97 «Ad industry grapples with role selling consumption in climate crisis», The Guardian, 21. November 2023

98 «The Real Truth About Beauty: A Global Report – Findings of the Global Study on Women, Beauty and Well-Being», September 2004

99 «Dove's beauty campaign ‹has turned on the women it claims to champion›», Globe and Mail, 9. April 2015

100 «Sorry Dove, empowerment isn't a personal care product», The Guardian, 9. April 2015

101 «The Effectiveness of the Dove Campaign for Real Beauty in Terms of Society and the Brand», Lindsey Morel, 1. Mai 2009

102 «The Truth About Beauty», The Atlantic, März 2007

103 «Dove's ‹Real Beauty› pics could be big phonies», AdAge, 7. Mai 2008

104 «Beauty Above All Else: The Problem With Dove's New Viral Ad», The Cut, 18. April 2013

105 «Top 15 Ad Campaigns of the 21st Century», AdAge, 12. Januar 2015

106 «Mark Ritson on how Dove challenged beauty industry stereotypes», YouTube-Kanal von Marketing Week, 2019

107 «Stop the Scroll: The secrets to creating distinctive TikTok ads that entertain and deliver», Kantar, 30. März 2023

108 «Is this the end for brand purpose?», Creative Review, 19. Juni 2017

109 «4 great lessons on confidence from Mindy Kaling», Vox, 7. August 2015

110 «Unilever injects extra £442 m into marketing amid ‹digital hubs› investment», Marketing Week, 9. Februar 2023

111 «Statistics about women and girls' mental health», Mental Health Foundation, Report 2017

112 «Unilever Will Drop the Word ‹Fair› From its Skin-Lightening Creams», Time, 26. Juni 2020

113 «Nice profit margins, Unilever, but spare us the ‹sharing the pain› gloss», The Guardian, 25. Juli 2023

114 «Unilever named ‹international sponsor of war› by Ukraine», The Guardian, 3. Juli 2023

115 blog.yorksj.ac.uk/jovanalleshi/patagonia-sustainability (abgerufen am 03.07.2025)

5. Was ist die Alternative?

116 «Yvon Chouinard And The Patagonia Purpose Trust – What Is It And Will It Work?», Forbes, 16. September 2022

117 «An Unusual $1.6 Billion Donation Bolsters Conservatives», New York Times, 22. August 2022

118 «Patagonia's radical business move is great – but governments, not billionaires, should be saving the planet», The Guardian, 20. September 2022

119 Es handelt sich dabei nach US-Steuerrecht um eine gemeinnützige Organisation.

120 Dick Ponte, zitiert in Newman und Hotchner: *Shameless Exploitation in Pursuit of the Common Good* (2003)

121 «The Newman's Own Exception», Collier Law Blog, 12. Februar 2020

122 «From Rabbie to Rubens: 10 years of free entry to museums», The Guardian, 30. November 2011

123 «Who's laughing now? Let's stop the decline of humor in advertising», Kantar, 3. Februar 2022

124 «Left-Handed Mango Chutney», YouTube-Kanal von Zulu Alpha Kilo

125 «About Advertising: Bernbach Puts Agency's Iron Fist in Velvet Glove», Los Angeles Times, 11. Januar 1971

126 «Doyle Dane Cigaret Ban Ended», New York Times, 20. Dezember 1982

127 «Geoffrey Chaucer note asking for time off work identified as his handwriting», The Guardian, 10. Juli 2023

128 «A Life in the Day of a window cleaner at the World Trade Center, 1998» Sunday Times, 4. Januar 1998. Über das Zitat bin ich durch einen Blogbeitrag von Joe Moran gestolpert, vom 20. April 2011 auf joemoransblog.blogspot.com.

129 DEI steht für «Diversity, Equity, and Inclusion».

130 PAC steht für «Political Action Committees».

131 «Thatcher ad chief: We don't want five more years of cruelty with the Tories», The Independent, 24. November 2023

132 «A rare outing for a defiant Maggie: Baroness Thatcher attends Saatchi's 40th anniversary party», Daily Mail, 10. September 2010

133 https://www.independent.co.uk/news/uk/politics/rachel-reeves-jeremy-hunt-autumn-statement-election-b2451810.html (abgerufen 28.07.2025)

134 «ChatGPT is capable of cognitive empathy!», nonzero.substack.com, 30. März 2023

135 «The Empathy Delusion», Andrew Tenzer und Ian Murray, Reach Solutions 2018

136 «‹UK retirees› spending rockets as younger people spend less», The Guardian, 2. January 2020

137 «Sucks to be him! How Henry the vacuum cleaner became an accidental design icon», The Guardian, 24. Juli 2021

138 «Investment supports Henry manufacturer growth», Stephen Farrell, Insider Media, 19. September 2016

139 «Man arranged picnic to celebrate Henry the Hoover and 37 000 people wanted to go», Metro, 10. März 2018

140 «Vorsprung durch Technik – ad slogan that changed how we saw Germany», The Guardian, 18. September 2012

141 Das erste Zitat stammt von Naresh Ramchandani, Präsident D&AD (2021). Zweites Zitat von Jo Jackson, CEO D&AD (2023). Die Ofenhandschuh-Werbung stammt von Morrison's und Leo Burnett (2023).

142 Aus einem Interview in *A Smile in the Mind* (2016).

143 «P&G's Marc Pritchard: the industry has gone too far with purpose marketing», The Drum, 17. Juni 2022

144 «As Thames Water sinks, Macquarie Group continues its unstoppable rise», The Guardian, 10. Juli 2023

145 «Water boss Garfield's email to rivals is more collusion than good deed», Evening Standard, 30. Juni 2023; außerdem «Now, water bosses, you must show how capitalism can work for the common good», The Guardian, 2. Juli 2023

146 «The OpenAI meltdown shows that when nonprofits and for-profits clash, the one with the money usually wins», Fortune, 21. November 2023

147 «OpenAI Is Now Unambiguously Profit-Driven, And That's A Good Thing», Forbes, 9. Dezember 2023

Index

Der Autor

Nick Asbury ist ein preisgekrönter britischer Texter im Bereich Branding und Design – unter anderem wird seine Arbeit in *The Copy Book* gewürdigt. Er schreibt regelmäßig über die ethischen und politischen Seiten des Marketings – unter anderem für *Creative Review*, *Marketing Week* und *The Guardian*.